LA CAVERNE DES IDÉES

DU MÊME AUTEUR

Titre original :
La Caverna de las ideas
Éditeur original :
Alfaguara, Madrid
© José Carlos Somoza, 2000

© ACTES SUD, 2002
pour la traduction française
ISBN 978-2-7427-4463-3

JOSÉ CARLOS SOMOZA

LA CAVERNE DES IDÉES

roman traduit de l'espagnol
par Marianne Millon

BABEL

Il existe en effet une vraie raison qui se dresse en face de celui qui aura l'audace d'écrire quoi que ce soit sur ce genre de questions, raison que j'ai donnée maintes fois, précédemment même, et de laquelle, semble-t-il, il y a lieu de parler encore à présent.

Pour chacune des réalités, les facteurs indispensables de la connaissance qu'on en obtient sont au nombre de trois, et un quatrième est la connaissance en elle-même ; pour ce qui est d'un cinquième, il faut admettre que c'est, en soi, l'objet précisément de la connaissance et ce qu'il est véritablement. Premier facteur : le nom ; deuxième facteur : la définition ; troisième : l'image…

PLATON, *Lettre VII.*

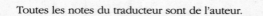
Toutes les notes du traducteur sont de l'auteur.

I*

Le cadavre reposait sur de fragiles brancards en bois de bouleau. Le torse et le ventre étaient couverts d'hématomes, les chairs déchirées maculées de sang coagulé et de terre séchée, mais la tête et les bras présentaient un meilleur aspect. Un soldat avait retiré les manteaux qui le recouvraient pour permettre à Aschilos de l'examiner, et les curieux s'étaient approchés, d'abord avec timidité, puis en masse, formant un cercle autour de la macabre dépouille. Le froid hérissait la peau bleue de la Nuit, et le Borée faisait onduler la chevelure dorée des torches, les bords sombres des chlamydes et le crin épais des casques des soldats. Le Silence gardait les yeux ouverts : les regards étaient suspendus à la terrible exploration clinique d'Aschilos, qui, avec des gestes de sage-femme, écartait les lèvres des blessures ou plongeait les doigts dans les effrayantes cavités avec l'attention minutieuse d'un lecteur qui glisse son index sur les inscriptions portées sur un papyrus, le tout sous la lumière d'une lampe que son esclave lui approchait en la protégeant de la main des coups de griffe du vent. Candale le Vieux était le seul à parler : il avait crié dans les rues, quand les

---

* Les cinq premières lignes sont manquantes. Dans son édition du texte original, Montalo affirme que le papyrus a été déchiré à cet endroit. Je commence ma traduction de *La Caverne des idées* à la première phrase du texte de Montalo, qui est le seul que nous ayons à notre disposition. *(N.d.T.)*

soldats étaient arrivés avec le cadavre, réveillant tout le voisinage, et il restait en lui comme un écho du vacarme qu'il avait engendré. Le froid ne semblait pas l'atteindre, bien qu'il fût à moitié nu ; il boitait autour du cercle d'hommes en traînant le pied gauche, atrophié, constitué d'un seul et même ongle de satyre, et il tendait les joncs de ses bras d'une minceur extrême pour s'appuyer sur les autres tout en s'exclamant :

— C'est un dieu… Regardez-le !… Les dieux descendent ainsi de l'Olympe… Ne le touchez pas !… Ne vous l'avais-je pas dit ?… Jure que c'est un dieu, Callimaque !… Jure-le, Euphorbe !…

Sa longue chevelure blanche, qui se dressait en désordre sur la tête anguleuse comme un prolongement de sa folie, s'agitait au vent en lui masquant à moitié le visage. Mais on ne lui prêtait guère attention : les gens préféraient observer le mort plutôt que le fou.

Le capitaine de la garde-frontière était sorti de la maison la plus proche, escorté par deux soldats, et ajustait maintenant son casque à long panache : il lui semblait bon d'arborer ses insignes militaires en public. A travers la sombre visière, il contempla l'assistance et, avisant Candale, il le désigna du geste indifférent avec lequel il aurait pu chasser une mouche gênante.

— Faites-le taire, par Zeus, dit-il, ne s'adressant à aucun des soldats en particulier.

L'un d'eux s'approcha du vieil homme, souleva sa lance par la base et frappa d'un seul mouvement horizontal le papyrus fripé de son bas-ventre. Candale reprit son souffle au milieu d'un mot et se plia en deux sans bruit, comme un cheveu que le vent recourbe. Il resta à terre à se tordre et à gémir. Les gens apprécièrent le retour du silence.

— Ton avis, physicien ?

Aschilos, le médecin, prit son temps pour répondre ; il ne releva même pas la tête vers le capitaine. Il n'aimait pas qu'on l'appelât ainsi, "physicien", et encore moins sur ce ton qui semblait proclamer que tous les individus étaient méprisables à l'exception de celui qui l'employait. Aschilos n'était pas un militaire, mais il descendait d'une ancienne lignée d'aristocrates et avait reçu une excellente éducation : il connaissait bien les Aphorismes, pratiquait le Serment dans toutes ses acceptions, et avait consacré sur l'île de Cos de longues périodes à l'étude de l'art sacré des Asclépiades, disciples et héritiers d'Hippocrate. Il n'était donc pas homme à se laisser humilier facilement par un capitaine de la garde-frontière. Et puis il se sentait outragé : les soldats l'avaient réveillé à une heure incertaine de la ténébreuse matinée pour aller examiner en pleine rue le cadavre de ce jeune homme ramené sur des brancards du mont Lycabette, certainement dans le but de lui faire établir une sorte de rapport ; or lui, Aschilos, tout le monde le savait, n'était pas le médecin des morts mais celui des vivants, et il considérait que cette tâche indigne discréditait son métier. Il souleva les mains du cadavre déchiqueté, entraînant avec lui une chevelure d'humeurs sanguinolentes que son esclave s'empressa d'essuyer avec un tissu humidifié dans de l'eau lustrale. Il se racla la gorge à deux reprises avant de parler et dit :

— Les loups. Il a probablement été attaqué par une meute affamée. Morsures, coups de griffe… Le cœur n'est plus à sa place. Ils le lui ont arraché. La cavité des fluides chauds est en partie vide…

La Rumeur aux longs cheveux courut sur les lèvres de l'assistance.

— Tu as entendu, Hémodore, murmura un homme à un autre. Les loups.

— Il faudrait faire quelque chose à ce sujet, répondit son interlocuteur. Nous en débattrons à l'Assemblée…

— La mère a déjà été prévenue, annonça le capitaine, faisant taire les commentaires de sa voix ferme. Je n'ai pas voulu lui donner de détails ; elle sait juste que son fils est mort. Et elle ne verra pas le corps avant l'arrivée de Daminos de Clazobion : c'est maintenant le seul homme de la famille, et c'est à lui de décider ce qu'il convient de faire – il parlait d'une voix puissante, habituée à se faire obéir, les jambes écartées, les poings appuyés sur le jupon de la tunique. Il semblait s'adresser aux soldats, bien qu'il fût évident qu'il jouissait de l'attention du peuple. En ce qui nous concerne, c'est terminé !

Et il se retourna vers le groupe de civils pour ajouter :

— Allons, citoyens, rentrez chez vous ! Il n'y a plus rien à voir ! Trouvez le sommeil si vous le pouvez… La nuit n'est pas encore finie !

De même que des mèches ébouriffées par un vent capricieux dont chacun des cheveux choisit de s'agiter dans une direction, la modeste foule se dispersa, certains en groupes, d'autres seuls, commentant le terrible événement, ou bien en silence :

— C'est exact, Hémodore, les loups abondent au Lycabette. J'ai entendu dire que des paysans avaient été attaqués…

— Et aujourd'hui… ce pauvre éphèbe ! Nous devons en parler à l'Assemblée…

Un homme de petite taille, obèse, ne partit pas en même temps que les autres. Il se trouvait aux pieds du cadavre, le contemplait les yeux mi-clos et paisibles, sans aucune expression sur son visage gros mais net. On aurait dit qu'il dormait debout : ceux qui s'en allaient l'esquivaient, passaient à côté de lui sans le regarder, comme s'il se fût agi d'une colonne ou d'une pierre. L'un des soldats s'approcha de lui et tira sur son manteau.

— Rentre chez toi, citoyen. Tu as entendu notre capitaine.

L'homme n'eut pas l'air très concerné : il continua à regarder dans la même direction pendant que ses gros doigts caressaient les bords de sa barbe argentée bien taillée. Le croyant sourd, le soldat le poussa légèrement et éleva la voix :

— Eh, je te parle ! Tu n'as pas entendu notre capitaine ? Rentre chez toi !

— Excuse-moi, dit l'homme sur un ton qui ne révélait en rien que l'intervention du soldat l'inquiétât le moins du monde. Je m'en vais.

— Que regardes-tu ?

L'homme cligna deux fois des paupières et détourna les yeux du cadavre qu'un autre soldat était en train de recouvrir d'un manteau.

— Rien. Je réfléchissais, dit-il.

— Eh bien réfléchis couché dans ton lit.

— Tu as raison, approuva l'homme. On aurait dit qu'il sortait d'un rêve très court. Il jeta un regard autour de lui et s'éloigna lentement.

Les curieux s'étaient maintenant tous éloignés, et Aschilos, qui s'entretenait avec le capitaine de la garde, semblait tout à fait disposé à disparaître rapidement dès que son interlocuteur le lui permettrait. Même le vieux Candale, se tordant encore de douleur en gémissant, s'éloignait à quatre pattes, aiguillonné par les coups de pied des soldats, à la recherche d'un recoin obscur où passer la nuit en rêvant de sa folie ; ses longs cheveux blancs s'animaient avec le vent, se hérissaient dans son dos, pour se dresser en une masse irrégulière de cheveux de neige, une aigrette blanche s'agitant au vent. Dans le ciel, épousant avec exactitude les lignes du Parthénon, la nuageuse chevelure de la Nuit, ornée d'argent, s'effrangeait comme la longue coiffure d'une jeune fille*.

Mais l'homme obèse que le soldat semblait avoir tiré d'un rêve ne s'engagea pas comme les autres dans la chevelure de rues entrelacées qui formaient le quartier intérieur au tracé complexe ; comme s'il y avait réfléchi à deux fois, il fit le tour de la

---

* L'abus de métaphores liées aux "mèches" ou aux "chevelures", dispersées ici et là, attire l'attention depuis le début du texte : il est possible qu'elles signalent la présence d'une eidesis, mais cela n'est pas encore sûr. Montalo ne semble pas l'avoir remarqué, car il n'en fait pas mention dans ses notes. (N.d.T.)

petite place d'un pas tranquille et se dirigea vers la maison d'où était sorti, quelques instants plus tôt, le capitaine de la garde et d'où s'échappaient maintenant, clairement audibles, de funestes lamentations. La demeure, même dans la pénombre épuisée de la nuit, trahissait la présence d'une famille jouissant d'une certaine position économique : grande, pourvue de deux étages, elle était précédée d'un vaste jardin et d'un muret. Le portail d'entrée, auquel on accédait par un petit perron, était à double battant, flanqué de colonnes doriques. Les portes étaient ouvertes. Assis sur le perron, sous la lumière d'une torche accrochée au mur, il y avait un enfant.

Quand l'homme s'approcha, il vit un vieillard passer les portes d'un pas chancelant : il portait la tunique grise des esclaves, et au début, à sa façon de se déplacer, l'homme crut qu'il était ivre ou estropié, avant de s'apercevoir qu'il pleurait amèrement. Le vieillard ne lui adressa pas même un regard au passage : pressant son visage entre ses mains sales, il avança à l'aveuglette sur le chemin qui menait au jardin jusqu'à la petite statue de l'Hermès tutélaire tout en balbutiant des phrases sans suite, inintelligibles, parmi lesquelles on comprenait parfois : "Ma maîtresse… !", ou bien : "O, infortune… !" L'homme cessa de lui prêter attention et s'adressa à l'enfant, qui l'observait sans avoir l'air intimidé, toujours assis sur le perron, ses petits bras croisés sur ses jambes.

— Tu sers dans cette maison ? lui demanda-t-il en lui montrant le disque rouillé d'une obole.

— Oui, mais je pourrais aussi bien servir dans la tienne.

L'homme fut surpris par la rapidité de sa réponse et le défi contenu dans sa voix. Il ne lui donna pas plus de dix ans. L'enfant portait nouée autour du front une bande de tissu qui contenait à grand-peine le désordre de ses lourdes mèches blondes, pas exactement blondes mais couleur miel, bien qu'il fût malaisé d'apprécier la tonalité précise de cette chevelure sous l'éclat de la torche. Son visage, menu et

pâle, démentait toute ascendance lydienne ou phé-
nicienne et laissait supposer une origine du Nord,
peut-être thrace ; son expression, avec le sourcil court
et froncé et le sourire asymétrique, était un concentré d'intelligence. Il portait juste la tunique grise des
esclaves, mais, bien qu'il allât bras et jambes nus, il
ne semblait pas avoir froid. Il saisit l'obole avec
dextérité et la fit disparaître entre les plis de sa
tunique. Il resta assis, à balancer ses pieds nus.

— Pour l'instant, je n'ai besoin que d'un service,
dit l'homme : Que tu m'annonces à ta maîtresse.

— Ma maîtresse ne reçoit personne. Un grand
soldat, qui est le capitaine de la garde, lui a rendu
visite tout à l'heure et lui a dit que son fils était
mort. Maintenant elle crie, s'arrache les cheveux et
invoque les dieux pour les maudire.

Et comme si ses paroles avaient eu besoin d'une
preuve, on entendit soudain, des profondeurs de la
maison, un long chœur de hurlements.

— Ce sont ses esclaves, indiqua l'enfant sans se
troubler.

— Ecoute, dit l'homme. Je connaissais le mari de
ta maîtresse…

— C'était un traître, l'interrompit l'enfant. Il est
mort il y a longtemps, condamné à mort.

— Oui, c'est pour cela qu'il est mort : parce qu'il a
été condamné à mort. Mais ta maîtresse me connaît
bien et, puisque je suis ici, j'aimerais lui présenter
mes condoléances, dit-il en tirant de sa tunique une
nouvelle obole, qui changea de mains avec la même
rapidité que la précédente. Va lui dire qu'Héraclès
Pontor est venu lui rendre visite. Si elle ne souhaite
pas me voir, je m'en irai. Mais va le lui dire.

— J'y vais. Mais si elle ne te reçoit pas, est-ce
que je dois te rendre les oboles ?

— Non, elles sont pour toi. Mais je t'en donnerai
une autre si elle me reçoit.

L'enfant se leva d'un bond.

— Tu as le sens des affaires, par Apollon ! et il
disparut dans l'obscurité du seuil.

Dans le ciel nocturne, la chevelure ébouriffée des nuages changea à peine de forme pendant l'intervalle où Héraclès attendit une réponse. Enfin, les cheveux couleur miel de l'enfant revinrent de l'obscurité :

— Donne-moi la troisième obole, dit-il en souriant.

A l'intérieur de la maison, les couloirs communiquaient entre eux par des arcs en pierre qui avaient l'air de grandes gueules ouvertes, formant un dédale de ténèbres. L'enfant s'arrêta au milieu d'un couloir sombre pour placer dans un crochet la torche avec laquelle il avait indiqué le chemin, mais le crochet était placé trop haut, et bien que le petit esclave n'eût pas demandé de l'aide – il se dressait sur la pointe des pieds en faisant des efforts pour l'atteindre – Héraclès prit la torche et la glissa doucement à travers l'anneau de fer.

— Je te remercie, dit l'enfant. Je ne suis pas encore assez grand.

— Cela ne va pas tarder.

A travers les murs, filtraient les clameurs, les rugissements, les échos de la douleur, provenant de bouches invisibles. C'était comme si tous les habitants de la maison s'étaient lamentés en même temps. L'enfant, dont Héraclès ne pouvait voir le visage car il marchait devant lui, petit, vulnérable, telle une brebis avançant vers la gueule ouverte d'une énorme bête noire, sembla soudain bouleversé lui aussi :

— Nous aimions tous beaucoup le jeune maître, dit-il sans se retourner et sans s'arrêter. Il était très bon – et il émit un bref halètement, ou un soupir, ou il renifla, et Héraclès se demanda un instant s'il ne serait pas en train de pleurer. Il ne nous faisait fouetter que quand nous avions vraiment fait quelque chose de mal, et le vieil Iphimaque et moi n'avons jamais été punis… Tu as vu l'esclave qui est sorti de la maison à ton arrivée ?

— Je n'ai pas fait attention.

— C'était Iphimaque. Il a été le pédagogue de notre jeune maître, la nouvelle l'a dévasté – et il ajouta, en baissant la voix : Iphimaque est gentil, quoique un peu sot. Je m'entends bien avec lui, mais je m'entends bien avec presque tout le monde.

— Cela ne me surprend pas.

Ils étaient parvenus à une pièce.

— Tu dois attendre là. La maîtresse va venir tout de suite.

La pièce était un cénacle dépourvu de fenêtres, pas très grand, éclairé par l'éclat irrégulier de modestes lampes placées sur de petites consoles en pierre. Elle était décorée par des amphores à large ouverture. Il y avait également deux vieux divans qui n'invitaient pas précisément à s'y délasser. Quand Héraclès fut seul, l'obscurité de cet antre, les sanglots incessants, et même l'air confiné qui flottait comme l'haleine d'une bouche malade, commencèrent à l'étouffer. Il pensa que toute la maison semblait en harmonie avec la mort, comme si l'on n'avait cessé d'y célébrer de longues funérailles quotidiennes. Quelle était cette odeur ? se demanda-t-il. Les pleurs féminins. La pièce était saturée de l'odeur humide des femmes tristes.

— Héraclès Pontor, c'est toi ?...

Une ombre se découpait sur le seuil d'accès aux pièces intérieures. La faible lumière des lampes ne révélait pas son visage, à l'exception étonnante de la région des lèvres. De sorte que la première chose qu'Héraclès aperçut d'Etis fut sa bouche, qui, en s'ouvrant pour faire naître les mots, laissa entrevoir un fuseau noir qui sembla le contempler à distance comme les yeux des silhouettes peintes.

— Tu n'avais pas franchi le seuil de ma modeste maison depuis bien longtemps, dit la bouche sans attendre de réponse. Sois le bienvenu.

— Je t'en remercie.

— Ta voix... Je m'en souviens encore. Et ton visage. Mais l'oubli vient vite, même si l'on se voit souvent...

— Nous ne nous voyons pas souvent, répondit Héraclès.

— C'est vrai : ta maison est toute proche de la mienne, mais tu es un homme et moi une femme. J'occupe mon poste de *despoïna*, de maîtresse de maison solitaire, et toi d'homme qui parle à l'agora et donne son avis à l'Assemblée... Je ne suis qu'une femme veuve. Toi, un homme veuf. Nous faisons tous deux notre devoir d'Athéniens.

La bouche se referma, et les lèvres pâles se crispèrent en dessinant une courbe très fine, presque invisible. Un sourire ? Héraclès avait du mal à le déterminer. Derrière l'ombre d'Etis, apparurent deux esclaves qui l'escortaient ; elles pleuraient toutes deux, sanglotaient, ou entonnaient simplement un son entrecoupé, comme des joueuses de hautbois. "Je dois supporter sa cruauté parce qu'elle vient de perdre son seul fils", pensa-t-il.

— Je te présente mes condoléances, dit-il.

— Je les accepte.

— Et je t'offre mon aide. Pour tout ce dont tu peux avoir besoin.

Il comprit immédiatement qu'il n'aurait pas dû ajouter ça : c'était dépasser les limites de sa visite, vouloir réduire l'interminable distance, résumer toutes les années de silence en deux mots. La bouche s'ouvrit comme un animal tapi, ou endormi, petit mais dangereux, qui aurait soudain aperçu une proie.

— C'est le prix à payer pour ton amitié avec Méragre, répondit-elle sèchement. Tu n'as pas besoin d'en dire plus.

— Il ne s'agit pas de mon amitié avec Méragre... Je considère cela comme un devoir.

— Oh, un devoir, sa bouche dessina – maintenant c'était sûr – un vague sourire. Un devoir sacré, bien entendu. Tu parles comme toujours, Héraclès Pontor !

Elle avança d'un pas : la lumière découvrit la pyramide de son nez, les pommettes labourées par des griffures récentes, et les braises sombres de ses yeux. Elle n'avait pas autant vieilli qu'Héraclès l'aurait cru : elle conservait, lui sembla-t-il, la marque de l'artiste qui l'avait créée. Les *kolpoï* du péplum sombre s'étalaient en ondes lentes sur sa poitrine ; une main, la gauche, disparaissait sous son châle, la droite s'accrochait au vêtement pour le refermer. Ce fut sur cette main qu'Héraclès vit les marques de la vieillesse, comme si les années avaient glissé le long des bras pour en noircir les extrémités. C'était là, uniquement là, à ces nœuds évidents et à la déformation des doigts, qu'Etis était vieille.

— Je te remercie, murmura-t-elle, et il y avait dans sa voix, pour la première fois, une profonde inflexion de sincérité qui l'émut. Comment l'as-tu appris aussi vite ?

— Il y a eu de l'agitation dans la rue quand ils ont amené le corps. Tous les voisins ont été réveillés.

On entendit un cri. Puis un autre. Pendant un moment absurde, Héraclès pensa qu'ils venaient de la bouche d'Etis, qui était fermée : comme si elle avait rugi à l'intérieur et que tout son corps mince eût frémi, résonnant de ce qui montait de sa gorge.

Mais à ce moment le cri pénétra dans la pièce vêtu de noir, poussa les esclaves et, accroupi, courut d'un mur à l'autre et se laissa tomber dans un coin, assourdissant, se tordant comme en proie à la maladie sacrée. Il finit par éclater en des sanglots irrépressibles.

— Pour Elea, cela a été bien pire, dit Etis sur un ton d'excuse, comme si elle voulait demander pardon à Héraclès de la conduite de sa fille : Tramaque n'était pas seulement son frère ; c'était aussi son *kyrios*, son protecteur légal, le seul homme qu'Elea ait connu et aimé…

Etis se retourna vers la jeune fille qui, recroquevillée dans le sombre recoin, les jambes repliées comme si elle avait voulu occuper le moins d'espace possible, ou avait souhaité être absorbée par les ombres comme par une toile d'araignée noire, élevait les mains devant son visage, les yeux et la bouche démesurément ouverts – ses traits se résumaient à trois cercles qui recouvraient le visage tout entier –, agitée par de violents sanglots.

— Ça suffit, Elea, dit Etis. Tu ne dois pas sortir du gynécée, tu le sais, et encore moins dans cet état. Manifester ainsi sa douleur devant un invité… quoi ! Cela ne sied pas à une femme digne ! Retourne dans ta chambre ! Mais les pleurs de la jeune fille redoublèrent. Levant la main, Etis s'exclama : Je ne te le redirai pas !

— Laissez-moi faire, maîtresse, l'implora une esclave qui s'agenouilla précipitamment devant Elea et lui adressa tout bas quelques mots qu'Héraclès ne parvint pas à entendre. Bientôt, les sanglots se transformèrent en balbutiements incompréhensibles.

Quand Héraclès porta à nouveau le regard vers Etis, il s'aperçut que c'était elle qui le regardait.

— Que s'est-il passé ? demanda Etis. Le capitaine de la garde m'a juste dit qu'un chevrier avait retrouvé son corps non loin du Lycabette…

— Aschilos, le médecin, affirme que ce sont des loups.

— Il faudrait beaucoup de loups pour tuer mon fils !

"Et tout autant pour en finir avec toi, ô noble femme", pensa-t-il.

— Il y en avait certainement beaucoup, acquiesça-t-il.

Etis se mit à parler avec une douceur étrange, sans s'adresser à Héraclès, comme si elle avait récité une prière, seule. Dans la pâleur de son visage, les lèvres de ses griffures rougeâtres saignaient à nouveau.

— Il est parti il y a deux jours. Je lui ai dit au revoir comme tant d'autres fois, sans m'inquiéter, car c'était déjà un homme et il faisait attention à lui… "Je vais passer la journée à la chasse, mère, m'a-t-il dit. Je remplirai ma gibecière de cailles et de grives pour toi. Je poserai aussi des pièges pour les lièvres avec mes filets…" Il pensait rentrer le soir même. Il ne l'a pas fait. Je comptais le lui reprocher à son retour, mais…

Sa bouche s'ouvrit soudain, comme si elle avait été préparée à prononcer un mot énorme. Elle resta un instant dans cette posture, les mandibules crispées, l'obscure ellipse des mâchoires immobilisée dans le silence*. Elle la referma alors doucement et murmura :

— Mais aujourd'hui je ne peux pas affronter la Mort et la disputer... parce qu'elle ne reviendrait pas avec le visage de mon fils pour me demander pardon... Mon fils chéri !...

"Chez elle, une légère tendresse est plus terrible que le rugissement du héros Stentor", pensa Héraclès, admiratif.

— Les dieux sont parfois injustes, dit-il pour tout commentaire, mais également parce qu'il en était dans le fond persuadé.

— Ne parle pas d'eux, Héraclès... Oh, ne parle pas des dieux ! La bouche d'Etis tremblait de colère. Ce sont les *dieux* qui ont planté leurs crocs dans le corps de mon fils et ont souri en lui arrachant le cœur pour le dévorer, en aspirant avec délectation le tiède arôme de son sang ! Oh, ne parle pas des dieux en ma présence !...

Héraclès pensa qu'Etis tentait, en vain, d'apaiser sa propre voix, qui résonnait maintenant en de forts rugissements entre ses mâchoires, provoquant le silence autour d'elle. Les esclaves avaient tourné la tête pour l'observer ; Elea elle-même s'était tue et écoutait sa mère avec un sérieux mortel.

— Zeus Cronide a abattu le dernier chêne de cette maison, encore vert !... Maudits soient les dieux et leur caste immortelle !...

Ses mains s'étaient dressées, ouvertes, en un geste redoutable, direct, presque exact. Ensuite,

---

* Les métaphores et images reliées à "bouches", "mâchoires" ou "rugissements", occupent, comme le lecteur averti l'a peut-être déjà remarqué, toute la deuxième partie de ce chapitre. Il me semble évident que nous nous trouvons en présence d'un texte eidétique. *(N.d.T.)*

baissant lentement les bras en même temps qu'elle diminuait l'intensité de ses cris, elle ajouta avec un mépris subit :

— Le meilleur compliment que les dieux puissent attendre de nous est notre silence !...

Et ce mot, "silence", fut brisé par une triple clameur. Le son s'enfonça dans les oreilles d'Héraclès et l'accompagna tandis qu'il sortait de la funeste maison : un cri rituel, tripartite, provenant des esclaves et d'Elea, les bouches démesurément ouvertes, formant une seule gorge brisée en trois notes distinctes, aiguës et assourdissantes, qui projetèrent hors d'elles, en trois directions, le rugissement funèbre des gosiers*.

---

* Il est surprenant que, dans son édition érudite de l'original, Montalo ne fasse même pas référence à la forte eidesis que révèle le texte, du moins tout au long de ce premier chapitre. Mais il est également possible qu'il ignore l'existence d'un procédé littéraire aussi étonnant. A titre d'exemple pour l'édification du lecteur curieux, et aussi pour expliquer avec sincérité comment j'en suis venu à découvrir l'image cachée dans ce chapitre – car un traducteur doit être sincère dans ses notes ; le mensonge est le privilège de l'auteur –, je rapporterai ici la brève discussion que j'ai eue hier avec mon amie Helena, que je considère comme une collègue docte et pleine d'expérience. La conversation est venue sur le sujet, et je lui ai dit avec enthousiasme que *La Caverne des idées*, l'ouvrage que j'ai commencé à traduire, était un texte eidétique. Elle est restée à m'observer, immobile, la main gauche tenant par la queue une des cerises de l'assiette proche.

— Un texte quoi ? fit-elle.

— L'eidesis, expliquai-je, est une technique littéraire inventée par les écrivains grecs classiques pour transmettre des clés ou des messages secrets dans leurs œuvres. Elle consiste à répéter des métaphores ou des mots qui, isolés par un lecteur averti, forment une idée ou une image indépendante du texte originel. Arginuse de Corinthe, par exemple, dissimula sous une eidesis une description très détaillée d'une jeune fille qu'il aimait dans un long poème apparemment consacré aux fleurs des champs. Et Epaphe de Macédoine...

— C'est très intéressant, sourit-elle, l'air ennuyé. Et on peut savoir ce que cache ton texte anonyme, *La Caverne des idées* ?

— Je le saurai quand j'aurai fini de le traduire. Dans le premier chapitre, les mots les plus souvent répétés sont "chevelures", "mèches" et "bouches" ou "gosiers" qui "crient" ou "rugissent", mais...

— "Chevelures" et "gosiers qui rugissent" ?... m'interrompit-elle avec simplicité. Il parle peut-être d'un lion, non ?

Et elle mangea la cerise.

J'ai toujours détesté cette capacité des femmes à parvenir à la vérité sans se fatiguer en prenant le raccourci le plus direct. Ce fut alors à mon tour de rester immobile, en l'observant avec de grands yeux.

— Un lion, bien sûr... murmurai-je.

— Ce que je ne comprends pas, poursuivit Helena sans accorder d'importance à la question, c'est pourquoi l'auteur considérait l'idée d'un lion comme secrète au point de la dissimuler sous... comment as-tu dit ?

— Une eidesis. Nous le saurons quand j'aurai fini de le traduire : un texte eidétique ne se comprend que si on le lit de A à Z, en disant cela je pensais : "Un *lion*, bien sûr... Pourquoi n'y ai-je pas pensé plus tôt ?"

— Bien – Helena considéra la conversation comme terminée, replia ses longues jambes qu'elle avait étendues sur une chaise, posa l'assiette de cerises sur la table et se leva. Continue à traduire et tu me raconteras.

— Ce qui est surprenant, c'est que Montalo n'ait rien remarqué dans le manuscrit original... dis-je.

— Eh bien écris-lui une lettre, suggéra-t-elle. Cela fera bien et il te remarquera.

Et bien que je feignisse tout d'abord de ne pas être d'accord – pour qu'elle ne remarquât pas qu'elle avait résolu tous les problèmes en un clin d'œil –, ce fut ce que je fis. *(N.d.T.)*

II*

Les esclaves préparèrent le corps de Tramaque, fils
de la veuve Etis, selon les usages : on purifia les
horribles dilacérations avec des onguents provenant
du lécythe, des mains aux doigts agiles glissèrent
sur la peau crevassée pour y passer des essences et
des parfums, il fut enveloppé dans la fragilité du
suaire et habillé de vêtements propres, le visage
laissé à découvert, la mâchoire maintenue par des
bandages serrés pour empêcher le terrifiant bâille-
ment de la mort, sous l'onctuosité de la langue on
déposa l'obole qui rétribuerait les services de
Charon. Puis on décora un lit avec du myrte et du
jasmin sur lesquels on plaça le cadavre, les pieds
tournés vers la porte, pour être veillé tout au long
de la journée ; la présence grise d'un petit Hermès
tutélaire le surveillait. A l'entrée du jardin, l'*arda-
nion*, l'amphore contenant l'eau lustrale, servirait à
rendre publique la tragédie et à purifier les visiteurs
du contact avec l'inconnu. Les pleureuses que l'on
avait engagées entonnèrent leurs cantiques sinueux
à partir de midi, quand les témoignages de compassion se multiplièrent. Dans l'après-midi, une file

---

* "La texture est onctueuse ; les doigts glissent à la surface
comme imprégnés d'huile ; on remarque une certaine fragilité des squames dans la partie centrale", affirme Montalo au
sujet des fragments de papyrus du manuscrit au début du
deuxième chapitre. Peut-être a-t-on employé des feuilles
provenant de différentes plantes dans leur élaboration ? (*N.d.T.*)

ondulante d'hommes serpentait le long du trottoir du jardin : chacun, sous la froide humidité des arbres, attendait en silence son tour pour entrer dans la maison, défiler devant le corps et présenter ses condoléances aux membres de la famille. Daminos, le *dêmos* de Clazobion, l'oncle de Tramaque, servit d'amphitryon : il possédait une certaine fortune en bateaux et en mines d'argent de Laurion, et sa présence attira de nombreuses personnes. Par contre, peu vinrent en souvenir de Méragre, le père de Tramaque – qui avait été condamné et exécuté comme traître à la démocratie, de nombreuses années auparavant –, ou par respect envers la veuve Etis, sur qui avait rejailli le déshonneur de son époux.

Héraclès Pontor arriva au coucher du soleil, car il avait décidé de participer également à l'*ekphora*, le cortège funèbre, qui avait toujours lieu de nuit. Il pénétra avec une lenteur cérémonieuse dans le sombre vestibule, humide et froid, à l'air rendu huileux par l'odeur des onguents, effectua un tour complet autour du cadavre en suivant les pas de la file sinueuse de visiteurs, et embrassa en silence Daminos et Etis, qui le reçut dissimulée sous un péplum noir et un châle à grande capuche. Ils n'échangèrent pas un mot. Leur étreinte fut une étreinte parmi d'autres. Pendant le trajet, il distingua quelques hommes qu'il connaissait et d'autres non : il y avait le noble Praxinoe et son fils, le très bel Antise, dont on affirmait qu'il avait été l'un des meilleurs amis de Tramaque ; également Isiphènes et Ephialtès, deux commerçants réputés qui étaient sans doute venus pour Daminos ; et, présence qui ne laissa pas de le surprendre, Ménechme, le sculpteur poète, vêtu avec la négligence qui le caractérisait, qui brisa le protocole en disant quelques mots à voix basse à Etis. Enfin, à la sortie, dans le froid humide du jardin, il crut remarquer la forte silhouette du philosophe Platon attendant entre deux hommes qui n'étaient pas encore entrés, et en déduisit qu'il était venu en souvenir de son ancienne amitié avec Méragre.

Le cortège qui emprunta le chemin du cimetière par la voie Panathénienne ressemblait à une immense et sinueuse créature : la tête était formée, d'abord, par les va-et-vient du cadavre porté par quatre esclaves ; derrière, les proches directs, Daminos, Etis et Elea, plongés dans le silence de la douleur, et les joueurs de hautbois, des jeunes gens en tuniques noires qui attendaient le début du rite pour commencer à jouer ; au bout, les péplums blancs des quatre pleureuses. Le corps était constitué par les amis et connaissances de la famille, qui avançaient sur deux rangs.

Le cortège quitta la ville par la porte du Dipylon et s'engagea sur la Voie sacrée, loin des lumières des habitations, dans la froideur du brouillard nocturne. Les pierres du Céramique tremblèrent en ondoyant sous l'éclat des torches : de tous côtés apparaissaient des statues des dieux et des héros recouvertes par l'huile douce de la rosée nocturne, des inscriptions sur de hautes stèles décorées par des silhouettes ondulantes et des urnes aux lourds contours sur lesquelles grimpait le lierre. Les esclaves déposèrent soigneusement le cadavre sur le bûcher funèbre. Les joueurs de hautbois firent glisser dans l'air les notes sinueuses de leurs instruments ; les pleureuses, dans un mouvement chorégraphique, déchirèrent leurs vêtements tout en entonnant la froideur oscillante de leur chant. Les libations en l'honneur des dieux des morts commencèrent. Le public se dispersa pour contempler le rite : Héraclès choisit la proximité d'une gigantesque statue du héros Persée ; la tête décapitée de Méduse que le héros tenait par les vipères de sa chevelure se trouvait à la hauteur de son visage, et semblait le contempler de ses yeux vides. Les cantiques prirent fin, on prononça les dernières paroles, et les têtes dorées de quatre torches s'inclinèrent devant les bords du bûcher : le Feu polycéphale s'éleva, se tordit, et ses multiples langues ondoyèrent dans l'air froid et humide de la Nuit*.

L'homme frappa plusieurs fois à la porte. Comme personne ne répondit, il frappa à nouveau. Dans le sombre ciel athénien, les nuages à plusieurs têtes commencèrent à s'agiter.

La porte finit par s'ouvrir, et un visage blanc, sans traits, enveloppé dans un long suaire noir, apparut derrière elle. Presque apeuré, confus, l'homme hésita avant de parler :

— Je souhaite voir Héraclès Pontor, que l'on appelle le Déchiffreur d'Enigmes.

La silhouette se glissa dans l'ombre en silence et l'homme, encore indécis, pénétra dans la maison. A l'extérieur, le fracas irrégulier des coups de tonnerre se poursuivait.

Héraclès Pontor, assis à la table de sa petite chambre, avait cessé de lire et se concentrait distraitement sur le trajet sinueux d'une grande fissure qui descendait du plafond jusqu'au milieu du mur porteur, quand la porte s'ouvrit soudain doucement et Ponsica apparut sur le seuil.

— Une visite, dit Héraclès en déchiffrant les gestes harmonieux et ondulants des mains fines de son esclave masquée, aux doigts agiles. Un homme. Il veut me voir – les mains s'agitaient ensemble, les dix têtes des doigts bavardaient en l'air. Oui, fais-le entrer.

L'homme était grand et mince. Il portait un modeste manteau de laine imprégné des écailles onctueuses

---

* "Froid" et "humide", de même qu'un certain mouvement "ondulant" ou "sinueux" dans toutes ses variantes, semblent présider à l'eidesis de ce chapitre. Il pourrait fort bien s'agir d'une image de la mer – ce serait très caractéristique des Grecs. Mais, et la qualité, si souvent répétée, d'"onctueux" ? Continuons. (N.d.T.)

du serein nocturne. Sa tête, bien formée, révélait une calvitie lustrée, et une barbe blanche taillée avec soin lui ornait le menton. Dans ses yeux il y avait de la clarté, mais les rides qui les entouraient révélaient l'âge et la fatigue. Après le départ de Ponsica, toujours en silence, le nouveau venu, qui n'avait cessé de l'observer d'un air étonné, s'adressa à Héraclès.

— Ta renommée est-elle justifiée ?

— Que dit ma renommée ?

— Que les Déchiffreurs d'Enigmes peuvent lire sur le visage des hommes et dans l'aspect des choses comme sur du papyrus. Qu'ils connaissent le langage des apparences et savent le traduire. C'est pour cette raison que ton esclave dissimule son visage derrière un masque sans traits ?

Héraclès, qui s'était levé pour prendre un saladier rempli de fruits et un cratère de vin, eut un léger sourire et dit :

— Par Zeus, ce ne sera pas moi qui démentirai une telle renommée, mais mon esclave se voile la face plus pour ma tranquillité que pour la sienne : elle a été séquestrée par des bandits lydiens quand elle n'était encore qu'un bébé, une nuit de beuverie ils se sont amusés à lui brûler le visage et à lui arracher sa petite langue... Prends un fruit, si tu veux... Il semblerait que l'un des bandits ait eu pitié d'elle, ou qu'il ait entrevu une possibilité de faire une bonne affaire, et il l'adopta. Puis il la vendit comme esclave pour des travaux domestiques. Je l'ai achetée au marché il y a deux ans. Je l'aime bien parce qu'elle est silencieuse comme un chat et efficace comme un chien, mais ses traits dévastés me gênent...

— Je comprends, dit l'homme. Tu as pitié d'elle...

— Oh non, ce n'est pas ça, répondit Héraclès. Son visage me distrait. Il se trouve que mes yeux se laissent tenter trop fréquemment par la complexité de tout ce qu'ils voient : avant ton arrivée, par exemple, je contemplais distraitement le parcours de cette intéressante fissure sur le mur, sa source et ses affluents, son origine… Eh bien, le visage de mon esclave est un nœud en spirale et infini de fissures, une énigme permanente pour mon regard insatiable, de sorte que j'ai décidé de le dissimuler en l'obligeant à porter ce masque sans traits. J'aime être entouré de choses évidentes : le rectangle d'une table, le cercle des coupes… des géométries simples. Mon travail consiste précisément à faire l'inverse : déchiffrer ce qui est compliqué. Mais installe-toi sur le divan, s'il te plaît… Dans ce saladier il y a des fruits frais, des figues douces surtout. Moi, les figues me passionnent, pas toi ? Je peux aussi t'offrir une coupe de vin non coupé…

L'homme, qui avait écouté les paroles tranquilles d'Héraclès avec une surprise croissante, s'assit lentement sur le divan. L'ombre de sa tête chauve, projetée par la lumière de la petite lampe à huile qui était posée sur la table, se dressa comme une sphère parfaite. L'ombre de la tête d'Héraclès, un gros cône tronqué couronné d'une mousse rase de cheveux argentés, atteignait le plafond.

— Merci. Pour l'instant, je me contenterai du divan, dit l'homme.

Héraclès haussa les épaules, écarta quelques papyrus de la table, approcha le saladier de fruits, s'assit et prit une figue.

— Que puis-je faire pour toi ? demanda-t-il aimablement.

Un gros coup de tonnerre retentit au loin. Après une pause, l'homme dit :

— En fait, je ne sais pas. J'ai entendu dire que tu résolvais des mystères. Je viens t'en offrir un.

— Montre-le-moi, répondit Héraclès.

— Quoi ?

— Montre-moi le mystère. Je ne résous que les énigmes que je peux contempler. S'agit-il d'un texte ? D'un objet ?…

L'homme adopta à nouveau son expression étonnée, sourcils froncés, lèvres entrouvertes, tandis qu'Héraclès arrachait d'un coup de dents net la tête de la figue*.

— Non, ce n'est rien de tout ça, dit-il lentement. Le mystère que je viens t'offrir est quelque chose qui fut, mais qui n'est plus. Un souvenir. Ou l'*idée* d'un souvenir.

— Comment veux-tu que je résolve pareille chose ? sourit Héraclès. Je ne traduis que ce que mes yeux peuvent lire. Je ne vais pas au-delà des mots...

L'homme le regarda fixement, comme pour le défier.

— Il y a toujours des *idées* au-delà des mots, même si elles sont invisibles, dit-il. Et elles sont la seule chose importante**, l'ombre de la sphère descendit quand l'homme inclina la tête. Nous, au moins, nous croyons en l'existence indépendamment des Idées. Mais je me présente : je m'appelle Diagoras, je suis le *dêmos* de Medonte, et j'enseigne la philosophie et la géométrie à l'école des jardins d'Akadêmos. Tu sais... celle qu'on appelle l'"Académie". L'école que dirige Platon.

Héraclès acquiesça de la tête.

— J'ai entendu parler de l'Académie et je connais un peu Platon, dit-il. Bien que je doive admettre que je ne l'ai pas beaucoup vu ces derniers temps...

_____

* Je traduis littéralement "la tête de la figue", bien que je ne sache pas très bien à quoi se réfère l'auteur anonyme : il est possible qu'il s'agisse de la partie la plus épaisse et charnue, mais il peut tout aussi bien s'agir de la zone la plus proche de la queue. Et la phrase est peut-être juste un procédé littéraire destiné à mettre l'accent sur un terme, "tête", qui semble gagner de plus en plus de terrain comme nouveau mot eidétique. *(N.d.T.)*

** Indépendamment de leur finalité à l'intérieur de la fiction du dialogue, dans ces dernières phrases : "Il y a toujours des *idées* au-delà des mots"... "Et elles sont la seule chose importante", je vois en même temps un message de l'auteur afin de souligner la présence d'une eidesis. Montalo semble, comme toujours, ne rien avoir remarqué. *(N.d.T.)*

— Ça ne m'étonne pas, répondit Diagoras. Il est très occupé à l'écriture d'un nouveau livre pour son dialogue sur le gouvernement idéal. Mais ce n'est pas de lui que je viens te parler, mais de… un de mes disciples : Tramaque, le fils de la veuve Etis, l'adolescent que les loups ont tué il y a quelques jours… Tu vois de quoi je veux parler ?

Le visage charnu d'Héraclès, à demi éclairé par la lumière de la lampe, ne refléta aucune expression. "Ah, Tramaque était un élève de l'Académie, pensa-t-il. C'est pour cela que Platon est allé présenter ses condoléances à Etis." Il acquiesça à nouveau de la tête.

— Je connais sa famille, dit-il, mais je ne savais pas que Tramaque était un élève de l'Académie…

— Oui, répliqua Diagoras. Un bon élève, de surcroît.

— Et le mystère que tu m'apportes a un rapport avec Tramaque… dit Héraclès, croisant les bouts de ses gros doigts.

— Direct… acquiesça le philosophe.

Héraclès resta songeur pendant un instant. Il fit alors un geste vague de la main.

— Bien. Raconte-le-moi du mieux que tu pourras, et nous verrons.

Le regard de Diagoras de Medonte se perdit dans le contour effilé de la tête de flamme qui se dressait, pyramidale, sur la mèche de la lampe, pendant que sa voix égrenait les paroles :

— J'étais son mentor principal et je me sentais fier de lui. Tramaque possédait toutes les nobles qualités que Platon exige chez ceux qui prétendent devenir les sages gardiens de la ville : il était beau comme seul peut l'être quelqu'un qui a été béni des dieux, il savait discuter avec intelligence, ses questions étaient toujours pertinentes, sa conduite, exemplaire ; son esprit vibrait en harmonie avec la musique et son corps svelte avait été modelé par la pratique de la gymnastique… Il allait atteindre sa majorité, et brûlait d'impatience de servir Athènes dans l'armée.

Bien que je fusse triste de penser qu'il quitterait bientôt l'Académie, car je l'appréciais, mon cœur se réjouissait de savoir que son âme avait appris tout ce que je pouvais lui apprendre et qu'elle était bien préparée à connaître la vie...

Diagoras fit une pause. Son regard ne se détournait pas de la tranquille ondulation de la flamme. Il poursuivit, d'une voix lasse :

— Ce fut alors, il y a un mois environ, que je me suis aperçu qu'il lui arrivait quelque chose d'étrange... Il avait l'air soucieux. Il n'était pas concentré sur les leçons : au contraire, il se tenait éloigné du reste de ses camarades, appuyé au mur le plus éloigné du tableau, indifférent à l'armée de bras qui se dressaient comme des têtes à long cou quand je posais une question, comme si la connaissance avait cessé de l'intéresser... Au début, je n'ai pas voulu accorder trop d'importance à ce comportement : tu sais que les problèmes, à cet âge, sont multiples, et naissent et disparaissent avec une douce rapidité. Mais son manque d'intérêt continua. Et même, il s'aggrava. Il manquait de plus en plus souvent les cours, ne venait plus au gymnase... Certains de ses camarades avaient également remarqué le changement, mais ils ne savaient pas à quoi l'attribuer. Serait-il malade ? Je décidai de lui parler seul à seul... bien que je continue à penser que son problème n'était pas si grave... peut-être une histoire d'amour... tu m'as compris... c'est fréquent, à cet âge... Héraclès se surprit à observer le visage de Diagoras rougir comme celui d'un adolescent. Il le vit avaler de la salive avant de poursuivre : Un après-midi, au cours d'une pause entre les cours, je le trouvai seul dans le jardin, devant la statue du Sphinx...

Le jeune homme était étonnamment tranquille au milieu des arbres. Il avait l'air de contempler la tête de pierre de la femme au corps de lion et aux ailes d'aigle, mais son immobilité prolongée, si semblable à celle de la statue, donnait à penser que son esprit se trouvait très loin de lui. L'homme le surprit dans cette posture : debout, les bras le long du corps, la tête légèrement penchée, les chevilles jointes. Le crépuscule était froid, mais le jeune homme ne portait qu'une tunique légère, courte comme celle des gitons de Sparte, qui flottait au vent et découvrait ses bras nus et ses cuisses blanches. Ses boucles châtaines étaient retenues par un lien. Il portait de belles sandales en peau. L'homme, intrigué, s'approcha : le jeune homme sentit alors sa présence et se tourna vers lui.

— Ah, maître Diagoras. Vous étiez là…

Et il commença à s'éloigner. Mais l'homme dit :

— Attends, Tramaque. Je voulais justement te parler en tête-à-tête.

Le jeune homme s'arrêta de dos – les omoplates blanches dénudées – et se retourna lentement. L'homme, qui essayait de se montrer affectueux, aperçut la raideur de ses membres souples et sourit pour le rassurer.

— Es-tu assez couvert ? lui demanda-t-il. Il fait un peu froid pour ce que tu portes…

— Je ne sens pas le froid, maître Diagoras.

L'homme caressa affectueusement le contour ondulé des muscles du bras gauche de son pupille.

— Tu en es sûr ? Tu as la peau glacée, mon pauvre petit… et on dirait que tu trembles.

Il se rapprocha davantage, investi de la confiance que lui autorisait l'affection qu'il ressentait pour lui, et, d'un geste doux, un mouvement quasi maternel de ses doigts, il écarta ses boucles châtaines enroulées sur son front. Une fois de plus il fut émerveillé par la délicatesse de ce visage irréprochable, la beauté de ces yeux couleur miel qui le contemplaient en battant des paupières.

— Ecoute, mon garçon, dit-il, tes camarades et moi avons remarqué qu'il t'arrive quelque chose. Depuis quelque temps, tu n'es plus le même…

— Non, maître, je…

— Ecoute, insista l'homme avec douceur, et il caressa l'ovale lisse du visage du jeune homme en lui prenant délicatement le menton, comme lorsque l'on saisit une coupe en or pur. Tu es mon meilleur élève, et un maître connaît très bien son meilleur élève. Depuis presque un mois, on dirait que rien ne t'intéresse, tu n'interviens pas dans les dialogues pédagogiques... Attends, ne m'interromps pas... Tu t'es éloigné de tes camarades, Tramaque... Il est clair qu'il t'arrive quelque chose, mon garçon. Dis-moi simplement de quoi il s'agit, et je jure devant les dieux que j'essaierai de t'aider, je suis solide. Si tu le souhaites, je ne le dirai à personne. Tu as ma parole. Mais aie confiance en moi...

Les yeux noisette du garçon étaient fixés sur ceux de l'homme, grands ouverts. Peut-être trop. Il y eut un instant de silence et de tranquillité. Alors le garçon remua lentement ses lèvres roses, humides et froides, comme s'il allait parler, mais il ne dit rien. Ses yeux restaient dilatés, saillants, comme de petites têtes de marbre avec d'immenses pupilles noires. L'homme remarqua quelque chose d'étrange dans ces yeux, et il resta tellement absorbé à les contempler qu'il vit à peine que le jeune garçon reculait de quelques pas sans le quitter du regard, son corps blanc toujours raidi, les lèvres serrées...

L'homme resta longtemps immobile après la fuite du garçon.

— Il était mort de peur, dit Diagoras après un profond silence.

Héraclès prit une autre figue dans le saladier. Un coup de tonnerre tressaillit au loin comme la vibration sinueuse d'un crotale.

— Comment le sais-tu ? Il te l'a dit ?

— Non. Je t'ai raconté qu'il s'était enfui avant que j'aie pu dire un mot de plus, tant j'étais troublé... Mais, bien que je n'aie pas ton pouvoir pour lire sur le visage des hommes, j'ai trop souvent vu

la peur et je crois savoir la reconnaître. Celui de
Tramaque exprimait l'horreur la plus terrifiante
que j'aie jamais contemplée. Son regard en était
rempli. En le découvrant, je n'ai pas su réagir. Ce
fut comme… comme si ses yeux m'avaient pétrifié
avec leur propre effroi. Quand je regardai autour
de moi, il était déjà parti. Je ne l'ai pas revu. Le
lendemain, un de ses amis me dit qu'il était parti
chasser. Cela m'étonna un peu, car l'état d'esprit
dans lequel je l'avais trouvé la veille ne me sembla
pas le plus indiqué pour jouir de cet exercice,
mais…

— Qui t'a dit qu'il était parti chasser ? l'interrompit Héraclès en attrapant la tête d'une autre figue
parmi les nombreuses qui dépassaient du bord du
saladier.

— Eunio, un de ses meilleurs amis. L'autre était
Antise, le fils de Praxinoe…

— Egalement élèves de l'Académie ?

— Oui.

— Bien. Poursuis, s'il te plaît.

Diagoras se passa une main dans la tête – sur
l'ombre du mur, un animal rampant se glissa sur la
surface onctueuse de la sphère – et dit :

— Ce jour-là précisément j'ai voulu parler à Antise
et Eunio. Je les ai trouvés au gymnase…

Des mains qui se dressent, ondulantes, jouant
avec la pluie de petites écailles ; des bras sveltes,
humides ; le rire multiple, les commentaires joyeux
entrecoupés par le bruit de l'eau, les paupières closes,
les têtes dressées ; une poussée, et un nouvel écho
d'éclats de rire qui repart. La vision, d'en haut, pourrait évoquer une fleur formée par des corps adolescents, ou un seul corps à plusieurs têtes ; des bras
comme des pétales ondulants ; la vapeur caresse la
nudité onctueuse et multiple ; une langue d'eau
humide glissant par la bouche d'une gargouille ;
mouvements… gestes sinueux de la fleur de chair…

Soudain, la vapeur, avec son haleine dense, obscurcit notre vision*.

Les épais brouillards se dissipent à nouveau : nous distinguons une petite pièce, un vestiaire, à en juger par la collection de tuniques et de manteaux accrochés aux murs blanchis à la chaux, et plusieurs corps adolescents à divers niveaux de nudité, l'un d'eux étendu à plat ventre sur un divan, sans traces de vêtements, parcouru par l'avidité de mains brunes qui, en glissant, massent lentement ses cuisses. On entend des rires : les adolescents plaisantent après la douche. Le sifflet de la vapeur des marmites contenant de l'eau bouillante décroît jusqu'à disparaître. Le rideau s'écarte, et les rires multiples cessent. Un homme de haute taille, à la calvitie lustrée et à la barbe bien taillée, salue les adolescents, qui se pressent pour lui répondre. L'homme parle ; les adolescents restent attentifs à ses paroles bien qu'ils essaient de ne pas interrompre leurs activités : ils continuent à s'habiller ou à se déshabiller, frottant avec de grandes pièces de tissu leurs corps bien formés ou enduisant leurs muscles déliés avec des onguents huileux.

L'homme s'adresse particulièrement à deux jeunes gens : l'un aux épais cheveux noirs et aux joues rouges en permanence qui, penché en avant, attache ses sandales ; et l'autre, l'éphèbe nu qui reçoit le massage et dont le visage que nous voyons maintenant est d'une grande beauté.

---

* Ce curieux paragraphe, qui semble décrire de façon poétique la douche des adolescents au gymnase, contient, dans une synthèse très condensée, mais bien appuyés, presque tous les éléments eidétiques du deuxième chapitre : parmi eux, "humidité", "tête" et "ondulation". On remarque également la répétition de "multiple" et le mot "écailles", apparu précédemment. L'image de la "fleur de chair" me semble être une simple métaphore non eidétique. (N.d.T.)

La pièce exsude la chaleur, comme le font les corps. Un tourbillon de brouillard serpente alors devant nos yeux, et la vision disparaît.

— Je les ai interrogés au sujet de Tramaque, expliqua Diagoras. Au début, ils ne comprenaient pas très bien ce que j'attendais d'eux, mais ils ont tous deux admis que leur ami avait changé, bien qu'ils ne s'en expliquent pas la raison. Ce fut alors que Lysile, un autre élève qui se trouvait là par hasard, me fit une révélation incroyable : Tramaque fréquentait en secret, depuis quelques mois, une hétaïre du Pirée prénommée Yasintra. "C'est peut-être elle qui l'a fait changer, maître", ajouta-t-il d'un air moqueur. Antise et Eunio, très timides, confirmèrent l'existence de cette relation. Je fus très surpris, et peiné en un sens, mais je ressentis aussi un soulagement considérable : que mon pupille me cache ses honteuses visites à une prostituée du port était bien sûr inquiétant, étant donné la noble éducation qu'il avait reçue, mais si le problème se réduisait à cela, je pensai qu'il n'y avait rien à craindre. Je me proposai de l'aborder à nouveau, à une occasion plus propice, et de discuter raisonnablement de cette déviation de son esprit…

Diagoras fit une pause. Héraclès Pontor avait allumé une autre lampe fixée au mur, et les ombres des têtes se multiplièrent : cônes tronqués d'Héraclès qui se déplaçaient, jumeaux, sur le mur en brique, et les sphères de Diagoras, songeuses, statiques, perturbées par l'asymétrie des cheveux blancs répandus sur sa nuque et la barbe bien taillée. Quand il reprit son récit, la voix de Diagoras semblait atteinte d'une aphonie soudaine :

— Mais… cette nuit-là, les soldats postés à la frontière frappèrent à ma porte… Un chevrier avait trouvé son corps dans la forêt, près du Lycabette, et avait prévenu la garde… Quand ils l'eurent identifié, sachant qu'il n'y avait pas chez lui d'hommes pour recevoir la nouvelle et que son oncle Daminos ne se trouvait pas en ville, ils vinrent me trouver moi...

Il fit une nouvelle pause. On entendit la tempête au loin et la douce décapitation d'une nouvelle figue. Le visage de Diagoras était contracté, comme si chaque mot lui avait maintenant coûté un grand effort.

— Si étrange que cela puisse te sembler, dit-il, je me suis senti coupable... Si j'avais gagné sa confiance cet après-midi-là, si j'avais obtenu de lui qu'il me dise ce qui lui arrivait... peut-être ne serait-il pas parti chasser... et il serait encore vivant ; il leva les yeux vers son interlocuteur obèse, qui l'écoutait rejeté en arrière sur la chaise, le visage paisible, comme s'il avait été sur le point de s'endormir. Je t'avoue que j'ai passé deux jours épouvantables à penser que Tramaque avait improvisé sa fatidique partie de chasse pour me fuir, moi et ma maladresse... Aussi ai-je pris une décision cet après-midi : je veux savoir ce qu'il avait, ce qui le terrifiait à ce point et dans quelle mesure mon intervention aurait pu l'aider... C'est pour cette raison que je suis venu te voir. A Athènes, on dit que pour connaître l'avenir il faut consulter l'oracle de Delphes, mais pour connaître le passé il suffit d'engager le Déchiffreur d'Enigmes...

— C'est absurde ! s'exclama soudain Héraclès.

Sa réaction imprévue fit presque peur à Diagoras : il se leva rapidement, en traînant avec lui toutes les ombres de sa tête, et se mit à faire de brefs aller-retour dans la pièce froide et humide tandis que ses gros doigts caressaient l'une des figues onctueuses qu'il venait de cueillir. Il poursuivit, sur le même ton exalté :

— Je ne déchiffre pas le passé si je ne peux pas le voir : un texte, un objet ou un visage sont des choses que je peux *voir*, mais tu me parles de souvenirs, d'impressions, de... d'opinions ! Comment me laisser guider par eux ?... Tu dis que, depuis un mois, ton disciple avait l'air "soucieux", mais que signifie "soucieux" ?… Il leva le bras d'un geste brusque. Un instant avant que tu ne pénètres dans cette pièce, tu aurais pu dire que j'étais moi aussi "soucieux" en contemplant la fissure ! Ensuite, tu affirmes que tu as vu la terreur dans ses yeux… La terreur !… J'ai une question : la terreur était-elle inscrite sur sa pupille en caractères ioniens ? La peur est-elle un mot gravé sur les lignes de notre front ? Ou un dessin, comme cette fissure sur le mur ? Mille émotions distinctes pourraient produire le même regard que tu as attribué à la seule terreur !…

Diagoras répliqua, un peu mal à l'aise :

— Je sais ce que j'ai vu. Tramaque était terrorisé.

— Tu sais ce que tu as *cru* voir, précisa Héraclès. Savoir la vérité équivaut à savoir toute la vérité que nous pouvons savoir.

— Socrate, le maître de Platon, pensait de même, admit Diagoras. Il disait qu'il savait juste qu'il ne savait rien, et nous sommes effectivement tous d'accord là-dessus. Mais notre pensée possède également des yeux, et elle nous permet de voir des choses que nos véritables yeux ne voient pas…

— Ah oui ? Héraclès s'arrêta brusquement. Eh bien : dis-moi ce que tu vois ici.

Il leva rapidement la main, l'approchant du visage de Diagoras : de ses gros doigts émergeait une sorte de tête verte et onctueuse.

— Une figue, dit Diagoras après un instant de surprise.

— Une figue comme les autres ?

— Oui. Elle semble intacte. Elle a une belle couleur. C'est une figue tout à fait normale.

— Ah, voilà la différence entre toi et moi ! s'exclama Héraclès, triomphant. J'observe la même figue et je pense qu'elle *semble* tout à fait normale. Je peux même en venir à penser qu'il est *fort probable* qu'il s'agisse d'une figue tout à fait normale, mais je m'arrête là. Si je veux en savoir davantage, je dois l'ouvrir… comme je l'avais déjà fait avec celle-ci pendant que tu parlais…

Il sépara doucement les deux moitiés de la figue qu'il avait réunies : d'un unique mouvement sinueux, de multiples petites têtes se dressèrent avec colère de l'intérieur sombre, en se tordant et en émettant un très léger sifflement. Diagoras eut une moue dégoûtée. Héraclès ajouta :

— Et quand je l'ouvre… je ne suis pas aussi surpris que toi que la vérité ne soit pas celle que j'attendais !

Il referma la figue et la plaça sur la table. Soudain, sur un ton beaucoup plus paisible, semblable à celui qu'il avait employé au début de l'entretien, le Déchiffreur poursuivit :

— Je les choisis personnellement dans la boutique d'un métèque de l'agora : c'est un homme honnête et il ne me vole presque jamais, je te l'assure, car il sait parfaitement que je suis un expert en matière de figues. Mais parfois la nature joue de mauvais tours…

La tête de Diagoras avait rougi à nouveau. Il s'exclama :

— Tu vas accepter le travail que je te propose, ou tu préfères continuer à parler de la figue ?

— Comprends-moi, je ne peux accepter une affaire de ce genre… Le Déchiffreur prit le cratère et servit un vin épais non mélangé dans l'une des coupes. Ce serait comme de me trahir moi-même. Que m'as-tu raconté ? Juste des suppositions… et ces suppositions ne viennent même pas de moi mais de toi… Il agita la tête. Impossible. Tu veux un peu de vin ?

Mais Diagoras s'était déjà levé, droit comme un *i*. Ses joues étaient en feu.

— Non, je ne veux pas de vin. Et je ne veux pas te déranger plus longtemps. Je sais que je me suis trompé en te choisissant. Excuse-moi. Tu as fait ton devoir en écartant ma demande, et moi le mien en te l'exposant. Passe une bonne nuit…

— Attends, dit Héraclès avec une apparente indifférence, comme si Diagoras avait oublié quelque chose en partant. J'ai dit que je ne pouvais pas m'occuper de *ton* travail, mais si tu voulais me payer pour un travail *personnel*, j'accepterais ton argent...

— Quelle est cette plaisanterie ?

Les têtes des yeux d'Héraclès émettaient de multiples étincelles de moquerie comme si, effectivement, tout ce qu'il avait dit auparavant n'avait été qu'une vaste plaisanterie. Il s'expliqua :

— La nuit où les soldats ont amené le corps de Tramaque, un vieux fou appelé Candale a alerté tout le voisinage. Je suis sorti voir ce qui se passait, comme les autres, et j'ai pu observer son cadavre. Un médecin, Aschilos, l'examinait, mais cet incapable ne voit pas plus loin que le bout de son nez... J'ai cependant *vu quelque chose* qui m'a semblé bizarre. Je n'y pensais plus, mais ta requête me l'a remis en mémoire... Il se lissa la barbe tout en réfléchissant. Alors, comme s'il avait pris une décision soudaine, il s'exclama : Oui, j'accepterai de résoudre le mystère de ton disciple, Diagoras, non pas pour ce que tu as *cru* voir quand tu lui as parlé, mais pour ce que j'ai *vu* en observant son cadavre !

Pas une seule des nombreuses questions qui surgirent dans la tête de Diagoras n'obtint la moindre réponse de la part du Déchiffreur, qui se borna à ajouter :

— Ne parlons pas de la figue avant de l'ouvrir. Je préfère ne rien te dire de plus pour l'instant, car je peux me tromper. Mais fais-moi confiance, Diagoras : si je résous *mon* énigme, il est probable que la tienne sera également résolue. Si tu veux, je passerai te parler de mes honoraires...

Ils comparèrent les multiples têtes de l'aspect économique et parvinrent à un accord. Héraclès indiqua alors qu'il commencerait son enquête le lendemain : il se rendrait au Pirée et tenterait de trouver l'hétaïre que fréquentait Tramaque.

— Je peux venir avec toi ? l'interrompit Diagoras.

Et tandis que le Déchiffreur l'observait avec une expression d'étonnement, Diagoras ajouta :

— Je sais que ce n'est pas nécessaire, mais cela *me plairait*. Je veux collaborer. Ce sera une façon de savoir que je peux encore aider Tramaque. Je promets de faire ce que tu me diras.

Héraclès Pontor haussa les épaules et dit en souriant :

— Bien, si l'on considère que l'argent t'appartient, Diagoras, je suppose que tu as parfaitement le droit d'être engagé…

Et à cet instant, les multiples serpents lovés sous ses pieds levèrent leurs têtes couvertes d'écailles et crachèrent leur langue onctueuse, pleins de rage*.

---

* Ces dernières lignes ont certainement surpris le lecteur autant que moi ! Nous devons bien sûr exclure la possibilité d'une métaphore compliquée, mais nous ne pouvons pas non plus tomber dans un réalisme exacerbé : penser que de "multiples serpents lovés" nichaient par terre dans la pièce d'Héraclès et que le dialogue précédent entre Diagoras et le Déchiffreur d'Enigmes s'est donc déroulé dans un "endroit plein d'ophidiens qui glissent avec une lenteur froide le long des bras ou des jambes des protagonistes pendant que ces derniers, par inadvertance, continuent à parler", comme le pense Montalo, c'est pousser trop loin les choses – l'explication que fournit cet illustre expert en littérature grecque est absurde : "Pourquoi n'y avait-il pas de serpents dans la pièce, si l'auteur *souhaite qu'il en soit ainsi* ? affirme-t-il. C'est l'auteur qui a le dernier mot sur ce qui se passe dans le monde de son œuvre, pas nous." Mais le lecteur n'a pas de raison de s'inquiéter : cette dernière phrase sur les serpents est pure fantaisie. Bien sûr, toutes les précédentes le sont également, puisqu'il s'agit d'une œuvre de fiction, mais, entendons-nous bien, cette phrase est une fantaisie que le lecteur *ne doit pas croire*, puisque les autres, également fictives, doivent être *crues*, au moins pendant le temps de la lecture, pour que le récit revête un certain sens. En réalité, l'unique objet de cet absurde événement final, selon ma façon de voir, est de renforcer l'eidesis : l'auteur veut nous faire savoir quelle est l'image occulte dans ce chapitre. Même ainsi, le procédé est traître : que le lecteur ne

tombe pas dans l'erreur de penser au *plus facile* ! Ce matin même, quand ma traduction n'en était pas encore parvenue à ce point, Helena et moi avons soudain découvert, non seulement la bonne image eidétique mais, du moins je le crois, la clé de tout le livre. Nous avons manqué de temps pour en parler à Elio, notre chef.

— "Froid humide", "onctuosité", mouvements "sinueux" et "rampants"... Il peut parler d'un serpent, non ? suggéra Elio. Premier chapitre, lion. Deuxième chapitre, serpent.

— Mais, et "tête" ? objectai-je. Pourquoi tant de "têtes multiples" ? Elio haussa les épaules, me retournant la question. Je lui montrai alors la statuette que j'avais apportée de chez moi. Helena et moi croyons l'avoir découvert. Tu vois ? C'est la figure de l'Hydre, le monstre légendaire à multiples têtes de serpent qui repoussaient quand on les coupait... De là également l'insistance à décrire la "décapitation" des figues...

— Ce n'est pas tout, intervint Helena. Vaincre l'Hydre de Lerne fut le second des travaux d'Hercule, le héros de bon nombre de légendes grecques...

— Et alors ? dit Elio.

Je pris la parole avec enthousiasme.

— *La Caverne des idées* comporte douze chapitres, et, selon la tradition, il y eut au total douze travaux d'Hercule, dont le nom grec est Héraclès. De surcroît, c'est le nom du personnage principal de l'œuvre, Héraclès. Le premier des travaux d'Hercule, ou Héraclès, a consisté à vaincre le lion de Némée... et l'idée secrète du premier chapitre est un lion.

— Et celle du second, l'Hydre, conclut rapidement Elio. Tout concorde, en effet... Du moins, pour l'instant.

— Pour l'instant ? Cette précision m'irrita un peu. Que veux-tu dire ?

Elio sourit calmement.

— Je suis d'accord avec vos conclusions, expliqua-t-il, mais les livres eidétiques sont trompeurs : considérez qu'il s'agit de travailler avec des objets complètement imaginaires. Des images distillées. Comment pouvons-nous être sûrs de l'idée finale que l'auteur avait en tête ?

— C'est très simple, répondis-je. Le tout consiste à confirmer notre théorie. Le troisième des travaux, dans la plupart des traditions, fut de capturer le sanglier d'Erymanthe : si l'image secrète du troisième chapitre ressemble à un sanglier, notre théorie recevra une confirmation supplémentaire...

— Et ainsi de suite, dit Helena, très tranquille.

— J'ai une autre objection, Elio gratta sa calvitie. A l'époque où cet ouvrage fut écrit, les travaux d'Hercule n'étaient un secret pour personne. Pourquoi utiliser l'eidesis pour les dissimuler ?

Il y eut un silence.

— Objection retenue, admit Helena. Mais supposons que l'auteur ait élaboré une eidesis de l'eidesis, et que les travaux d'Hercule masquent à leur tour une autre image…

— Et ainsi de suite ? l'interrompit Elio. Alors nous ne pourrions pas connaître l'idée originale. Nous devons nous arrêter quelque part. D'après ce point de vue, Helena, n'importe quelle chose écrite peut renvoyer le lecteur à une image qui, à son tour, peut renvoyer à une autre, et à une autre… Ce serait impossible de lire !

Ils me regardèrent tous deux en attendant mon avis. Je reconnus que je ne les comprenais pas moi non plus.

— L'édition du texte original est de Montalo, dis-je, mais, curieusement, il semble ne rien avoir remarqué. Je lui ai écrit une lettre. Son opinion nous sera peut-être utile…

— Montalo, as-tu dit ? Elio haussa les sourcils. Eh bien, je crains que tu n'aies perdu ton temps… Tu ne le savais pas ? On en a parlé dans tous les journaux… Montalo est mort l'année dernière… Tu ne le savais pas toi non plus, Helena ?

— Non, reconnut celle-ci, et elle me jeta un regard compatissant. Quelle coïncidence.

— Oui, acquiesça Elio, et il se tourna vers moi : et comme l'édition de l'original était la sienne et l'unique traduction jusqu'à présent est la tienne, on dirait que la résolution de l'énigme de *La Caverne des idées* dépend exclusivement de toi…

— Quelle responsabilité, plaisanta Helena.

Je ne sus que répondre. Et depuis, je n'arrête pas d'y penser. *(N.d.T.)*

III*

Il semble adéquat d'interrompre un instant le cours rapide de cette histoire pour dire brièvement quelques mots sur ses principaux protagonistes : Héraclès, fils de Phrinicos, du *dêmos* de Pontor, et Diagoras, fils de Jampsacos, du *dêmos* de Medonte. Qui étaient-ils ? Qui croyaient-ils être ? Qui les autres croyaient-ils qu'ils étaient ?

En ce qui concerne Héraclès, nous dirons que**
En ce qui concerne Diagoras***

---

* "Rapidité, négligence. Les paroles coulent ici sur le lit d'une calligraphie irrégulière, parfois incompréhensible, comme si le copiste avait manqué de temps pour achever le chapitre", commente Montalo au sujet du texte original. De mon côté, je reste vigilant pour "capturer" mon sanglier entre les phrases. Je commence la traduction du troisième chapitre. *(N.d.T.)*

** "Suivent cinq lignes illisibles", assure Montalo. Il semble que la calligraphie soit désastreuse à cet endroit. On devine difficilement – toujours d'après Montalo – quatre mots dans tout le paragraphe : "énigmes", "vécut", "épouse" et "gros". L'éditeur du texte original ajoute, non sans une certaine ironie : "Le lecteur devra essayer de reconstruire les données biographiques d'Héraclès à partir de ces quatre mots, ce qui semble à la fois très facile et très difficile." *(N.d.T.)*

*** Les trois lignes que l'auteur anonyme consacre au personnage de Diagoras sont également illisibles. Montalo n'en déchiffre que, difficilement, ces trois mots : "vécut ?" – particule interrogative incluse –, "esprit" et "passion". *(N.d.T.)*

Et, une fois le lecteur au fait de ces détails concernant la vie de nos protagonistes, nous reprenons le récit sans perdre de temps avec la narration des faits survenus dans la ville portuaire du Pirée, où Héraclès et Diagoras partirent à la recherche de l'hétaïre appelée Yasintra.

Ils la cherchèrent dans les ruelles étroites où flottait, volatile, l'odeur de la mer, dans les embrasures sombres des portes ouvertes, ici et là, entre les petits groupes de femmes silencieuses qui souriaient quand ils s'approchaient et, sans transition, prenaient l'air grave quand ils les interrogeaient ; en haut et en bas, sur les versants et les côtes qui plongeaient au bord de l'océan, au coin où une ombre – homme ou femme – attendait silencieusement. Ils interrogèrent les vieilles femmes qui se maquillaient encore, dont les visages de bronze, inexpressifs, recouverts de céruse, semblaient aussi anciens que les maisons, déposèrent les oboles dans des mains tremblantes et crevassées comme des papyrus, écoutèrent le tintement des anneaux dorés quand les bras se dressaient pour indiquer une direction ou un nom : demande à Kopsias, Melita le sait, peut-être chez Talia, Amphitrite la cherche aussi, Eo vit depuis plus longtemps dans ce quartier, Clito les connaît mieux peut-être, je ne suis pas Talia mais Meropis. Pendant ce temps, les yeux, sous des paupières surchargées de teintures, toujours à demi closes, toujours rapides, mobiles sur leurs trônes de cils noirs et dessins au safran, à l'ivoire ou à l'or rougeoyant, les yeux des femmes, toujours rapides, comme si les femmes n'étaient libres que dans leurs yeux, comme si elles ne régnaient que dans la noirceur des pupilles, qui étincelaient de… moquerie ? passion ? haine ? tandis que leurs lèvres tranquilles, leurs traits endurcis et la brièveté de leurs réponses dissimulaient leurs pensées ; il n'y avait que leurs yeux fuyants, pénétrants, terribles.

L'après-midi s'épuisait sans pause sur les deux hommes. Enfin, Diagoras, se frottant les bras sous son manteau avec des gestes rapides, se décida à parler :

— La nuit va bientôt tomber. La journée est passée très vite. Et nous ne l'avons pas encore trouvée… Nous en avons interrogé au moins vingt d'entre elles, et n'avons reçu que des indications confuses. Je crois qu'elles essaient de la cacher, ou de nous égarer.

Ils continuèrent à descendre l'étroite rue en pente. Au-delà des toits, la pourpre du soleil couchant révélait les limites de la mer. La foule et le rythme frénétique du port du Pirée restaient en arrière, et aussi les lieux les plus fréquentés par ceux qui cherchaient le plaisir ou la distraction : ils se trouvaient maintenant dans le quartier où *elles* vivaient, une forêt de trottoirs en pierre et d'arbres en terre séchée où l'obscurité arrivait avant et la Nuit se dressait prématurément ; une solitude habitée, secrète, regorgeant d'yeux invisibles.

— Au moins, ta conversation est plaisante, dit Diagoras sans faire d'effort pour dissimuler son irritation. Il avait l'impression de parler seul depuis des heures ; son collègue se contentait de marcher, grogner et, de temps en temps, de prendre une figue dans sa besace. J'adore ta facilité pour le dialogue, par Zeus… Il s'arrêta et tourna la tête, mais seul l'écho de leurs pas les suivait. Ces ruelles répugnantes, saturées d'ordures et de mauvaises odeurs… Où est la ville "bien construite", selon la définition habituelle du Pirée ? C'est ça, le fameux tracé "géométrique" des rues dont on dit que c'est Hippodamos de Milet qui l'a élaboré ? Par Héra, je ne vois même pas d'inspecteurs des quartiers, d'astynomes, d'esclaves ou de soldats, comme à Athènes ! Je n'ai pas l'impression d'être chez les Grecs, mais dans un monde barbare… Et puis, ce n'est pas que mon impression personnelle : ce lieu est dangereux, je peux sentir le danger comme l'odeur de la mer. Bien sûr, grâce à ta conversation animée, je me sens plus tranquille. Cela me console, me fait oublier par où je passe…

— Tu ne me paies pas pour parler, Diagoras, répondit Héraclès avec une indifférence suprême.

— Apollon en soit remercié, j'entends le son de ta voix ! ironisa le philosophe. Pygmalion ne fut pas plus étonné lorsque Galatée lui parla ! Demain je sacrifierai une chevrette en l'honneur de…

— Tais-toi, l'interrompit promptement le Déchiffreur. Voici la maison dont on nous a parlé…

Un mur gris crevassé se dressait avec difficulté sur un côté de la rue ; un conclave d'ombres était réuni devant le trou de la porte.

— Tu veux dire la septième, protesta Diagoras. J'ai déjà demandé en vain dans six autres maisons.

— Eh bien, en tenant compte de ton expérience croissante, je ne crois pas qu'il te soit difficile d'interroger ces femmes maintenant…

Les châles sombres qui dissimulaient les visages se transformèrent rapidement en regards et sourires quand Diagoras s'approcha.

— Excusez-nous. Mon ami et moi cherchons la danseuse Yasintra. On nous a dit…

De même que la branche tombée à terre sur laquelle marche involontairement le chasseur alerte sa proie qui fuit immédiatement la clairière afin de chercher la sécurité de la futaie, de même les paroles de Diagoras provoquèrent une réaction inattendue dans le groupe : l'une des jeunes femmes partit en courant dans la rue tandis que les autres rentraient précipitamment dans la maison.

— Attends ! cria Diagoras à l'ombre qui s'enfuyait. C'est Yasintra ? demanda-t-il aux autres femmes. Attendez, par Zeus, nous voulons juste… !

La porte se ferma précipitamment. La rue était déjà déserte. Héraclès poursuivit son chemin sans hâte et Diagoras le suivit, bien malgré lui. Un instant plus tard, il dit :

— Et maintenant ? Que sommes-nous censés faire ? Pourquoi continuons-nous à marcher ? Elle est partie.

Elle a fui. Tu crois que tu vas la rattraper, à cette allure ? Héraclès émit un grognement et sortit calmement une autre figue de sa besace. Au comble de l'exaspération, le philosophe s'arrêta et lui adressa des mots assez vifs : Ecoute-moi une bonne fois pour toutes ! Nous avons cherché cette hétaïre toute la journée dans les rues du port et de l'intérieur, dans les maisons les plus mal famées, dans la ville haute et la ville basse, ici et là, avec précipitation, faisant confiance à la parole mensongère des âmes médiocres, des esprits incultes, des viles entremetteuses, des femmes de mauvaise vie… Et maintenant que Zeus semblait nous avoir permis de la trouver, elle se perd à nouveau ! Et, toi, tu continues à marcher sans te presser, comme un chien satisfait, tandis que… !

— Calme-toi, Diagoras. Tu veux une figue ? Cela te donnera des forces pour…

— Laisse-moi tranquille, avec tes figues ! Je veux savoir pourquoi nous continuons à marcher ! Je crois que nous devrions essayer de parler aux femmes qui sont entrées dans la maison et…

— Non : la femme que nous cherchons est celle qui s'est enfuie, dit tranquillement le Déchiffreur.

— Alors pourquoi ne courons-nous pas après elle ?

— Parce que nous sommes très fatigués. Moi du moins. Pas toi ?

— Si c'est comme ça – Diagoras était de plus en plus énervé – pourquoi continuons-nous à marcher ?

Sans s'arrêter, Héraclès s'autorisa un bref silence tout en mastiquant.

— Parfois, la fatigue se soigne par la fatigue, dit-il. De la sorte, après de nombreuses fatigues, on devient infatigable.

Diagoras le vit s'éloigner au même rythme, en descendant la rue et, à contrecœur, il le rejoignit.

— Et tu oses encore dire que tu n'aimes pas la philosophie ! souffla-t-il.

Ils marchèrent un moment encore dans le silence de la Nuit proche. La rue par laquelle la femme s'était enfuie se poursuivait sans interruption entre deux rangées de maisons délabrées. Très vite, l'obscurité serait complète et on ne pourrait même plus distinguer les maisons.

— Ces ruelles vieilles et ténébreuses… se plaignit Diagoras. Seule Athéna sait où cette femme a pu aller ! Elle était jeune et agile… Je crois qu'elle serait capable de courir sans s'arrêter avant d'être sortie de l'Attique…

Et il l'imagina fuyant en effet vers les forêts environnantes, laissant des traces dans la boue avec ses pieds nus, sous l'éclat d'une lune aussi blanche qu'un lys dans les mains d'une jeune fille, sans se soucier de l'obscurité – elle devait connaître le chemin –, sautant sur les lys, sa respiration agitant sa poitrine, le bruit de ses pas atténué par la distance, ses yeux de biche grands ouverts. Elle avait peut-être ôté ses vêtements pour courir plus vite, et la blancheur de lys de son corps nu traversait l'épaisseur comme un éclair sans que les arbres le dérangent, ses cheveux lâches se prenant à peine dans les cornes des branches, fines comme les tiges de plantes ou les doigts de jeune fille, rapide, nue et pâle comme une fleur de marbre qu'une adolescente tiendrait entre les mains en fuyant*.

_____

* Quelques lacunes du texte – dues à des mots écrits "précipitamment" qui sont "illisibles", d'après Montalo – rendent difficile la compréhension de ce mystérieux paragraphe. L'eidesis implicite semble être la "rapidité" comme c'est le cas depuis le début du chapitre, mais il s'y ajoute des images de cerfs, non de sangliers : "yeux de biche", "cornes des branches"… ce qui suggère non le troisième mais le _quatrième_ des travaux d'Hercule : la poursuite de la si rapide biche de Cérynie. Cette altération particulière de l'ordre des travaux ne me surprend pas, puisqu'elle était fréquente chez les écrivains de l'Antiquité. Ce qui retient l'attention est la nouvelle eidesis qui ressort dans le texte : une jeune fille

Ils étaient parvenus à un carrefour. Plus loin, la rue se prolongeait par un passage étroit, semé de pierres ; une autre ruelle prenait sur la gauche ; à droite, un petit pont entre deux maisons hautes dissimulait un tunnel étroit dont l'extrémité se perdait dans l'ombre.

— Et maintenant ? s'irrita Diagoras. On doit tirer au sort notre chemin ?

Il sentit la pression sur son bras et se laissa conduire en silence, docilement mais avec rapidité, vers le carrefour le plus proche du tunnel.

— Nous attendrons ici, murmura Héraclès.

— Mais, et la femme ?

— Parfois, l'attente est une forme de poursuite.

— Tu penses qu'elle va revenir sur ses pas ?

— Bien sûr, Héraclès captura une autre figue. On revient toujours. Parle plus bas. La proie peut prendre peur.

Ils attendirent. La lune découvrit sa corne blanche. Un coup de vent fugace anima la quiétude de la nuit. Les deux hommes s'enveloppèrent davantage dans leurs manteaux ; Diagoras réprima un frisson, bien que la température fût moins désagréable que dans la ville en raison de la présence adoucissante de la mer.

— Quelqu'un vient, murmura Diagoras.

On aurait dit le rythme lent des pieds nus d'une jeune fille. Pourtant, ce qui leur parvint des rues étroites situées au-delà du carrefour ne fut pas une personne mais une fleur : un lys abîmé par les mains fortes de la brise ; ses pétales frappèrent les pierres proches de la cachette d'Héraclès et Diagoras et, en s'éparpillant, il poursuivit son chemin dans un

---

qui tient un lys. Quel est le rapport avec la poursuite de la biche ? S'agit-il d'une représentation de la pureté de la déesse Artémis, à qui le légendaire animal était consacré ? En tout cas, je ne crois pas qu'on puisse la considérer, comme l'affirme Montalo, "comme une licence poétique sans aucune réelle signification". *(N.d.T.)*

air qui sentait l'écume et le sel, se perdant en haut de la rue, soutenue par le vent comme par une jeune fille éblouissante – yeux de mer, cheveux de lune – qui l'aurait tenue entre ses doigts tout en courant.

— Ce n'était rien. Juste le vent, dit Héraclès*.

Le temps mourut l'espace d'un bref instant. Diagoras, qui commençait à être transi de froid, découvrit qu'il parlait à voix basse avec l'ombre robuste du Déchiffreur, dont il ne pouvait plus voir le visage :

— Je n'aurais jamais imaginé que Tramaque... Je veux dire, tu me comprends... Je n'aurais jamais cru que... La pureté était une de ses vertus principales, c'était du moins ce qu'il me semblait. La dernière chose que j'aurais crue de lui, c'était ça... Frayer avec une vulgaire... Mais ce n'était même pas un homme ! Je n'aurais même pas pensé qu'il éprouvât les désirs d'un éphèbe... Quand Lysile me l'a dit...

— Tais-toi, dit soudain l'ombre d'Héraclès. Ecoute.

C'étaient comme de rapides coups de griffe entre les pierres. Diagoras reçut dans l'oreille l'haleine tiède du Déchiffreur un moment avant d'entendre sa voix.

— Jette-toi sur elle rapidement. Protège ton entrejambe d'une main et ne perds pas de vue ses genoux... Essaie de la calmer.

— Mais...

— Fais ce que je te dis ou elle va encore s'échapper. Je te seconderai.

---

* Bien sûr, que c'est quelque chose ! Les protagonistes ne peuvent pas la voir, bien sûr, mais revoici la "jeune fille au lys". Qu'est-ce que cela signifie ? Je reconnais que cette apparition abrupte m'a rendu un peu nerveux : j'en suis venu à frapper le texte de mes mains, comme Périclès aurait fait, dit-on, avec la statue de l'Athéna chryséléphantine de Phidias pour exiger d'elle qu'elle parle. "Qu'est-ce que cela signifie ? Qu'est-ce que cela veut dire ?" Le papier, bien sûr, est resté inaccessible. Maintenant je suis plus tranquille. (N.d.T.)

"Que veut-il dire par *je te seconderai* ?" pensa Diagoras, indécis. Mais il n'eut pas le temps de se poser davantage de questions.

Agile, rapide, silencieuse, une silhouette s'étendit comme un tapis sur le sol du carrefour, projetée par un rayon de lune. Diagoras se jeta sur elle au moment où, à son insu, elle s'incarna en un corps à côté de lui. Une masse de cheveux parfumés s'agita violemment devant son visage et des formes musculaires s'agitèrent entre ses bras. Diagoras poussa cette chose vers le mur opposé.

— Par Apollon, ça suffit ! s'exclama-t-il, et il se jeta sur elle. Nous ne te ferons pas de mal ! Nous voulons juste te parler… Calme-toi… La chose cessa de bouger et Diagoras s'écarta un peu. Il ne put voir son visage : elle le cachait entre ses mains ; entre ses doigts, longs et minces comme des tiges de lys, brillait un regard. Nous allons juste te poser quelques questions… Sur un éphèbe appelé Tramaque. Tu le connaissais, non ? Il pensa qu'elle finirait par ouvrir la porte de ses mains, par repousser ces frontières ténues et montrer son visage, apaisée. Ce fut alors qu'il sentit un éclair au bas-ventre. Il vit la lumière avant de sentir la douleur : elle était aveuglante, parfaite, et anéantit son regard comme un liquide remplit rapidement un vase. La douleur attendit encore un peu, tapie entre ses jambes, avant de s'étendre rageusement et de monter rapidement jusqu'à sa conscience comme un vomissement de verre. Il tomba par terre en toussant, et ne sentit même pas le choc de ses genoux contre la pierre.

Il y eut une lutte. Héraclès Pontor se jeta sur la chose. Il la traita sans ménagements, comme l'avait fait Diagoras : il la prit par ses bras minces et la fit reculer rapidement jusqu'au mur, l'entendit gémir, un halètement d'homme, et utilisa à nouveau le mur comme une arme. La chose répondit, mais il appuya son corps obèse contre elle pour l'empêcher de se servir de ses genoux. Il vit Diagoras se relever avec difficulté. Il adressa alors quelques mots rapides à sa proie :

— Nous ne te ferons pas de mal, à moins que tu ne nous laisses pas d'autre choix. Et si tu frappes à nouveau mon compagnon, tu ne me laisseras pas d'autre choix. Diagoras s'empressa de l'aider. Tiens-la bien, cette fois. Je t'ai déjà dit de faire attention à ses genoux.

— Mon ami... dit la vérité... Diagoras reprenait son souffle à chaque mot. Je ne veux pas te faire de mal... Tu m'as compris ? La chose acquiesça de la tête, mais Diagoras ne relâcha pas la pression qu'il exerçait sur ses bras. Juste quelques questions...

La lutte prit fin brusquement, comme le froid cède quand les muscles travaillent dans une course rapide. Soudain, Diagoras sentit la chose se transformer sans transition en femme. Il perçut pour la première fois la ferme projection de sa poitrine, la finesse de sa taille, l'odeur différente, la fluidité de sa dureté ; il remarqua la naissance des boucles sombres, l'émergence des bras sveltes, la formation des contours. Il surprit enfin ses traits. Elle était étrange, ce fut la première réflexion qui lui vint à l'esprit : il découvrit qu'il l'avait, sans savoir pourquoi, imaginée très belle. Mais ce n'était pas le cas : les boucles de ses cheveux formaient un pelage désordonné ; les yeux étaient trop grands et très clairs, comme ceux d'un animal, bien qu'il n'en distinguât pas la couleur dans la pénombre ; les pommettes, émaciées, faisaient ressortir le crâne sous la peau tendue. Il s'écarta d'elle, confus, sentant encore la douleur palpiter lentement dans son ventre. Il s'adressa à elle et ses paroles s'envolèrent dans la buée de sa respiration :

— Tu es Yasintra ?

Ils étaient tous deux essoufflés. Elle ne répondit pas.

— Tu connaissais Tramaque... Il venait te voir.

— Méfie-toi de ses genoux... Il entendit la voix d'Héraclès à une distance infinie.

La jeune fille le regardait toujours en silence.

— Il te payait pour les visites ? Il ne comprit pas très bien pourquoi il avait posé cette question.

— Bien sûr, dit-elle. Les deux hommes pensèrent que de nombreux éphèbes ne possédaient pas une voix aussi virile : c'était l'écho d'un hautbois dans une caverne. Les rites de Bromios se paient en péans, ceux de Cypris en oboles.

Sans en connaître la raison, Diagoras se sentit offensé : l'offense résidait peut-être dans le fait que la jeune fille ne paraissait pas effrayée. Il lui semblait même avoir remarqué que ses grosses lèvres se moquaient de lui dans l'obscurité.

— Quand l'as-tu connu ?

— Lors des dernières Lénéennes. Je dansais dans la procession du dieu. Il m'a vue danser et il est venu me chercher ensuite.

— Il est venu te chercher ? s'exclama Diagoras, incrédule. Mais ce n'était pas encore un homme !

— Beaucoup d'enfants viennent également me chercher.

— Tu parles peut-être de quelqu'un d'autre…

— Tramaque, l'adolescent tué par les loups, répliqua Yasintra. C'est de lui que je parle.

Héraclès intervint avec impatience.

— Qui croyais-tu que nous étions ?

— Je ne comprends pas – Yasintra tourna vers lui son regard aqueux.

— Pourquoi nous as-tu fuis quand nous t'avons demandée ? Tu n'es pas de celles qui fuient les hommes. Qui attendais-tu ?

— Personne. Je fuis quand j'en ai envie.

— Yasintra – Diagoras semblait avoir retrouvé son calme –, nous avons besoin de ton aide. Nous savons que Tramaque avait des soucis. Un problème très grave le tourmentait. Je… Nous avons été ses amis et nous voulons savoir ce qu'il avait. Ta relation avec lui n'a plus d'importance. Nous voulons juste savoir si Tramaque t'avait parlé de ses inquiétudes.

Il voulut ajouter : "Oh, s'il te plaît, aide-moi. C'est beaucoup plus important pour moi que tu ne le crois." Il lui aurait demandé cent fois de l'aide, car il se sentait démuni, fragile comme un lys dans les mains d'une jeune fille. Sa conscience avait perdu toute trace d'orgueil et elle était devenue une adolescente aux yeux bleus et à la magnifique chevelure qui gémissait : "Aide-moi, s'il te plaît, aide-moi." Mais ce désir, aussi léger que le frôlement de la tunique blanche d'une jeune fille par les pétales d'une fleur, et, à la fois, aussi ardent que le corps nubile et délectable de la même jeune fille nue, ne se traduisit pas en paroles*.

— Tramaque ne parlait pas beaucoup, dit-elle. Et il n'avait pas l'air inquiet.

— T'a-t-il un jour demandé de l'aide ? demanda Héraclès.

— Non. Pourquoi l'aurait-il fait ?

— Quand l'as-tu vu pour la dernière fois ?

— Il y a une lune.

— Ne te parlait-il jamais de sa vie ?

— Qui parle aux femmes comme nous ?

— Sa famille approuvait-elle votre relation ?

— Il ne s'agissait pas d'une relation : il venait me voir de temps en temps, il me payait et s'en allait.

— Mais cela déplaisait peut-être à sa famille que son noble fils s'épanche auprès de toi de temps en temps.

— Je ne sais pas. Ce n'était pas à sa famille que je devais plaire.

— Ainsi donc, aucun membre de sa famille ne t'a interdit de continuer à le voir ?

— Je n'ai jamais parlé à aucun d'eux... répliqua Yasintra, sur un ton tranchant.

---

* La forte eidesis de la "jeune fille au lys" se poursuit, et il semble maintenant s'y greffer l'idée d'"aide", répétée quatre fois dans ce paragraphe ! (N.d.T.)

58

— Mais son père a peut-être eu vent de votre relation… insista calmement Héraclès.

— Il n'avait pas de père.

— C'est vrai, dit Héraclès. Je voulais parler de sa mère.

— Je ne la connais pas.

Il y eut un bref silence. Diagoras regarda le Déchiffreur, cherchant de l'aide. Héraclès haussa les épaules.

— Je peux m'en aller, maintenant ? demanda la jeune fille. Je suis fatiguée.

Ils ne lui répondirent pas, mais elle s'écarta du mur et s'éloigna. Son corps, enveloppé dans un grand châle sombre et une tunique, évoluait avec la belle économie de mouvements d'un animal de la forêt. Les anneaux et bracelets invisibles résonnaient sous ses pas. A la limite de l'obscurité, elle se retourna vers Diagoras.

— Je ne voulais pas te frapper, dit-elle.

Ils regagnaient la ville en pleine nuit, par le chemin des Grands Murs.

— Je suis désolé pour le coup de genou, dit Héraclès un peu peiné par le profond silence du philosophe depuis le début de la conversation avec l'hétaïre. Tu as encore mal ? Eh bien, on ne peut pas dire que je ne t'avais pas prévenu… Je connais parfaitement ce genre d'hétaïres danseuses. Elles sont très agiles et savent se défendre. Quand elle s'est enfuie, j'ai compris qu'elle nous attaquerait si nous l'abordions

Il fit une pause, escomptant que Diagoras dirait quelque chose, mais son compagnon continua à marcher tête baissée, la barbe appuyée sur sa poitrine. Ils avaient laissé derrière eux depuis longtemps les lumières du Pirée et la grande voie en pierre – peu fréquentée mais plus sûre et plus rapide que la route commune, d'après Héraclès –, flanquée par les murs construits par Thémistocle et abattus par Lysandre pour être ensuite reconstruits, qui s'étendait, sombre et silencieuse dans la nuit hivernale. Au loin, vers le nord, la faible lueur des murailles d'Athènes se détachait comme dans un rêve.

— Maintenant c'est toi, Diagoras, qui ne parles pas depuis un long moment. Tu es découragé ?... Bon, tu m'as dit que tu voulais participer à l'enquête, n'est-ce pas ? Mes enquêtes commencent toujours comme ça : on croit qu'on n'a rien, et puis... Tu trouves que c'était une perte de temps, de venir au Pirée pour parler à cette hétaïre ?... Bah, par expérience, je te dis que suivre une trace n'est jamais une perte de temps, bien au contraire : chasser, c'est savoir chercher des traces, même si elles ont l'air de ne nous mener nulle part. Ensuite, décocher la flèche dans le dos de l'animal, contrairement à ce que croit la majorité des gens, est le plus...

— C'était un enfant, murmura soudain Diagoras, comme s'il avait répondu à une question formulée par Héraclès. Il n'avait pas encore atteint l'âge d'éphèbe. Son regard était pur. Athéna elle-même semblait avoir trempé son âme...

— Cesse de te culpabiliser. A cet âge-là aussi nous avons besoin de nous épancher.

Diagoras détourna pour la première fois le regard du sombre chemin pour observer le Déchiffreur avec mépris.

— Tu ne comprends pas. A l'Académie, nous éduquons les adolescents pour qu'ils aiment la sagesse plus que tout et qu'ils refusent les plaisirs dangereux qui ne comportent qu'un bénéfice immédiat et éphémère. Tramaque connaissait la sagesse, il savait qu'elle est infiniment plus utile que le vice... Comment a-t-il pu l'ignorer dans la pratique ?

— De quelle façon enseignez-vous la sagesse à l'Académie ? demanda Héraclès, tentant pour la énième fois de distraire le philosophe.

— A travers la musique et le plaisir de l'exercice physique.

Nouveau silence. Héraclès se gratta la tête.

— Eh bien, disons que pour Tramaque le plaisir de l'exercice physique était plus important que la musique, commenta-t-il, mais le regard de Diagoras le fit taire à nouveau.

— L'ignorance est à l'origine de tous les maux. Qui choisirait le pire en sachant qu'il s'agit du pire ? Si la raison, à travers l'enseignement, te montre que le vice est pire que la vertu, le mensonge pire que la vérité, le plaisir immédiat pire que le plaisir durable, les choisirais-tu consciemment ? Tu sais, par exemple, que le feu brûle : mettrais-tu volontairement ta main au feu ?... C'est absurde. Aller voir cette... femme pendant un an ! Payer son plaisir ! C'est un mensonge... Cette hétaïre nous a menti. Je t'assure que... Qu'est-ce qui te fait rire ?

— Excuse-moi, dit Héraclès, je pensais à quelqu'un que j'ai un jour vu mettre la main dans les flammes de son propre gré : un vieil ami de mon *dêmos*, Crantor Pontor. Il pensait tout le contraire : il disait qu'il ne suffit pas de raisonner pour choisir ce qu'il y a de mieux, puisque l'homme se laisse guider par ses désirs et non par ses idées. Un jour, il a eu envie de se brûler la main droite, il l'a posée sur le feu et s'est brûlé.

Un long silence suivit ces paroles. Au bout d'un certain temps, Diagoras dit :

— Et toi... tu es d'accord avec cette opinion ?

— Absolument pas. J'ai toujours cru que mon ami était fou.

— Qu'est-il devenu ?

— Je l'ignore. Il a soudain voulu quitter Athènes et il est parti. Il n'est pas revenu.

Après un nouveau silence et quelques pas supplémentaires sur la voie en pierre, Diagoras dit :

— Eh bien, il existe de multiples sortes d'hommes, certes, mais nous décidons tous de nos actes, si absurdes semblent-ils, après un débat raisonné avec nous-mêmes. Socrate aurait pu éviter sa condamnation pendant le jugement, mais il a choisi de boire la ciguë parce qu'il savait pertinemment que c'était ce qu'il y avait de mieux pour lui. Ce qui était vraiment le cas, puisqu'il respectait de la sorte les lois d'Athènes, qu'il avait tant défendues tout au long de sa vie. Platon et ses amis ont tenté de le faire changer d'avis, mais il les a convaincus avec ses arguments. Quand on connaît l'utilité de la vertu, on ne choisit jamais le vice. C'est pour cela que je crois que cette hétaïre nous a menti... Dans le cas contraire, ajouta-t-il, et Héraclès perçut l'amertume de sa voix, il me faudra supposer que Tramaque ne faisait que *feindre* de suivre mon enseignement...

— Que penses-tu de cette hétaïre ?

— C'est une femme étrange et dangereuse, frissonna Diagoras. Son visage... son regard... Je me suis penché sur ses yeux et j'y ai vu des choses horribles...

Dans sa vision, elle lui était étrangère et faisait des choses imprévues : elle dansait sur les sommets enneigés du Parnasse, par exemple, portant pour tout vêtement la peau d'un petit faon ; son corps se mouvait sans réfléchir, presque sans le vouloir, comme une fleur entre les doigts d'une jeune fille, tournant dangereusement au bord des abîmes glissants.

Dans sa vision, elle pouvait incendier ses cheveux et fouetter l'air froid de cette masse dangereuse, ou rejeter en arrière sa tête enflammée tandis que l'os de sa gorge pointait entre les muscles du cou comme la tige d'un lys, crier comme si elle avait demandé de l'aide, appelant Bromios aux pieds de cerf, ou entonner le rapide péan dans l'*oreibase* nocturne, la danse rituelle que les femmes pratiquent en permanence au sommet des montagnes pendant les mois d'hiver. On sait que beaucoup d'entre elles meurent de froid ou de fatigue sans que personne ne puisse l'éviter ; on sait également, bien qu'aucun homme ne l'ait jamais vu, que les femmes, au cours de ces danses, manipulent de dangereux reptiles au venin foudroyant et nouent

joliment leurs queues, comme une jeune fille tresse-
rait, sans aide, une couronne de lys blancs ; et l'on
soupçonne, bien qu'aucun homme ne le sache avec
certitude, que dans ces nuits dangereuses aux tam-
bours rapides, les femmes ne sont que des formes
nues, brillantes de sang à cause des flammes et du
jus de pampre, et laissent, avec leurs pieds nus, des
traces pressées et audacieuses dans la neige, comme
des proies blessées par le chasseur, sans écouter le
cri de détresse de la sagesse qui, telle une adolescente à la svelte silhouette vêtue de blanc, exige en
vain la fin des rituels. "Aide-moi", clame la petite
voix, mais c'est inutile, parce que le danger, pour
les danseuses, est comme un lys brillant posé sur
l'autre rive du fleuve : aucune ne résiste à la tentation de nager rapidement, de chercher de l'aide,
jusqu'à ce que ses mains atteignent la fleur et puissent la soutenir. "Attention : danger", s'exclame la
voix, mais le lys est trop beau et la jeune fille n'écoute
pas.

Tout cela faisait partie de sa vision, et il le tenait
pour certain*.

— Tu vois d'étranges choses dans le regard des
autres, Diagoras ! se moqua Héraclès de bonne foi.
Je ne doute pas que notre hétaïre danse de temps
en temps dans les processions des Lénéennes, mais,
sincèrement, croire qu'elle se roule avec les ménades
dans les extases en l'honneur de Dionysos, ces dan-
gers rituels qui, s'ils persistent encore, ne sont prati-
qués que par certaines tribus de paysans thraces
dans des montagnes lointaines et désolées de
l'Hellade, cela me semble exagéré. Je crains que ton

---

* La nouvelle vision de Diagoras confirme les images eidétiques précédentes : la "rapidité", la "biche", la "jeune fille au
lys" et la "demande d'aide". Maintenant vient s'y ajouter
l'"avertissement du danger". Quelle peut être la signification
de tout cela ? *(N.d.T.)*

imagination ne possède une vue plus acérée que celle du lynx...

— Je t'ai dit ce que j'ai pu contempler avec les yeux de la pensée, répliqua Diagoras, capables de distinguer l'Idée en soi. Ne les méprise pas si rapidement, Héraclès. Je t'ai expliqué que nous aussi nous sommes partisans de la raison, mais nous croyons qu'il y a quelque chose qui lui est supérieur, c'est l'Idée en soi, qui est la lumière devant laquelle nous tous, les êtres et les choses qui peuplons le monde, ne sommes que de vagues ombres. Et parfois, seul le mythe, la fable, la poésie ou le rêve peuvent nous aider à la décrire.

— Soit, mais tes Idées en soi ne me sont pas utiles, Diagoras. J'évolue dans la limite de ce que je peux constater de mes propres yeux et raisonner selon ma propre logique.

— Et qu'as-tu vu chez cette jeune fille ?

— Peu de chose, répondit Héraclès avec modestie. Juste qu'elle nous mentait. Diagoras interrompit brusquement son pas rapide et se retourna pour contempler le Déchiffreur, qui sourit suavement avec une certaine culpabilité, comme un enfant qui se fait réprimander pour un mauvais tour. Je lui ai tendu un piège : je lui ai parlé du père de Tramaque. Comme tu le sais, Méragre a été condamné à mort il y a des années, accusé d'avoir collaboré avec les Trente*...

— Je sais. Ce fut un triste procès, comme celui des amiraux d'Arginuse, parce que Méragre a payé pour les fautes de beaucoup d'autres. Diagoras soupira. Tramaque ne voulait jamais me parler de son père.

— Précisément. Yasintra a dit que Tramaque ne lui parlait presque pas, mais elle savait parfaitement que son père était mort dans le déshonneur...

---

* Dictature instaurée à Athènes, sous la supervision des Spartiates, suite à la guerre du Péloponnèse. Elle était formée par trente citoyens. De nombreux Athéniens ont péri sur ordre de ce gouvernement implacable, jusqu'à ce qu'une nouvelle rébellion permette le retour de la démocratie. (N.d.T.)

— Non : elle savait juste qu'il était mort.

— Pas du tout ! Diagoras, je t'ai déjà expliqué que je déchiffre ce que je peux voir, et je *vois* ce que quelqu'un me dit, tout comme je vois, en ce moment même, les torches de la porte de la ville. Tout ce que nous faisons ou disons est un texte susceptible d'être lu et interprété. Tu ne te rappelles pas ses propres mots ? Elle n'a pas dit : "Son père est mort", mais "Il *n'avait pas* de père". C'est la phrase que nous emploierions communément pour nier l'existence de quelqu'un dont nous ne voulons pas nous souvenir... C'est le genre d'expression que Tramaque aurait utilisée. Et je m'interroge : si Tramaque a parlé de son père à cette hétaïre du Pirée – un sujet qu'il ne voulait même pas partager avec toi –, qu'a-t-il pu lui dire d'autre que tu ignores ?

— Ainsi donc, l'hétaïre ment.

— C'est ce que je crois.

— Pourtant, je disais moi *aussi* la *vérité* quand j'affirmais qu'elle nous avait *menti*, dit Diagoras en insistant ostensiblement sur ses paroles.

— Oui, mais...

— Tu es convaincu, Héraclès, que les yeux de la pensée aperçoivent également la Vérité, même si c'est par le biais d'autres méthodes ?

— Je regrette de ne pas pouvoir être d'accord, dit Héraclès, parce que tu voulais parler de la relation de Tramaque avec l'hétaïre, et je crois, précisément, que *c'est* le *seul point* sur lequel elle ne nous a pas menti.

Après quelques pas rapides et silencieux, Diagoras dit :

— Tes paroles, Déchiffreur d'Enigmes, sont des flèches véloces et dangereuses qui sont venues se planter dans ma poitrine. J'aurais auparavant juré devant les dieux que Tramaque avait en moi une confiance absolue...

— Oh, Diagoras, dit Héraclès en secouant la tête, tu dois abandonner ce noble concept que tu sembles avoir des êtres humains. Enfermé dans ton Académie, à enseigner les mathématiques et la musique, tu me fais penser à une jeune fille aux cheveux d'or et à l'âme blanche comme un lys, très belle mais très crédule, qui ne serait jamais sortie du gynécée, et qui, rencontrant un homme pour la première fois, crierait : "A l'aide, à l'aide, je suis en danger."

— Tu n'en as pas assez, de te moquer de moi ? reprit le philosophe avec amertume.

— Ce n'est pas de la moquerie mais de la compassion ! Mais revenons au sujet qui nous intéresse : une autre chose m'intrigue, c'est la raison pour laquelle Yasintra a fui quand nous avons demandé où elle se trouvait…

— Je ne crois pas que les raisons lui manquent. Ce que je ne comprends pas encore, c'est comment tu as su qu'elle s'était cachée dans le tunnel…

— Où aurait-elle pu être ? Elle nous fuyait, en effet, mais elle savait que nous ne pourrions jamais la rattraper, parce qu'elle est agile et jeune alors que nous sommes vieux et maladroits. Je parle surtout pour moi, dit-il en levant une main obèse avec rapidité, arrêtant à temps la réplique de Diagoras. J'en ai déduit qu'elle n'avait pas besoin de continuer à courir et qu'il lui suffisait de se cacher… Quelle meilleure cachette que l'obscurité de ce tunnel si proche de chez elle ? Mais… pourquoi s'est-elle enfuie ? Son mode de vie consiste précisément à ne fuir aucun homme…

— Elle doit avoir plus d'un délit sur la conscience. Tu vas te moquer de moi, Déchiffreur, mais je n'ai jamais vu une femme aussi étrange. Le souvenir de son regard me fait encore frémir… Qu'est-ce que c'est que ça ?

Héraclès regarda dans la direction que lui indiquait son collègue. Une procession de torches passait dans les rues attenantes à la porte de la cité. Les participants portaient des tambourins et des masques. Un soldat s'arrêta pour leur parler.

— C'est le début des fêtes des Lénéennes, dit Héraclès. C'est l'époque.

Diagoras eut un mouvement de tête réprobateur.

— Ils sont bien pressés de s'amuser.

Ils passèrent la porte, après s'être identifiés devant les soldats, et continuèrent leur chemin vers l'intérieur de la ville. Diagoras dit :

— Que va-t-on faire maintenant ?

— Se reposer, par Zeus. J'ai mal aux pieds. Mon corps a été fait pour tourner comme une sphère d'un endroit à l'autre, non pour s'appuyer sur ses pieds. Demain, nous irons parler à Antise et à Eunio. Enfin, toi tu parleras, et moi j'écouterai.

— Que dois-je leur demander ?

— Laisse-moi y réfléchir. Nous nous verrons demain, mon bon Diagoras. Je te ferai porter un message par un esclave. Détends-toi, repose-toi le corps et l'esprit. Et ne te laisse pas dérober le sommeil par les soucis : rappelle-toi que tu as engagé le meilleur Déchiffreur d'Enigmes de toute la Grèce*…

---

* Cet après-midi pendant une pause entre ses cours – elle enseigne le grec à un groupe de trente élèves –, j'ai pu parler à Helena. J'étais si nerveux que je lui ai directement fait part de mes trouvailles, sans préambule :

— Dans le troisième chapitre, en plus de la biche, il y a une nouvelle image : une jeune fille avec un lys à la main.

Elle ouvrit ses grands yeux bleus.

— Quoi ?

Je lui montrai ma traduction.

— Elle apparaît surtout dans trois visions de l'un des protagonistes, un philosophe platonicien du nom de Diagoras. Mais l'autre personnage principal, Héraclès, la mentionne aussi. Il s'agit d'une image eidétique très forte, Helena. C'est une jeune fille avec un lys qui demande de l'aide et annonce l'existence d'un danger. Montalo croit qu'il s'agit d'une métaphore poétique, mais l'eidesis est claire. Et même, l'auteur la décrit : cheveux d'or et yeux bleus comme la mère, corps svelte, vêtue de blanc… Son image est répartie en fragments dans tout le chapitre… Tu vois ? Ici, on parle de ses cheveux… Là de "sa svelte silhouette vêtue de blanc"…

— Attends, m'interrompit Helena. Dans ce paragraphe, la "svelte silhouette vêtue de blanc", c'est la sagesse. Il s'agit d'une métaphore poétique dans le style de…

— Non ! Je reconnais que j'élevai le ton davantage que je ne l'aurais souhaité. Helena me regarda, étonnée, cela me fait du mal d'y penser maintenant. Ce n'est pas une simple métaphore, c'est une image eidétique !

— Comment peux-tu en être aussi sûr ?

Je réfléchis un instant. Ma théorie semblait tellement certaine que j'avais oublié de rassembler des arguments pour l'étayer !

— Le mot "lys" est répété à l'infini, dis-je, et le visage de la jeune fille…

— Quel visage ? Tu viens de dire que l'auteur ne parle que de ses yeux et de ses cheveux. Tu as imaginé le reste ? J'ouvris la bouche pour répliquer, mais soudain je ne sus que dire. Tu ne crois pas que tu pousses trop loin l'eidesis ? Elio nous l'a fait remarquer, tu te souviens ? Il a dit que les livres eidétiques étaient trompeurs, et il avait raison. Tu te mets soudain à croire que toutes ces images signifient quelque chose par le simple fait de les voir répétées, ce qui est absurde : Homère décrit minutieusement la façon de s'habiller de nombreux héros de son *Iliade*, mais cela ne signifie pas que cette œuvre soit, en eidesis, un traité sur le vêtement…

— Ici, je désignai ma traduction, se trouve l'image d'une jeune fille qui demande de l'aide, Helena, et qui parle d'un danger… Lis toi-même…

Ce qu'elle fit. Je me rongeai les ongles en attendant. Quand elle eut fini de lire, elle reporta sur moi son cruel regard de compassion.

— Bien, je ne suis pas aussi calée que toi en littérature eidétique, tu le sais, mais la seule image cachée que je parviens à trouver dans ce chapitre est celle de "rapidité" qui fait allusion au quatrième des travaux d'Hercule, la biche de Cérynie, qui était un animal très rapide. La "jeune fille" et le "lys" sont clairement des métaphores poétiques qui…

— Helena…

— Laisse-moi parler. Ce sont des métaphores poétiques circonscrites aux "visions" de Diagoras…

— Héraclès les mentionne également.

— Mais en relation avec Diagoras ! Regarde… Héraclès le dit… c'est ici… quand il pense à lui, il l'imagine comme "une jeune fille aux cheveux d'or et à l'âme blanche comme un lys, très belle mais très crédule"… Il veut parler de Diagoras ! L'auteur utilise ces métaphores pour décrire l'esprit ingénieux et tendre du philosophe.

Je n'étais pas convaincu.

— Et pourquoi précisément un lys ? objectai-je. Pourquoi pas n'importe quelle autre fleur ?

— Tu confonds l'eidesis avec les redondances, sourit Helena. Parfois, les écrivains répètent des mots dans un même paragraphe. Dans le cas présent, notre auteur avait "lys" en tête, et chaque fois qu'il pensait à une fleur il écrivait le même mot. Pourquoi fais-tu cette tête ?

— Helena : je suis *sûr* que la jeune fille au lys est une image eidétique, mais je ne peux pas te le prouver… Et c'est horrible…

— Qu'est-ce qui est horrible ?

— Que tu penses le contraire après avoir lu le *même* texte. C'est horrible, que les idées qui forment les paroles dans les livres soient si fragiles… *J'ai vu* une biche en lisant, et *j'ai aussi vu* une jeune fille avec un lys à la main crier en demandant de l'aide… Toi, tu vois la biche mais pas la jeune fille. Si Elio lisait ça, peut-être que seul le lys retiendrait son attention. Un lecteur ordinaire, que verrait-il ?… Et Montalo, qu'a vu Montalo ? Juste que le chapitre avait été écrit négligemment. Mais — je frappai les papiers pendant un instant d'incroyable perte de self-control — *il doit* exister une idée *finale* qui ne dépende pas de notre avis, tu ne crois pas ? Les mots… *doivent* constituer finalement une idée *concrète*, exacte…

— Tu t'énerves comme un amoureux.

— Quoi ?

— Tu es amoureux de la jeune fille au lys ? Les yeux d'Helena brillaient de malice. Rappelle-toi que ce n'est même pas un personnage du roman : c'est une idée que tu as recréée avec ta traduction… Et, satisfaite de m'avoir cloué le bec, elle repartit en cours. Elle ne se retourna qu'une fois pour ajouter : Un conseil : ne te laisse pas obséder.

Maintenant, ce soir, dans la tranquille commodité de mon bureau, je pense qu'Helena a raison : je suis simplement le *traducteur*. Un autre traducteur élaborerait une version autre, avec des termes différents, et évoquerait donc d'autres images. Pourquoi pas ? Mon désir de suivre la trace de la "jeune fille au lys" m'a poussé à la construire par mes propres paroles, car un traducteur, d'une certaine façon, est également auteur… ou plutôt, une eidesis de l'auteur, cela m'amuse de le penser : toujours présent et toujours invisible.

Oui, peut-être. Pourquoi suis-je si *sûr* que la jeune fille au lys est le *véritable* message occulte de ce chapitre, et que son cri pour demander de l'aide et son avertissement du *danger* sont si importants ? Je ne connaîtrai la vérité que si je continue à traduire.

Pour l'instant, je m'en tiens au conseil d'Héraclès Pontor, le Déchiffreur d'Enigmes : "Détends-toi… Ne te laisse pas dérober le sommeil par les soucis." *(N.d.T.)*

IV*

La ville se préparait pour les Lénéennes, les fêtes d'hiver en l'honneur de Dionysos.

Afin de décorer les rues, les serviteurs des astynomes jetaient des centaines de fleurs sur la voie Panathénienne, mais le violent passage des bêtes et des hommes finissait par transformer la mosaïque chatoyante en une pulpe de pétales détachés. On organisait des concours de chant et de danse à l'air libre, annoncés auparavant par les tablettes de marbre sur le monument aux Héros Eponymes, même si les voix de ceux qui chantaient n'étaient généralement pas très agréables à entendre, et si une bonne partie des danseurs exécutaient essentiellement des sauts maladroits et furieux, désobéissant aux instructions des hautbois. Comme les archontes ne tenaient pas à contrarier le peuple,

---

* Une nuit de repos fait des merveilles. Au réveil, je comprenais mieux Helena. Maintenant, après une nouvelle lecture du troisième chapitre, je ne suis plus aussi sûr que la "jeune fille au lys" soit une image eidétique. Peut-être ma propre imagination de lecteur m'a-t-elle trahi. Je commence la traduction du quatrième chapitre, sur le papyrus dont Montalo affirme : "Maltraité, très froissé par endroits, peut-être piétiné par une bête ? C'est un miracle que le texte soit parvenu dans son intégralité entre nos mains." Comme j'ignore lequel des travaux est caché là, car l'ordre habituel a été modifié, je vais devoir me montrer très attentif dans ma version. *(N.d.T.)*

les diversions de rue, même mal considérées, n'avaient pas été interdites, les adolescents des différents *dêmoï* rivalisaient dans de mauvaises représentations théâtrales et il se formait des chœurs sur les places pour contempler d'impétueuses pantomimes sur les anciens mythes exécutées par des amateurs. Le théâtre Dionysos Eleuthère ouvrait ses portes à des auteurs nouveaux et consacrés, en particulier de comédies, les grandes tragédies étaient réservées aux fêtes dionysiaques, regorgeant de telles obscénités que seuls les hommes allaient généralement les voir. Partout, mais surtout sur l'agora et dans le Céramique intérieur, et du matin au soir, les bruits, les éclats de rire, les outres de vin et le public se fondaient.

Comme la ville se flattait d'être libérale, pour se distinguer des peuples barbares et même d'autres villes grecques, les esclaves avaient eux aussi leurs fêtes, bien que beaucoup plus modestes et solitaires : ils mangeaient et buvaient mieux que le reste de l'année, organisaient des bals et, dans les maisons les plus nobles, on leur permettait parfois d'assister au théâtre, où ils pouvaient se contempler eux-mêmes sous la forme d'acteurs masqués qui, jouant les esclaves, se moquaient du peuple par des bouffonneries méprisables.

Mais l'activité préférée pendant ces festivités était la religion, et les processions maintenaient toujours la double composante mystique et sauvage de Dionysos Bacchus : les prêtresses brandissaient dans les rues de brutaux phallus en bois, les danseuses exécutaient des danses déchaînées qui imitaient le délire religieux des ménades ou des bacchantes, les femmes égarées en qui tous les Athéniens croyaient mais qu'aucun d'eux n'avait en fait vues, et les masques simulaient la triple transformation du dieu en serpent, en lion et en taureau, imitée par des gestes parfois très obscènes par les hommes qui les portaient.

S'élevant au-dessus de toute cette violence stridente, l'Acropole, la ville haute, restait silencieuse et vierge*.

Ce matin-là, un jour ensoleillé et froid, un groupe de grossiers artistes thébains obtint la permission de divertir les gens devant le bâtiment de la *stoa* Poïkilê. L'un d'eux, assez âgé, manipulait plusieurs dagues à la fois, tout en se trompant souvent et en laissant tomber les couteaux à terre dans de violents claquements de métal ; un autre, énorme et presque nu, avalait le feu de deux torches et le rejetait brusquement par le nez ; les autres faisaient de la musique sur des instruments béotiens en mauvais état. Après la représentation préliminaire, ils mirent des masques pour jouer une farce poétique sur Thésée et le Minotaure : ce dernier, interprété par le gigantesque cracheur de feu, baissait la tête en faisant mine d'attaquer quelqu'un avec ses cornes, et menaçait ainsi, par jeu, les spectateurs réunis autour des colonnes de la *stoa*. Soudain, le monstre légendaire sortit d'une besace un heaume brisé et le plaça ostensiblement sur sa tête. Tous les spectateurs le reconnurent : il s'agissait d'un heaume d'hoplite spartiate. A cet instant, le vieil homme aux dagues, qui feignait d'être Thésée, se jeta sur la bête sauvage et la renversa en la frappant : c'était une simple parodie, mais le public en comprit parfaitement la signification. Quelqu'un cria : "Liberté pour Thèbes !" et les acteurs reprirent sauvagement ce cri tandis que le vieil homme se dressait d'un air triomphal sur la bête masquée. Il s'ensuivit une brève confusion dans la foule de plus en plus agitée, et les acteurs, craignant les soldats, interrompirent la pantomime. Mais les

---

* L'Acropole, où se trouvaient les grands temples d'Athéna, la principale déesse de la ville, était essentiellement réservée aux fêtes des Panathénées, bien que je soupçonne le patient lecteur de connaître cette information. Les idées de "violence" et de "maladresse" représentent probablement les premières images eidétiques de ce chapitre. *(N.d.T.)*

esprits étaient déjà exaltés : on chanta des consignes contre Sparte, quelqu'un présagea la libération immédiate de la ville de Thèbes, qui souffrait sous le joug spartiate depuis des années, et d'autres invoquèrent le nom du général Pélopidas, que l'on supposait exilé à Athènes après la chute de Thèbes, en l'appelant "Libérateur". Il se forma un violent tumulte dans lequel dominaient à égalité l'ancienne rancœur envers Sparte et l'amusante confusion du vin et des fêtes. Quelques soldats intervinrent, mais, constatant que les cris n'étaient pas contre Athènes mais contre Sparte, ils se montraient réticents à imposer l'ordre.

Pendant tout ce vacarme, un seul homme resta immobile et indifférent, étranger même aux vociférations de la foule : il était grand et mince et portait un modeste manteau gris sur sa tunique ; en raison de son teint pâle et de sa brillante calvitie, il ressemblait plutôt à une statue polychrome qui aurait orné le vestibule de la *stoa*. Un autre homme, obèse et de petite taille, l'aspect diamétralement opposé au précédent, le cou épais surmonté d'une tête qui s'amincissait au sommet, s'approcha d'un pas tranquille du premier. Le salut fut bref, comme s'ils avaient tous deux attendu cette rencontre, et, pendant que la foule se dispersait et que les cris, maintenant des insultes grossières, faiblissaient, les deux hommes descendirent la rue par l'une des étroites sorties de l'agora.

— La plèbe, furieuse, insulte les Spartiates en l'honneur de Dionysos, dit Diagoras, méprisant, adaptant maladroitement son allure impétueuse au pas lourd d'Héraclès. Ils confondent l'ivresse avec la liberté, les réjouissances avec la politique. Que nous importe en fait le destin de Thèbes ou de toute autre ville, puisque nous avons prouvé notre indifférence envers Athènes elle-même ?

Héraclès Pontor, qui, en bon Athénien, participait aux débats houleux de l'Assemblée et était un modeste amateur de politique, dit :

— Notre blessure saigne, Diagoras. Notre désir de voir Thèbes se libérer du joug spartiate prouve simplement qu'Athènes est très importante pour nous. Nous avons été vaincus, certes, mais nous ne pardonnons pas les affronts.

— Et à quoi est due cette défaite ? A notre absurde système démocratique ! Si nous nous étions laissé gouverner par les meilleurs au lieu de nous laisser gouverner par le peuple, aujourd'hui nous posséderions un empire…

— Je préfère une petite assemblée où je peux crier à un vaste empire où je devrais me taire, dit Héraclès, et il regretta soudain de n'avoir aucun scribe à disposition, car il lui semblait avoir trouvé là une très bonne phrase.

— Et pourquoi devrais-tu te taire ? Si tu faisais partie des meilleurs, tu pourrais parler, sinon, pourquoi ne pas d'abord te consacrer à figurer parmi les meilleurs ?

— Parce que je ne veux pas faire partie des meilleurs, je veux parler.

— Il ne s'agit pas de ce que tu veux ou non, Héraclès, mais du bien-être de la ville. Qui laisserais-tu diriger un bateau, par exemple ? L'ensemble des marins ou celui qui connaîtrait l'art de naviguer ?

— Ce dernier, bien sûr. Et il ajouta, après une pause : Mais à condition qu'on me laisse parler pendant la traversée.

— Parler ! Parler ! s'exaspéra Diagoras. A quoi te sert le privilège de parler, toi qui en uses à peine ?

— Tu oublies que le privilège de parler consiste, entre autres choses, en celui de se taire quand bon nous semble. Laisse-moi en user, Diagoras, et mettre un terme à notre conversation, car ce que je supporte le moins bien en ce monde c'est la perte de temps, et même si je ne sais pas très bien ce que signifie perdre son temps, discuter politique avec un philosophe est ce qui pour moi s'y apparente le plus. Tu as reçu mon message sans difficulté ?

— Oui, et je dois te dire que ce matin Antise et Eunio n'ont pas de cours à l'Académie, nous les trouverons donc au gymnase de Colonos. Mais, par Zeus, je pensais que tu viendrais plus tôt. Je t'attends à la *stoa* depuis l'ouverture du marché, et il est déjà presque midi.

— En fait, je me suis levé à l'aube, mais je n'ai pas pu venir plus tôt au rendez-vous : j'ai procédé à quelques vérifications.

— Pour mon travail ? s'intéressa Diagoras.

— Non, pour le mien. Héraclès s'arrêta devant une charrette ambulante chargée de figues douces. Rappelle-toi, Diagoras, que c'est *mon* travail, même si l'argent t'appartient. Je ne recherche pas l'origine de la peur supposée de ton disciple mais l'énigme que j'ai crue remarquer sur son cadavre. Combien coûtent les figues ?

Le philosophe souffla bruyamment, avec impatience, tandis que le Déchiffreur remplissait la petite besace suspendue à son épaule, sur son manteau en lin. Ils reprirent leur chemin par la rue en pente.

— Et qu'as-tu découvert ? Tu peux me le dire ?

— Peu de chose, en fait, avoua Héraclès. Sur l'une des tablettes du monument aux Héros Eponymes, on annonce que l'Assemblée a décidé hier d'organiser une battue de chasse pour exterminer les loups du Lycabette. Tu étais au courant ?

— Non, mais cela me semble juste. Ce qui est triste, c'est qu'il ait fallu la mort de Tramaque pour y parvenir.

Héraclès acquiesça.

— J'ai également vu la liste de nouveaux soldats. Il semble qu'Antise va être recruté immédiatement.

— C'est exact, affirma Diagoras. Il a atteint l'âge d'éphèbe. Si nous n'allons pas plus vite, ils auront quitté le gymnase avant notre arrivée…

Héraclès acquiesça à nouveau, mais il maintint son rythme parcimonieux et maladroit.

— Personne n'a vu Tramaque partir à la chasse ce matin-là, dit-il.

— Comment le sais-tu ?

— On m'a permis de consulter les registres des portes Acarnea et Philé, les deux sorties qui conduisent au Lycabette. Rendons un petit hommage à la démocratie, Diagoras ! Notre enthousiasme à recueillir des données afin de pouvoir débattre à l'Assemblée est tel que nous avons même noté le nom et le statut social de ceux qui entrent et sortent quotidiennement de la ville en transportant des paquets. Ce sont de longues listes dans lesquelles on trouve par exemple : "Ménéclès, marchand métèque, et quatre esclaves. Outres de vin." De la sorte, nous pensons mieux contrôler notre commerce. Et les filets de chasse et le matériel consacré à cette activité sont scrupuleusement consignés. Mais le nom de Tramaque n'y figurait pas, et ce matin personne n'est sorti de la ville en portant des filets.

— Il se peut qu'il ne les ait pas emportés, suggéra Diagoras. Peut-être voulait-il simplement chasser des oiseaux.

— Il a pourtant dit à sa mère qu'il allait tendre des pièges pour les lièvres. C'est du moins ce qu'elle m'a rapporté. Et je m'interroge : s'il désirait chasser des lièvres, n'était-il pas plus logique de se faire accompagner par un esclave pour surveiller les pièges ou exciter les proies ? Pourquoi est-il parti seul ?

— Que supposes-tu, alors ? Qu'il n'est pas parti chasser ? Que quelqu'un l'accompagnait ?

— A cette heure de la matinée, je ne fais généralement pas de suppositions.

Le gymnase de Colonos était un édifice à large portique situé au sud de l'agora. Des inscriptions portant les noms de célèbres athlètes olympiques, de même que de petites statues d'Hermès, ornaient ses deux portes. A l'intérieur, le soleil se précipitait avec une violence fougueuse sur la palestre, un rectangle de terre remuée avec une pique, dépourvu de toit, consacré à la lutte pancratique. Une odeur compacte de corps agglomérés et d'onguents de massage saturait l'air. Le lieu, bien qu'il fût vaste, était plein : de grands adolescents, habillés ou nus, des enfants en plein apprentissage, des *paidotribes* en manteau pourpre qui portaient le bâton pourvu d'une fourche instruisant leurs pupilles… Un vacarme terrible rendait toute conversation impossible. Plus loin, derrière un porche en pierre, se trouvaient les pièces intérieures, pourvues d'un toit, qui comprenaient les vestiaires, les douches et les salles destinées aux onguents et aux massages.

Deux lutteurs s'affrontaient à cet instant sur la palestre : leurs corps, entièrement nus et luisants de sueur, s'appuyaient l'un sur l'autre comme s'ils avaient voulu s'emboutir avec leurs têtes ; les bras exécutaient des nœuds musculaires sur le cou de l'opposant ; il était possible de distinguer, malgré le tohu-bohu, les mugissements retentissants qu'ils proféraient en raison de leur effort prolongé ; de blancs filets de salive coulaient de leurs bouches tels d'étranges ornements barbares ; la lutte était brutale, impitoyable, irrévocable.

A peine eurent-ils pénétré dans l'enceinte, Diagoras tira sur le manteau d'Héraclès Pontor.

— Le voici ! dit-il à voix haute, et il désigna un endroit dans la foule.

— Oh, par Apollon… murmura Héraclès.

Diagoras sentit son étonnement.

— Ai-je exagéré en te décrivant la beauté d'Antise ? dit-il.

— Ce n'est pas la beauté de ton disciple, qui m'a surpris, mais le vieil homme qui parle avec lui. Je le connais.

Ils décidèrent que l'entretien aurait lieu dans les vestiaires. Héraclès arrêta Diagoras, qui se dirigeait déjà impétueusement à la rencontre d'Antise, pour lui remettre une feuille de papyrus.

— Voici les questions que tu dois lui poser. Il convient que ce soit toi qui parles, car cela me permettra de mieux étudier ses réponses.

Pendant que Diagoras lisait, un violent tapage des spectateurs leur fit tourner le regard en direction de la palestre : l'un des combattants avait donné un coup de tête sauvage dans le visage de son adversaire. On aurait pu affirmer que le son s'était entendu dans tout le gymnase : comme un faisceau de joncs coupés en même temps par l'impétueux sabot d'un gigantesque animal. Le lutteur vacilla et faillit tomber, bien qu'il semblât moins altéré par l'impact que par la surprise : il ne porta même pas les mains à son visage déformé, ensuite déchiré par la destruction comme un mur ravagé par les coups de corne d'un animal furieux, mais recula les yeux grands ouverts et fixés sur son adversaire, comme si ce dernier lui avait fait une plaisanterie inattendue, tandis que, sous ses paupières inférieures, l'armature régulière de ses traits s'effondrait sans bruit et qu'un épais filet de sang coulait de ses lèvres et de ses grandes fosses nasales. Mais il ne tomba pas. Le public l'excita par des insultes pour le faire contre-attaquer.

Diagoras salua son disciple et lui dit quelques mots à l'oreille. Tandis qu'ils se dirigeaient tous deux vers les vestiaires, le vieil homme qui parlait à Antise, le corps noirci et ridé comme par un énorme coup de soleil, dilata les onyx de ses yeux en découvrant la présence du Déchiffreur.

— Par Zeus et l'Apollon de Delphes, toi ici, Héraclès Pontor ! cria-t-il d'une voix qui semblait avoir été violemment traînée à la surface d'un terrain accidenté. Faisons des libations en l'honneur de Dionysos Bromios, car Héraclès Pontor, le Déchiffreur d'Enigmes, a décidé de visiter un gymnase !...

— De temps en temps, il est utile de faire de l'exercice. Héraclès accepta de bon cœur sa violente étreinte : il connaissait ce vieil esclave thrace depuis longtemps, car il l'avait vu exercer diverses tâches dans la maison familiale, et il le traitait en homme libre. Je te salue, ô Eumarque, et je me réjouis de constater que ta vieillesse est toujours aussi jeune.

— Répète-le-moi ! Le vieil homme se faisait entendre sans mal par-dessus l'énorme fracas des lieux. Zeus augmente mon âge et réduit mon corps.

Chez toi, d'après ce que je vois, les deux choses vont de pair...

— Pour l'instant, ma tête ne change pas de taille – ils se mirent tous deux à rire. Héraclès se retourna pour regarder autour de lui. Et ton compagnon ?

— Là-bas, avec mon élève. Eumarque désigna un espace dans la foule d'un doigt à l'ongle long et tordu qui ressemblait à une corne.

— Ton élève ? Es-tu le pédagogue d'Antise ?

— Je l'ai été ! Et que je sois recueilli par les Bien-faitrices si je recommence ! Eumarque fit un geste *apotropaïque* des mains afin d'éloigner le mauvais sort qu'attirait le fait de mentionner les Erinyes.

— Tu as l'air fâché contre lui.

— N'y a-t-il pas de quoi ? Il vient d'être enrôlé, et ce cabochard a décidé qu'il voulait garder les temples de l'Attique, loin d'Athènes ! Son père, le noble Praxinoe, m'a demandé d'essayer de le faire changer d'avis...

— Eh bien, Eumarque, un éphèbe doit servir la ville là où le besoin s'en fait le plus ressentir...

— Oh, par l'égide d'Athéna aux yeux bleus, Héraclès, ne plaisante pas avec mes cheveux blancs ! cria Eumarque. Je peux encore te donner un coup de corne dans la panse avec ma tête calleuse ! Là où le besoin s'en fait le plus ressentir ?... Par Zeus Cronide, son père est prytane à l'Assemblée cette année ! Antise pourrait choisir l'affectation la plus commode !

— Quand ton pupille a-t-il pris cette décision ?

— Il y a quelques jours ! Je suis ici précisément pour essayer de le convaincre de réfléchir.

— Autres temps, autres goûts, Eumarque, qui voudrait servir Athènes à Athènes ? La jeunesse a soif d'expériences nouvelles...

— Si je ne te connaissais pas comme je te connais, remarqua le vieil homme en secouant la tête, je penserais : "Il parle sérieusement."

Ils s'étaient frayé un passage dans la foule pour arriver à l'entrée des vestiaires.

— Tu m'as rendu ma bonne humeur, Eumarque ! dit Héraclès en riant. Il déposa une poignée d'oboles dans la main crevassée de l'esclave pédagogue. Attends-moi ici. Je ne serai pas long. J'ai un petit service à te demander.

— Je t'attendrai avec la patience dont s'arme le Nocher du Styx pour attendre l'arrivée d'une nouvelle âme, affirma Eumarque, ravi du cadeau inattendu.

Diagoras et Héraclès restèrent debout dans la petite pièce des vestiaires tandis qu'Antise s'asseyait sur une table basse et croisait les chevilles.

Diagoras ne parla pas tout de suite : il savoura auparavant en silence l'étonnante beauté de ce visage parfait, dessiné avec une économie de traits et ourlé de boucles blondes disposées en une gracieuse coiffure à la mode. Antise portait une simple chlamyde noire, signe qu'il n'avait atteint que récemment l'âge d'éphèbe, mais il en usait avec une certaine négligence ou maladresse, comme s'il ne s'y était pas encore habitué. Entre les ouvertures irrégulières du vêtement surgissait avec une douce violence la blancheur intacte de sa peau. Il agitait ses pieds nus dans un furieux va-et-vient, démentant par ce geste infantile sa toute nouvelle majorité.

— En attendant l'arrivée d'Eunio, nous allons bavarder un peu, toi et moi, dit Diagoras, et il désigna Héraclès. C'est un ami. Tu peux parler en toute confiance en sa présence. Héraclès et Antise se saluèrent d'un bref mouvement de tête. Antise, tu te rappelles ces questions que je t'ai posées sur Tramaque, et comment Lysile m'a parlé de la danseuse hétaïre qu'il fréquentait ? J'ignorais l'existence de cette femme. J'ai pensé que ce pouvait être le cas pour d'autres choses…

— Quelles choses, maître ?

— Tout. Tout ce que tu sais sur Tramaque. Ses goûts… Ce qu'il aimait faire lorsqu'il sortait de l'Académie… L'air soucieux que je lui ai vu au cours des derniers jours m'inquiète un peu, et je voudrais absolument en connaître l'origine afin de l'empêcher de s'étendre aux autres élèves.

— Il n'était pas souvent avec nous, maître, répondit doucement Antise, mais pour ce qui est de ses mœurs je peux vous assurer qu'elles étaient honnêtes...

— Personne n'en doute, s'empressa de dire Diagoras. Je connais bien la belle noblesse de mes disciples, mon fils. L'information donnée par Lysile me surprend d'autant plus. Mais vous l'avez tous confirmée. Et comme Eunio et toi étiez ses meilleurs amis, je ne peux pas croire que vous ne sachiez pas d'autres choses que, soit par pudeur, soit par bonté d'âme, vous n'ayez pas osé m'avouer...

Un fracas sauvage, comme un bruit d'objets brisés, combla le silence : il était évident que la lutte des combattants redoublait. Les murs semblaient trembler sur le passage d'une bête démesurée. Le calme revint et, dans un mouvement parfaitement coordonné, Eunio pénétra dans la pièce.

Diagoras les compara immédiatement. Ce n'était pas la première fois qu'il le faisait, car il aimait étudier les détails des différentes beautés de ses disciples. Eunio, les cheveux bouclés couleur charbon, faisait plus enfant qu'Antise, et en même temps plus viril. Son visage avait l'air d'un fruit sain et rouge, et son corps, robuste, à la peau laiteuse, avait mûri comme celui d'un homme. Quant à Antise, bien qu'il fût plus âgé, il possédait une silhouette plus gracile et ambiguë enveloppée dans une peau lustrée et rosée, vierge de duvet ; mais Diagoras croyait que même Ganymède, l'échanson des dieux, n'aurait pu lutter contre la beauté de son visage, parfois un peu malicieux, surtout lorsqu'il souriait, mais beau à en frissonner quand le jeune homme adoptait une expression soudaine de sérieux, ce qu'il faisait généralement lorsqu'il écoutait quelqu'un avec respect. Ces contrastes physiques se reflétaient dans leurs tempéraments, bien que d'une façon opposée : Eunio était très timide et enfantin, tandis qu'Antise, doté d'une aura de belle jeune fille, possédait en revanche le caractère énergique des vrais chefs.

— Vous m'avez fait appeler, maître ? murmura Eunio dès qu'il eut ouvert la porte.

— Entre, s'il te plaît. Je veux aussi te parler.

Eunio expliqua, en rougissant à un point incroyable, que le *paidotribe* l'avait appelé pour des exercices, et qu'il devait se déshabiller et partir rapidement.

— Ce ne sera pas long, mon petit, je te le promets, dit Diagoras.

Il le mit rapidement au courant et renouvela sa question. Il y eut une pause. Le balancement des pieds rosés d'Antise s'intensifia.

— Nous ne savons pas grand-chose sur la vie de Tramaque, maître, dit ce dernier, s'exprimant toujours d'une voix douce, bien que l'antithèse entre son assurance hardie et la timidité rougissante d'Eunio fût évidente. Nous connaissions les rumeurs concernant sa relation avec cette hétaïre, mais dans le fond nous ne les croyions pas fondées. Tramaque était noble et vertueux. "Je le sais", acquiesça Diagoras, tandis qu'Antise poursuivait : Il ne venait presque jamais avec nous après ses cours à l'Académie, il devait accomplir ses devoirs religieux. Sa famille est dévouée aux Mystères sacrés…

— Je comprends – Diagoras n'accorda pas grand intérêt à cette information : de nombreuses familles nobles d'Athènes professaient la foi des Mystères d'Eleusis. Je veux parler de ses fréquentations… Je ne sais pas… Peut-être d'autres amis…

Antise et Eunio échangèrent un regard. Eunio avait commencé à se dépouiller de sa tunique.

— Nous ne savons pas, maître.

— Nous ne savons pas.

Soudain, le gymnase tout entier sembla trembler. Les murs résonnèrent comme s'ils allaient s'écrouler. Une foule enthousiaste criait au-dehors, encourageant les combattants, dont les mugissements déments étaient maintenant clairement audibles.

— Autre chose, mes enfants... Je suis surpris que Tramaque, soucieux comme il l'était, ait décidé de but en blanc d'aller chasser en solitaire... En avait-il l'habitude ?

— Je l'ignore, maître, répondit Antise.

— Qu'en penses-tu, Eunio ?

Plusieurs objets tombèrent dans la pièce sous l'effet de la vibration grandissante : les vêtements accrochés aux murs, une petite lampe à huile, les fiches d'inscription pour le tirage au sort des compétitions*...

— Je crois que oui, murmura Eunio. Il avait les joues en feu.

Les puissantes foulées quadrupèdes se rapprochaient de plus en plus. Une statuette de Poséidon vacilla sur la console fixée au mur et tomba par terre en se brisant en mille morceaux.

La porte du vestiaire retentit dans un fracas terrible**.

— Mon bon Eunio, te rappelles-tu ces jours-là ? s'enquit doucement Diagoras.

— Oui, maître. Au moins deux.

— Ainsi donc, Tramaque avait l'habitude de chasser en solitaire ? Je veux dire, mon petit, était-ce chez

---

* Que se passe-t-il ? Eh bien l'auteur pousse l'eidesis à sa plus haute expression ! Le fracas absurde qu'est devenue le combat des lutteurs de pancrace suggère l'attaque furieuse d'un énorme animal – ce qui correspond à toutes les images d'assauts "violents" ou "impétueux" apparues dans le chapitre, de même que celles qui font allusion à des "cornes" : à mon avis, il s'agit du septième des travaux d'Hercule, la capture du taureau fou et sauvage de Crète. (N.d.T.)

** Je m'empresse d'expliquer au lecteur ce qui se passe : l'eidesis a une vie propre, elle s'est transformée en l'image qu'elle représente, dans ce cas, un taureau furieux, et emboutit maintenant la porte du vestiaire dans lequel se déroule le dialogue. Mais l'on remarquera que l'activité de cette "bête" est exclusivement eidétique et les personnages ne peuvent donc la percevoir de la même façon qu'ils ne lui une décision normale, bien qu'il eût un autre sujet de préoccupation ?

— Oui, maître.

Un autre terrible assaut courba la porte. On entendait des griffures de sabots, des soufflements, le puissant écho d'une gigantesque présence extérieure.

Eunio, complètement nu à l'exception du ruban parfait qui retenait ses cheveux noirs, passait calmement sur ses cuisses un onguent couleur terre.

Diagoras, après une pause, se rappela la dernière question qu'il devait poser :

— C'est toi, Eunio, qui m'as dit ce jour-là que Tramaque n'assisterait pas aux cours parce qu'il était parti chasser, n'est-ce pas, mon petit ?

— Je crois que oui, maître.

La porte supporta un nouvel assaut. Des myriades d'éclats de bois sautèrent sur le manteau d'Héraclès Pontor. On entendit un mugissement de rage.

— Comment le savais-tu ? Il te l'avait annoncé ? Eunio acquiesça. Et quand ? Je veux dire : je crois avoir compris qu'il est parti à l'aube, mais la veille il m'avait parlé sans me faire part de son intention de partir chasser. Quand te l'a-t-il dit ? Eunio ne répondit pas tout de suite. Le petit os de sa pomme d'Adam assaillit son cou bien tourné.

— Le… même… soir, je crois, maître…

— Tu l'as vu ce soir-là ? Diagoras haussa les sourcils. Tu avais l'habitude de le retrouver le soir ?

— Non… Je crois que… c'était avant.

— Je comprends.

_____

pourraient non plus percevoir, par exemple, les adjectifs qu'a employés l'auteur pour décrire le gymnase. Cela n'a rien de surnaturel : il s'agit simplement d'un procédé littéraire utilisé dans le seul but d'attirer l'attention sur l'image cachée dans ce chapitre – rappelons-nous les "serpents" de la fin du deuxième chapitre. J'implore donc le lecteur de ne pas être trop surpris si le dialogue entre Diagoras et ses disciples se poursuit comme si de rien n'était, indifférent aux puissants assauts auxquels la pièce est soumise. (N.d.T.)

Il y eut un bref silence. Eunio, déchaussé et nu, la double peau de l'onguent brillant sur les cuisses et les épaules, plaça soigneusement sa tunique sur le crochet qui portait son nom. Sur une console installée au-dessus du crochet se trouvaient quelques objets personnels : une paire de sandales, des récipients en albâtre pour les onguents, un grattoir en bronze à passer après les exercices et une petite cage en bois avec un oiseau minuscule à l'intérieur ; l'oiseau agita violemment les ailes.

— Le *paidotribe* m'attend, maître... dit-il alors.

— Bien sûr, mon petit, sourit Diagoras. Nous partons nous aussi.

Manifestement mal à l'aise, l'adolescent nu adressa un sourire à la dérobée à Héraclès et s'excusa à nouveau. Il passa entre les deux hommes, ouvrit la porte qui, pratiquement défoncée, sortit de ses gonds, et quitta la pièce*.

Diagoras se retourna vers Héraclès dans l'attente d'un signe qui lui indiquerait qu'ils pouvaient maintenant s'en aller, mais le Déchiffreur observait Antise en souriant :

— Dis-moi, Antise, de quoi as-tu si peur ?

— Peur, monsieur ?

Héraclès, qui semblait beaucoup s'amuser, sortit une figue de sa besace.

— Pour quelle autre raison aurais-tu choisi de servir dans l'armée loin d'Athènes ? Bien sûr, si

---

* Comme nous l'avons dit, les événements eidétiques, la porte défoncée, les assauts violents, sont exclusivement littéraires, et seul le lecteur les surprend. Montalo réagit cependant comme les personnages : il ne se rend compte de rien. "La surprenante métaphore de la *bête mugissante*, affirme-t-il, qui semble détruire littéralement le réalisme de la scène et interrompt à plusieurs reprises le dialogue mesuré entre Diagoras et ses disciples (...), ne semble pas avoir d'autre objectif que la satire : une critique mordante, sans doute, des luttes sauvages auxquelles les adeptes du pancrace s'adonnaient à l'époque." Sans commentaires ! (*N.d.T.*)

j'éprouvais la même peur que toi, j'essaierais de fuir moi aussi. Et je le ferais avec une excuse aussi plausible que la tienne pour qu'on me considère comme tout le contraire d'un lâche.

— Vous me traitez de lâche, monsieur ?

— Absolument pas. Je ne te traiterai ni de lâche ni de brave avant de connaître la raison de ta peur. Le courage se distingue de la lâcheté uniquement par l'origine de ses craintes : la cause de la tienne est peut-être de nature si terrifiante que toute personne saine de corps et d'esprit choisirait de fuir la cité aussi vite que possible.

— Je ne fuis rien, répliqua Antise en martelant ses paroles, bien que ce fût toujours sur un ton doux et respectueux. J'avais envie depuis longtemps d'aller garder les temples de l'Attique, monsieur.

— Mon cher Antise, dit tranquillement Héraclès, j'accepte ta peur mais pas tes mensonges. N'essaie pas de faire offense à mon intelligence. Tu as pris cette décision il y a quelques jours seulement, et en tenant compte du fait que ton père a demandé à ton ancien pédagogue de te faire changer d'avis alors qu'il aurait très bien pu s'en occuper lui-même, cela ne signifie-t-il pas que ta décision l'a pris au dépourvu, qu'il est accablé par ce qu'il considère comme un changement violent et inexplicable dans ton attitude et, sans savoir à quoi l'attribuer, il s'est adressé à la seule personne dont il pense que, à part ta famille, elle te connaît bien ? Peut-être la mort de ton ami Tramaque a-t-elle joué un rôle ? Et, sans transition, avec une indifférence absolue, tout en se frottant les doigts qui avaient tenu la figue, il ajouta : Oh, excuse-moi, où puis-je me laver les mains ?

Parfaitement étranger au silence qui l'entourait, Héraclès choisit une serviette proche de la console d'Eunio.

— Mon père a peut-être également eu recours à vous pour me faire réfléchir ? Dans les douces paroles de l'adolescent, Diagoras remarqua que le respect

– comme une bête traquée qui, par peur, abandonne son éternelle obéissance et assaille ses maîtres avec violence – commençait à se transformer en colère.

— Oh, cher Antise, ne te fâche pas… balbutia-t-il, foudroyant Héraclès du regard. Mon ami a un peu exagéré… Tu ne dois pas t'inquiéter, car tu es majeur, mon petit, et tes décisions, même si ce ne sont pas les bonnes, méritent toujours la plus grande considération… S'approchant d'Héraclès, il lui dit à voix basse : Tu veux bien me suivre ?

Ils prirent rapidement congé d'Antise. La discussion commença avant de quitter la pièce.

— C'est *mon* argent ! s'exclama Diagoras, irrité. Tu l'as oublié ?

— Mais il s'agit de *mon* travail, Diagoras. Ne l'oublie pas non plus.

— Peu m'importe ton travail ! Tu peux m'expliquer tes propos ? La colère de Diagoras ne cessait de croître. Son crâne chauve était écarlate. Il inclinait fortement la tête, comme s'il s'était préparé à assaillir Héraclès. Tu as offensé Antise !

— J'ai décoché une flèche au hasard et j'ai fait mouche, dit le Déchiffreur avec un calme absolu.

Diagoras l'arrêta, tirant violemment sur son manteau.

— Je vais te dire quelque chose. Cela ne me dérange pas que tu considères les gens uniquement comme des papyrus sur lesquels tu peux lire et résoudre des énigmes. Je ne te paie pas pour que tu offenses, en mon nom, un de mes meilleurs élèves, un éphèbe qui porte le mot "Vertu" écrit sur chacun de ses traits réguliers… Je n'approuve pas tes méthodes, Héraclès Pontor !

— Je crains de ne pas approuver non plus les tiennes, Diagoras de Medonte. On aurait dit que, au lieu de les interroger, tu composais un dithyrambe en l'honneur des deux garçons, et tout cela parce que tu les trouves très beaux. Je crois que tu confonds la Beauté avec la Vérité…

— La Beauté est une partie de la Vérité !

— Oh, dit Héraclès, et il fit un geste de la main pour indiquer qu'il ne voulait pas se lancer dans une conversation philosophique, mais Diagoras tira à nouveau sur son manteau.

— Ecoute-moi ! Tu n'es qu'un misérable Déchiffreur d'Enigmes. Tu te bornes à observer les éléments matériels, à les juger et à les conclure : c'est arrivé de telle ou telle façon, pour telle ou telle raison. Mais tu n'arrives pas, et tu n'arriveras jamais, à la Vérité en soi. Tu ne l'as pas contemplée, tu ne t'es pas rassasié de sa vision absolue. Ton art consiste uniquement à découvrir les ombres de cette Vérité. Antise et Eunio ne sont pas des créatures parfaites, de même que Tramaque, mais je connais le fond de leurs âmes, et je peux t'assurer qu'en elles brille une portion non négligeable de l'Idée de Vertu... et cette lumière transparaît dans leurs regards, dans leurs traits réguliers. Rien en ce monde, Héraclès, ne peut resplendir autant qu'eux sans posséder, au moins, un peu de la richesse dorée que seule autorise la Vertu en soi – il s'arrêta, comme honteux de l'emportement de ses propres paroles. Il cligna plusieurs fois des yeux dans un visage écarlate. Puis, plus calme, il ajouta : N'offense pas la Vérité avec ton intelligence, Héraclès Pontor.

Quelqu'un se racla la gorge quelque part sur la palestre ravagée et déserte, couverte de décombres* : c'était Eumarque. Diagoras s'écarta d'Héraclès, en se dirigeant impétueusement vers la sortie.

---

* L'intensité de l'eidesis dans ce chapitre s'applique entièrement au lieu dans lequel se déroulent les scènes : la palestre a été détruite et "couverte de décombres" par le passage de la "bête" littéraire, et le public qui la remplissait semble avoir disparu. Je n'avais jamais vu une catastrophe eidétique de telle nature de toute ma vie de traducteur. Il est évident que l'auteur anonyme de *La Caverne des idées* souhaite que les images secrètes surnagent dans la conscience de ses lecteurs, sans se soucier à aucun moment que le réalisme de la trame en soit lésé. *(N.d.T.)*

— Je t'attends dehors, dit-il.

— Par Zeus Tonnant, je n'avais jamais vu deux personnes se disputer à ce point, à l'exception des maris et des femmes, commenta Eumarque après le départ du philosophe. A travers la faucille noire de son sourire, on observait la persistance obstinée d'une dent, courbe comme une petite corne.

— Ne sois donc pas surpris, Eumarque, si mon ami et moi finissons par nous marier, répliqua Héraclès, amusé. Nous sommes si différents qu'il me semble que la seule chose qui nous unisse est l'amour – tous deux partagèrent, de bon gré, un bref éclat de rire. Et maintenant, Eumarque, si cela ne te dérange pas, nous allons faire une petite promenade pendant que je te raconterai la raison pour laquelle je t'ai fait attendre…

Ils parcoururent le gymnase, parsemé des ruines de la destruction récente : on ne voyait, ici et là, que murs crevassés par les assauts violents, meubles renversés qui se mêlaient aux javelines et aux discoboles, sable foulé par des pieds colossaux, dalles recouvertes par la peau détachée des murs en forme d'énormes fleurs en pierre calcaire de la couleur des lys. Recouverts par les décombres, gisaient les morceaux d'un pot brisé : l'un d'eux montrait le dessin des mains d'une jeune fille, bras levés, les paumes dressées, comme pour demander de l'aide ou essayer d'avertir quelqu'un d'un danger imminent. Un nuage moucheté de poussière se tordait dans l'air*.

---

* L'auteur aime jouer avec ses lecteurs. Voici, dissimulée mais reconnaissable, la preuve que j'avais raison : la "jeune fille au lys" est une nouvelle image eidétique très importante de l'œuvre ! J'ignore ce que cela signifie, mais elle est là – sa présence est sans équivoque : voir la proximité du mot "lys" et de la description détaillée du geste de cette jeune fille peinte sur un tesson enfoui. J'avoue que cette découverte m'a ému aux larmes. J'ai interrompu ma traduction et me suis rendu chez Elio. J'ai évoqué la possibilité d'accéder au manuscrit original de *La Caverne*. Il m'a conseillé d'en parler

— Ah, Eumarque, dit Héraclès quand ils eurent fini de parler, comment te payer pour ce service ?

— En me le payant, répliqua le vieil homme. Ils se remirent à rire.

— Autre chose, mon bon Eumarque. J'ai pu observer que sur la console d'Eunio, l'ami de ton pupille, il y a une petite cage avec un oiseau. C'est un moineau, le cadeau typique d'un amant à son amoureux. Tu sais qui est l'amant d'Eunio ?

— Par Apollon Phoebus, je ne sais rien sur Eunio, Héraclès, mais Antise possède le même cadeau, et je peux te dire qui le lui a fait : Ménechme, le sculpteur poète, qui est fou de lui ! Eumarque tira sur le manteau d'Héraclès et baissa la voix. Antise m'en a parlé il y a quelque temps, et m'a fait jurer sur les dieux de ne le dire à personne…

Héraclès médita un instant.

— Ménechme… Oui, la dernière fois que j'ai vu cet artiste extravagant, c'était aux funérailles de Tramaque, et je me rappelle que sa présence m'a surpris. Ainsi, Ménechme a offert un petit moineau à Antise…

— Cela t'étonne ? cria le vieil homme de sa voix rauque. Par les yeux bleus d'Athéna, ce bel Alcibiade recevrait de moi un nid entier, bien que, étant donné ma condition et mon âge, cela ne servît à rien !

— Bien, Eumarque, Héraclès semblait soudain beaucoup plus heureux, maintenant je dois partir. Mais fais ce que je t'ai dit…

à Héctor, le directeur de nos éditions. Il a dû voir quelque chose dans mes yeux, parce qu'il m'a demandé ce qu'il m'arrivait.

— Une jeune fille demande de l'aide dans le texte, lui ai-je dit.

— Et c'est toi qui vas la sauver ? répliqua-t-il sur un ton moqueur. *(N.d.T.)*

— Si tu continues à me payer comme tu l'as fait jusqu'à présent, tes ordres reviendront à dire au soleil : "Sors tous les jours."

Ils firent un détour pour ne pas devoir rentrer par l'agora, qui à cette heure de l'après-midi devait grouiller de monde en raison des Lénéennes, mais la concentration des jeux publics, les obstacles des farces improvisées, le labyrinthe de la diversion et la lente violence de la foule qui les assaillait entravèrent cependant leur marche. Ils ne parlèrent pas en chemin, chacun plongé dans ses pensées. Enfin, quand ils parvinrent au quartier de l'Escambonide, où vivait Héraclès, ce dernier dit :

— Accepte mon hospitalité pour une nuit, Diagoras. Mon esclave Ponsica ne cuisine pas trop mal, et un dîner tranquille à la fin de la journée est le meilleur moyen de retrouver des forces pour le lendemain.

Le philosophe accepta l'invitation. Au moment où ils pénétraient dans le jardin sombre de la maison d'Héraclès, Diagoras dit :

— Je voudrais te faire des excuses. Je crois que j'aurais pu montrer mon désaccord au gymnase de façon beaucoup plus discrète. Je regrette de t'avoir blessé par des offenses inutiles…

— Tu es mon client et tu me paies, Diagoras, répliqua Héraclès avec son calme habituel. Tous les problèmes que je rencontre avec toi, je les considère comme inhérents à mon travail. Quant à tes excuses, j'y vois une marque d'amitié. Mais elles sont inutiles elles aussi.

Tandis qu'ils marchaient dans le jardin, Diagoras pensa : "Comme cet homme est froid. Rien ne semble le toucher. Comment quelqu'un à qui la Beauté est indifférente et qui n'est pas transporté par la Passion, même de temps en temps, peut-il découvrir la Vérité ?"

Tandis qu'ils avançaient dans le jardin, Héraclès pensa : "Je n'ai pas encore déterminé avec exactitude si cet homme était juste un idéaliste ou s'il est idiot, en plus. De toute façon, comment peut-il se vanter d'avoir découvert la Vérité, puisqu'il ne voit rien de ce qui se passe autour de lui* ?"

Soudain, la porte de la maison s'ouvrit sous un violent assaut et la silhouette sombre de Ponsica apparut. Son masque dépourvu de traits avait l'air inexpressif, mais ses bras minces évoluaient avec un élan inhabituel face à son maître.

— Que se passe-t-il ?... Un visiteur... déchiffra Héraclès. Calme-toi... tu sais que je ne peux pas te lire quand tu es nerveuse... Recommence... On écouta alors un soufflement désagréable provenant de l'obscurité de la maison ; tout de suite après, des aboiements très aigus. Qu'est-ce que c'est ? Ponsica agitait frénétiquement les mains. Le visiteur ?... Un chien est venu me voir ?... Ah, un homme avec un chien ? Mais pourquoi l'as-tu laissé entrer en mon absence ?

— Ce n'est pas la faute de ton esclave, mugit de l'intérieur de la maison une voix puissante à l'accent étrange. Mais si tu souhaites la punir, dis-le et je m'en irai.

— Cette voix... murmura Héraclès. Par Zeus et par Athéna Portégide... !

L'homme, gigantesque, franchit le seuil avec élan. On ne pouvait savoir s'il souriait, car sa barbe était très épaisse. Un chien de petite taille, mais horrible et avec une tête déformée, apparut à ses pieds en aboyant.

— Tu ne reconnais peut-être pas mon visage, Héraclès, dit l'homme, mais je suppose que tu n'as pas oublié ma main droite...

---

* J'ai aimé traduire ce passage, car je crois que j'ai quelque chose des deux personnages. Et je m'interroge : une personne telle que moi, pour qui la Beauté *est importante*, qui se laisse *transporter*, de temps en temps, par la Passion, et qui tente à la fois de faire en sorte que rien de ce qui se passe autour de lui ne lui *échappe*, peut-elle parvenir à découvrir la Vérité ? *(N.d.T.)*

Il leva la main, paume ouverte : un peu au-dessus du poignet, la peau se recourbait, trouée par un violent nœud de cicatrices, comme le dos d'un vieil animal.

— Oh, par les dieux... murmura Héraclès.

Les deux hommes se saluèrent avec effusion. Un instant plus tard, le Déchiffreur se tournait vers un Diagoras bouche bée :

— C'est mon ami Crantor, du *dêmos* de Pontor, dit-il. Je t'ai déjà parlé de lui : c'est lui qui a placé sa main droite au-dessus des flammes.

Le chien s'appelait Cerbère. C'était du moins ainsi que l'appelait l'homme. Il avait un front immense et plissé, comme celui d'un vieux taureau, et révélait une désagréable collection de dents dans une bouche rosée qui contrastait avec la blancheur malade de son visage. Ses petits yeux, astucieux et bestiaux, ressemblaient à ceux d'un satrape perse. Le corps était un petit esclave qui se traînait derrière son maître céphalique. L'homme avait également une tête voyante, mais son corps, grand et robuste, constituait une colonne digne de ce chapiteau. Tout en lui avait l'air exagéré : de ses manières à ses proportions. Son visage était ample, le front dégagé avec de grandes fosses nasales, mais ses cheveux le recouvraient presque entièrement ; ses mains, immenses et bronzées, étaient parcourues par de grosses veines ; torse et ventre possédaient la même largeur démesurée ; ses pieds étaient massifs, presque carrés, et tous les doigts avaient l'air de la même longueur. Il portait un ample manteau gris bigarré qui avait sans doute été le compagnon fidèle de ses aventures, car il s'adaptait comme un moule rigide à sa silhouette.

L'homme et le chien, d'une certaine façon, se ressemblaient : on pouvait distinguer chez tous les deux le même reflet violent dans le regard ; tous deux, en se déplaçant, surprenaient, et il n'était pas facile d'anticiper le but de leurs gestes car ils semblaient l'ignorer eux-mêmes ; et tous deux montraient un appétit féroce et complémentaire, car tout ce que le premier repoussait était englouti avec fureur par le second, mais parfois l'homme ramassait sur le sol un os que le chien n'avait pas fini de ronger, et, par de rapides coups de dents, achevait ce que ce dernier avait commencé.

Tous deux, l'homme et le chien, avaient la même odeur.

L'homme parlait, appuyé sur l'un des divans du cénacle, et emprisonnait entre ses immenses mains sombres une grappe de raisins noirs. Le ton de sa voix était épais, profond, avec un fort accent étranger.

— Que puis-je te raconter, Héraclès ? Que puis-je te dire des merveilles que j'ai connues, des prodiges que mon raisonnement athénien n'aurait jamais voulu admettre et que mes yeux athéniens ont vus ? Tu me poses beaucoup de questions, mais je n'ai pas de réponses : je ne suis pas un livre, bien que je regorge d'histoires étranges. J'ai parcouru l'Inde et la Perse, l'Egypte et les royaumes du Sud, au-delà du Nil. J'ai visité les grottes des hommes lions, et j'ai appris le langage violent des serpents qui pensent. J'ai marché sur le sable des océans qui s'ouvrent et se ferment sur ton passage, comme des portes. J'ai observé les scorpions noirs écrire leurs signes secrets dans la boue. Et j'ai vu comment la magie peut provoquer la mort, comment les esprits des morts parlent à travers leurs proches, et les formes infinies sous lesquelles les *daïmones* se manifestent aux sorciers. Je te le jure, Héraclès, il y a un monde en dehors d'Athènes. Et il est infini.

L'homme semblait créer le silence avec ses mots comme l'araignée crée la toile avec les fils de son ventre. Quand il cessait de parler, personne n'intervenait tout de suite après. Un instant plus tard, l'hypnotisme cessait et les lèvres et les paupières de ceux qui l'écoutaient prenaient vie.

— Crantor, je suis ravi de constater que tu es parvenu à ton but, dit alors Héraclès. Quand je t'ai embrassé au Pirée il y a des années, sans savoir quand je te reverrais, je t'ai demandé pour la énième fois la raison de ton exil volontaire. Et je me rappelle que tu m'as répondu, pour la énième fois également : "Je veux me surprendre tous les jours." Et il semble que tu aies réussi, en fait. Crantor émit un grognement qui, sans doute, équivalait à un sourire d'assentiment. Héraclès se retourna vers Diagoras, silencieux et docile sur son divan, buvant la dernière coupe de vin du dîner. Crantor et moi appartenons au même *dêmos* et nous nous sommes connus enfants. Nous avons été élevés ensemble, et, bien que j'aie atteint l'âge d'éphèbe avant lui, pendant la guerre nous avons participé aux mêmes missions. Ensuite, quand je me suis marié, Crantor, qui était très jaloux, décida de partir voyager. Nous nous sommes quittés... jusqu'à aujourd'hui. A l'époque, seuls nos désirs nous séparaient... Il fit une pause et ses yeux brillèrent joyeusement. Tu sais, Diagoras ? Dans ma jeunesse, je voulais être comme toi : philosophe.

Diagoras exprima sa surprise avec sincérité.

— Et moi, poète, dit Crantor de sa voix puissante, s'adressant également à Diagoras.

— Il a fini par devenir philosophe...

— Et lui, Déchiffreur d'Enigmes !

Ils se mirent à rire. Crantor avait un rire sale, disgracieux ; Diagoras pensa qu'il ressemblait à une collection de rires étrangers, acquis pendant ses voyages. Quant à lui, Diagoras, il souriait poliment. Enveloppée dans son propre silence, Ponsica débarrassa les plats vides et resservit du vin. La nuit était maintenant complète à l'intérieur du cénacle, et les lampes à huile isolaient les visages des trois hommes, créant l'illusion qu'ils flottaient dans les ténèbres d'une caverne. On entendait le crépitement incessant de la mastication de Cerbère, mais par les petites fenêtres pénétraient parfois, tels des éclairs, les cris violents de la foule qui parcourait les rues.

Crantor déclina l'hospitalité d'Héraclès : il était de passage dans la ville, expliqua-t-il, dans le perpétuel voyage de sa vie ; il se dirigeait vers le nord, au-delà de la Thrace, vers les royaumes barbares, à la recherche des Hyperborées ; il ne comptait pas rester à Athènes plus de quelques jours ; il souhaitait s'amuser aux Lénéennes et assister à des représentations théâtrales, le "seul bon théâtre d'Athènes : les comédies". Il assura avoir trouvé un logement dans une maison d'hôtes où on tolérait la présence de Cerbère. Le chien aboya d'horrible façon en entendant son nom. Héraclès, qui avait sans doute bu plus du compte, désigna l'animal et dit :

— Tu as fini par te marier, Crantor, toi qui me critiquais toujours pour avoir pris femme. Où as-tu rencontré ta jolie épouse ?

Diagoras faillit s'étouffer avec le vin. Mais l'aimable réaction de l'intéressé lui confirma ce dont il se doutait : qu'entre celui-ci et le Déchiffreur coulait le flot intime et impétueux d'une forte amitié enfantine, mystérieuse pour l'œil étranger, que ni les années d'éloignement ni les étranges expériences qui les séparaient n'étaient parvenues à retenir complètement. *Complètement*, en effet, parce que Diagoras devinait également, il n'aurait su dire pourquoi, mais cela lui arrivait fréquemment, qu'aucun des deux ne se sentait très à l'aise, comme s'ils avaient eu besoin de recourir instamment aux enfants qu'ils avaient été afin de comprendre, voire de supporter, les adultes qu'ils étaient.

— Cerbère a vécu avec moi beaucoup plus longtemps que tu ne le crois, dit Crantor sur un autre ton, maîtrisant sa violence, comme si au lieu de parler il avait essayé de bercer un nouveau-né. Je l'ai trouvé sur un quai du port, aussi solitaire que moi. Nous avons décidé d'unir nos destins – il regardait dans le coin sombre où le chien mastiquait avec violence. Puis il ajouta, déclenchant le rire d'Héraclès : Il a été une bonne épouse, je t'assure. Il crie beaucoup, mais uniquement devant les étrangers, et il tendit le bras par-dessus le divan pour donner une tape affectueuse à la petite tache blanchâtre. L'animal émit un strident aboiement de protestation.

Après une pause, Crantor dit, s'adressant à Héraclès :

— Quant à Hagesikora, ta femme…

— Elle est morte. Les Parques l'ont condamnée à une longue maladie.

Il y eut un silence. La conversation languit. Diagoras finit par exprimer le désir de s'en aller.

— Que ce ne soit pas à cause de nous, dit Crantor en élevant son énorme main brûlée. Cerbère et moi allons partir bientôt, et, presque sans transition, il demanda : Tu es un ami d'Héraclès ?

— Plutôt un client.

— Oh, une énigme à résoudre ! Tu es entre de bonnes mains, Diagoras : Héraclès est un extraordinaire Déchiffreur, je le reconnais. Il s'est un peu empâté depuis la dernière fois où je l'ai vu, mais je t'assure qu'il n'a pas perdu ni son regard pénétrant ni son intelligence vive. Il résoudra ton énigme, quelle qu'elle soit, en quelques jours…

— Par les dieux de l'amitié, se plaignit Héraclès, ne parlons pas de travail ce soir.

— Alors tu es philosophe ? demanda Diagoras à Crantor.

— Quel Athénien ne l'est pas ? répliqua ce dernier, haussant ses sourcils noirs.

— Mais ne t'y trompe pas, mon bon Diagoras, dit Héraclès, Crantor agit avec philosophie. Il pousse ses convictions à l'extrême, car il n'aime pas croire à quelque chose qu'il ne peut mettre en pratique. Héraclès semblait jouir de ses paroles, comme si c'était précisément là le trait qu'il admirait le plus chez son vieil ami. Je me rappelle… je me rappelle une de tes phrases, Crantor : "Je pense avec les mains."

— Tu te trompes, Héraclès. La phrase était : "Les mains aussi pensent." Mais je l'ai étendue à tout le corps…

— Tu penses aussi avec les intestins ? sourit Diagoras. Le vin, comme cela arrive chez ceux qui n'en boivent pas souvent, l'avait rendu cynique.

— Et avec la vessie, la verge, les poumons et les ongles des pieds, énuméra Crantor. Puis il ajouta, après une pause : D'après ce que je crois, Diagoras, toi aussi tu es philosophe…

— Je suis mentor à l'Académie. Tu la connais ?

— Bien sûr. Notre bon ami Aristoclès !…

— Nous l'appelons depuis longtemps par son surnom, Platon. Diagoras était agréablement surpris de constater que Crantor connaissait le véritable nom de Platon.

— Je sais. Dis-lui de ma part qu'on pense beaucoup à lui en Sicile…

— Tu y es allé ?

— On peut pratiquement dire que j'en viens. On murmure que le tyran Denys s'est brouillé avec son beau-frère Dion uniquement à cause des enseignements de ton compagnon…

Diagoras se réjouit de la nouvelle.

— Platon sera enchanté d'apprendre que le voyage qu'il a fait en Sicile commence à porter ses fruits. Mais je t'invite à le lui dire toi-même à l'Académie, Crantor. Viens nous voir quand tu voudras, s'il te plaît. Si tu le souhaites, tu peux venir dîner : tu participeras à nos dialogues philosophiques…

Crantor contemplait la coupe de vin avec une expression amusée, comme s'il lui avait trouvé quelque chose de parfaitement gracieux ou ridicule.

— Je t'en remercie, Diagoras, répliqua-t-il, mais je vais y réfléchir. Je dois dire que vos théories ne me séduisent pas.

Et, comme s'il venait de formuler une bonne plaisanterie, il rit sous cape.

Diagoras, un peu confus, demanda aimablement :

— Et quelles sont les théories qui te séduisent ?

— Vivre.

— Vivre ?

Crantor acquiesça sans cesser de regarder sa coupe. Diagoras dit :

— Vivre n'est absolument pas une théorie. Pour vivre, il te suffit d'être vivant.

— Non : il faut apprendre à vivre.

Diagoras, qui avait souhaité partir un instant plus tôt, éprouvait maintenant un intérêt professionnel pour la conversation. Il avança la tête et caressa sa barbe athénienne bien taillée du bout de ses doigts minces.

— Ce que tu dis est très curieux, Crantor. Explique-moi, s'il te plaît, car je redoute ce que j'ignore. Comment apprend-on à vivre, d'après toi ?

— Je ne peux pas te l'expliquer.

— Mais on dirait que tu l'as appris.

Crantor acquiesça. Diagoras dit :

— Et de quelle façon peut-on apprendre quelque chose qu'il n'est ensuite pas possible d'expliquer ?

Soudain, Crantor dévoila sa large dentition blanche embusquée dans le labyrinthe de ses cheveux.

— Les Athéniens... grogna-t-il si faiblement que Diagoras ne comprit pas bien ce qu'il lui disait. Mais, au fur et à mesure qu'il parlait, il éleva peu à peu la voix, comme si, se trouvant loin, il s'approchait de son interlocuteur dans un violent assaut : Peu importe combien de temps tu t'absentes, ils ne changent pas... Les Athéniens... Oh, votre passion pour les jeux de mots, les sophismes, les textes, les dialogues ! Votre façon d'apprendre, le derrière posé sur un banc, en écoutant, en lisant, en déchiffrant des mots, en inventant des arguments et des contre-arguments dans un dialogue infini ! Les Athéniens... un peuple d'hommes qui pensent et écoutent de la musique... et un autre peuple, beaucoup plus nombreux mais gouverné par le premier, de gens qui jouissent et souffrent sans même savoir lire ni écrire... Il se leva d'un bond et se dirigea vers une petite fenêtre, par où filtrait la clameur confuse des diversions bachiques. Écoute-le, Diagoras... Le véritable peuple d'Athènes. Son histoire ne sera jamais gravée sur les stèles funéraires où vos philosophes rédigent leurs merveilleuses œuvres... C'est un peuple qui ne parle même pas : il mugit, brame comme un taureau furieux... Il s'écarta de la fenêtre. Diagoras remarquait dans ses mouvements une certaine nature sauvage, presque féroce. Un peuple d'hommes qui mangent, boivent, forniquent et s'amusent, en se croyant possédés par l'extase des dieux... Ecoute-les !... Ils sont là, dehors.

— Il y a différentes sortes d'hommes, de même qu'il y a différentes sortes de vins, Crantor, observa Diagoras. Ce peuple auquel tu fais allusion ne sait pas bien raisonner. Les hommes qui savent appartiennent à une catégorie plus élevée, et, forcément, doivent diriger...

Le cri fut sauvage, inattendu. Cerbère, aboyant avec violence, accentua les exclamations retentissantes de son maître.

— Raisonner !... A quoi cela vous sert-il de raisonner ? Avez-vous raisonné la guerre contre Sparte ?... Avez-vous raisonné l'ambition de votre empire... ? Périclès, Alcibiade, Cléon, les hommes qui vous ont conduits au massacre !... Etaient-ils raisonnables ?... Et maintenant, dans la défaite, que vous reste-t-il ?... Raisonner la gloire du passé !

— Tu parles comme si tu n'étais pas athénien ! protesta Diagoras.

— Quitte Athènes, et tu cesseras toi aussi de l'être ! On ne peut être athénien qu'à l'intérieur des murailles de cette ville absurde !... La première chose que tu découvres en sortant d'ici est qu'il n'y a pas de vérité unique : tous les hommes possèdent la leur propre. Et plus loin, tu ouvres les yeux... et tu ne distingues que la noirceur du chaos.

Il y eut une pause. Même les aboiements furieux de Cerbère cessèrent. Diagoras se retourna vers Héraclès comme si ce dernier avait fait mine de vouloir intervenir, mais le Déchiffreur semblait plongé dans ses propres pensées, ce qui fit supposer à Diagoras qu'il considérait la conversation comme exclusivement "philosophique" et, par conséquent, lui cédait la parole. Il s'éclaircit alors la gorge et s'exprima :

— Je vois ce que tu veux dire, Crantor, mais tu te trompes. Cette noirceur dont tu parles, et dans laquelle tu vois le chaos, n'est que le fruit de ton ignorance. Tu crois qu'il n'y a pas de vérités absolues et immuables, mais je peux t'assurer du contraire, même s'il est difficile de les percevoir. Tu dis que chaque homme possède sa propre vérité. Je te réponds que chaque homme possède son propre *avis*. Tu as connu beaucoup d'hommes très différents les uns des autres qui s'expriment en diverses langues et maintiennent leur avis sur les choses, et tu es parvenu à la conclusion erronée que rien ne peut avoir la même valeur pour tous. En fait, tu te cantonnes aux mots, Crantor, aux définitions, aux images des objets et des êtres. Il y a cependant des idées au-delà des mots…

— Le Traducteur, dit Crantor en l'interrompant.

— Quoi ?

L'énorme visage de Crantor, éclairé d'en bas par les lampes, avait l'air d'un masque mystérieux.

— C'est une croyance très répandue dans certaines régions éloignées de Grèce, dit-il. D'après elle, tout ce que nous faisons et disons sont des mots écrits dans une autre langue sur un immense papyrus. Et il y a Quelqu'un qui en ce moment même est en train de lire ce papyrus et qui déchiffre nos actions et nos pensées, en découvrant les clés occultes dans le texte de notre vie. Ce quelqu'un s'appelle l'Interprète ou le Traducteur… Ceux qui croient en lui pensent que notre vie possède un sens final que nous ignorons nous-mêmes, mais que le Traducteur peut découvrir au fur et à mesure qu'il nous *lit*. A la fin, le texte s'achèvera et nous mourrons sans en savoir plus qu'avant. Mais le Traducteur, qui nous a lus, connaîtra enfin le sens ultime de notre existence*.

— Et à quoi leur sert-il de croire en ce stupide Traducteur puisqu'ils mourront tout aussi ignorants ?

_____

* J'ai eu beau chercher dans mes livres, je n'ai pu trouver aucun indice concernant cette prétendue religion. Il s'agit sans doute d'une nouvelle fantaisie de l'auteur. *(N.d.T.)*

demanda Héraclès, qui était resté silencieux jusqu'alors.

— Eh bien, il y a des gens qui pensent qu'il est possible de *parler* avec le Traducteur. Crantor sourit malicieusement. Ils disent que nous pouvons nous adresser à lui en sachant qu'il nous écoute, car il lit et traduit toutes nos paroles.

— Et ceux qui pensent cela, que disent-ils à ce… Traducteur ? demanda Diagoras, à qui cette croyance ne semblait pas moins ridicule qu'à Héraclès.

— Cela dépend, dit Crantor. Certains le flattent ou lui demandent des choses comme, par exemple, de leur dire ce qui va leur arriver dans les prochains chapitres… D'autres le défient, car ils savent, ou croient savoir, que le Traducteur, en réalité, n'existe pas…

— Et comment le défient-ils ? demanda Diagoras.

— Ils lui crient dessus, dit Crantor.

Il leva soudain le regard vers le plafond sombre de la pièce. Il semblait chercher quelque chose.

Il te cherchait toi*.

— Ecoute, Traducteur ! cria-t-il de sa voix puissante. Toi, qui te sens si sûr d'exister ! Dis-moi qui je suis !… Interprète mon langage et définis-moi !… Je te défie de me comprendre !… Toi, qui crois que nous ne sommes que des mots écrits il y a très longtemps !… Toi, qui penses que notre histoire cache une clé finale !… Raisonne-moi, Traducteur !… Dis-moi qui je suis… si, en me lisant, tu es aussi capable de *me déchiffrer* !… Et, retrouvant son calme, il reporta le regard sur Diagoras et sourit. Voilà ce qu'on crie au supposé Traducteur. Mais naturellement, le Traducteur ne répond jamais,

---

* La traduction est littérale, mais je ne comprends pas très bien à quoi se réfère l'auteur avec ce saut grammatical inattendu à la deuxième personne. *(N.d.T.)*

parce qu'il n'existe pas. Et s'il existe, il est aussi ignorant que nous*…

Ponsica entra avec un cratère plein et resservit du vin. Profitant de la pause, Crantor dit :

— Je vais aller me promener. L'air de la nuit me fera du bien…

Le chien blanc et difforme le suivit. Un instant plus tard, Héraclès remarqua :

— Ne fais pas attention à lui, mon bon Diagoras. Il a toujours été très impulsif et très étrange, et le temps et les expériences ont accentué les particularités de son caractère. Il n'a jamais eu la patience de s'asseoir et de parler pendant longtemps ; les raisonnements complexes le confondaient… Il n'avait pas l'air d'un Athénien, mais pas d'un Spartiate non plus, car il haïssait la guerre et l'armée. T'ai-je raconté qu'il s'est retiré pour vivre seul, dans une cabane qu'il a lui-même construite sur l'île d'Eubée ? Cela s'est produit à peu près à l'époque où il s'est brûlé la main… Mais il n'était pas non plus très satisfait en misanthrope. Je ne sais pas ce qui lui plaît et ce qui lui déplaît, et je ne l'ai jamais su… Je soupçonne que le rôle que Zeus lui a conféré dans ce grand Œuvre qu'est la vie lui déplaît. Je te présente des excuses pour son comportement, Diagoras.

Le philosophe n'accorda pas d'importance à la question et se leva pour partir.

---

* Je ne sais vraiment pas pourquoi je me suis énervé à ce point. Chez Homère, par exemple, on trouve bon nombre d'exemples de passages inattendus à la deuxième personne. Cela doit être quelque chose de semblable. Mais il est certain que, pendant que je traduisais les invectives de Crantor, je me sentais un peu tendu. J'en suis venu à penser que le "Traducteur" peut être un nouveau mot eidétique. En ce cas, l'image finale de ce chapitre serait plus complexe que je ne l'avais supposé : les violents assauts d'une "bête invisible", correspondant au Taureau de Crète, la "jeune fille au lys" et, maintenant, le "Traducteur". Helena a raison : cette œuvre m'obsède. Demain je parlerai à Héctor. *(N.d.T.)*

— Que ferons-nous demain ? demanda-t-il.

— Oh, toi, rien. Tu es mon client, et tu as suffisamment travaillé.

— Je veux continuer à collaborer.

— Ce n'est pas nécessaire. Demain, je mènerai une petite enquête en solitaire. S'il y a du nouveau, je te tiendrai au courant.

Diagoras s'arrêta à la porte :

— Tu as découvert quelque chose dont tu peux me parler ?

Le Déchiffreur se gratta la tête.

— Tout va bien, dit-il. J'ai des théories qui ne me laisseront pas dormir en paix cette nuit, mais...

— Oui, l'interrompit Diagoras, ne parlons pas de la figue avant de l'ouvrir.

Ils se quittèrent en amis*.

---

* Je suis de plus en plus préoccupé. J'ignore pourquoi, puisque je n'ai jamais éprouvé cette sensation dans mon travail. Et puis, tout cela n'est peut-être que le fruit de mon imagination. Je vais rapporter la brève conversation que j'ai eue ce matin avec Héctor, et le lecteur jugera.

— *La Caverne des idées*, acquiesça-t-il quand je mentionnai l'ouvrage. Oui, un texte grec classique d'un auteur anonyme qui remonte à l'Athènes postérieure à la guerre du Péloponnèse. C'est moi qui ai dit à Elio de l'inclure dans notre collection de traductions...

— Je sais. C'est moi qui le traduis, ai-je dit.

— En quoi puis-je t'aider ?

Je le lui dis. Il fronça les sourcils et me posa la même question qu'Elio : pourquoi cela m'intéressait-il de revoir le manuscrit original. Je lui expliquai qu'il s'agissait d'une œuvre eidétique et que Montalo ne semblait pas s'en être aperçu. Il fronça à nouveau les sourcils.

— Si Montalo ne s'en est pas aperçu, c'est qu'il *n'est pas* eidétique, dit-il. Excuse-moi, je ne veux pas être grossier, mais Montalo est un véritable expert en la matière...

Je rassemblai ma patience pour lui dire :

— L'eidesis est très forte, Héctor. Il modifie le réalisme des scènes, et même les dialogues et les avis des personnages... Tout cela doit signifier quelque chose, non ? Je veux découvrir la clé que l'auteur a dissimulée dans son texte, et j'ai besoin de l'original pour m'assurer que ma traduction est correcte... Elio est d'accord, et il m'a conseillé de t'en parler.

Il finit par céder à mes prières – Héctor est très têtu –, mais il me laissa peu d'espoir : le texte était en possession de Montalo et, après sa mort, tous ses manuscrits avaient été donnés à des bibliothèques. Non, il n'avait pas d'amis intimes ni de famille. Il avait vécu comme un ermite dans une maison isolée à la campagne.

— Ce fut précisément son désir de s'éloigner de la civilisation qui a causé sa mort, ajouta-t-il... Tu ne crois pas ?

— Quoi ?

— Oh, je pensais que tu le savais. Elio ne t'a rien dit ?

— Juste qu'il était mort – je me rappelai alors les paroles d'Elio. Et aussi que "tout le monde était au courant". Mais je ne comprends pas pourquoi.

— Parce qu'il a eu une mort atroce, répondit Héctor.

J'avalai ma salive. Héctor poursuivit :

— Son corps a été retrouvé dans le bois proche de la maison dans laquelle il vivait. Il était en pièces. Les autorités ont dit qu'il avait probablement été attaqué par des loups... *(N.d.T.)*

V

Héraclès Pontor, le Déchiffreur d'Enigmes, pouvait voler.

Il planait sur les ténèbres épaisses d'une caverne, léger comme l'air, dans un silence absolu, comme si son corps avait été une feuille de parchemin. Il finit par trouver ce qu'il cherchait. La première chose qu'il entendit furent les battements, denses comme des coups de rame dans des eaux boueuses ; puis il le vit, flottant dans l'obscurité comme lui. Il s'agissait d'un cœur humain qui venait d'être arraché et palpitait encore : une main le pressait comme la peau d'une outre ; entre ses doigts coulaient d'épais filets de sang. Ce n'étaient cependant pas les viscères nus qui le préoccupaient le plus, mais l'identité de l'homme qui l'étreignait d'une main de fer ; le bras auquel appartenait cette main semblait coupé net à hauteur de l'épaule ; plus loin, les ombres masquaient tout. Héraclès s'approcha de la vision, car il était curieux de l'examiner ; il trouvait absurde de croire qu'un bras isolé pût flotter dans l'air. Il découvrit alors une chose plus étrange encore : les battements de ce cœur étaient les seuls qu'il écoutât. Il baissa les yeux, horrifié, et porta les mains à sa poitrine. Il découvrit un trou énorme et vide.

Il en déduisit que ce cœur qui venait d'être arraché était le sien.

Il se réveilla en criant.

Quand Ponsica pénétra dans sa chambre, alarmée, il se sentait déjà mieux, et il put la rassurer*.

L'enfant esclave s'arrêta pour placer la torche dans le crochet de métal, mais cette fois il y parvint d'un saut, avant qu'Héraclès ait pu l'aider.

— Tu as mis du temps à revenir, dit-il en secouant la poussière de ses mains, mais tant que tu me paies je pourrais t'attendre jusqu'à ce que j'aie atteint l'âge d'éphèbe.

— Tu l'atteindras avant les délais fixés par la nature, si tu restes aussi astucieux, répliqua Héraclès. Comment va ta maîtresse ?

— Un peu mieux que lorsque tu l'as quittée. Mais elle n'est pas complètement remise – l'enfant s'arrêta au milieu d'un couloir sombre et s'approcha du Déchiffreur d'un air mystérieux. Iphimaque, le vieil esclave de la maison, qui est un de mes amis, dit qu'elle crie en rêve, murmura-t-il.

— Aujourd'hui, j'en ai fait un très susceptible de faire crier, avoua Héraclès. Ce qui est étrange, c'est que, en ce qui me concerne, de tels événements sont très rares.

— C'est un signe de vieillesse.

— Tu es aussi devin des rêves ?

---

* Hier soir, avant de commencer à traduire ce passage, j'ai fait un rêve, mais je n'ai vu aucun cœur arraché : j'ai rêvé du protagoniste, d'Héraclès Pontor, et mon rêve a consisté à l'observer couché dans son lit, en train de rêver. Soudain Héraclès se réveillait en criant comme s'il avait fait un cauchemar. Je me suis alors réveillé moi aussi et j'ai crié. Aujourd'hui, en commençant ma traduction du cinquième chapitre, la coïncidence avec le texte m'a fait frémir. Montalo dit du papyrus : "Texture douce, très fine, comme s'il manquait, dans l'étape finale de confection de la feuille, quelques couches de tige, ou comme si le matériau était avec le temps devenu fragile, poreux, ténu comme l'aile d'un papillon ou d'un petit oiseau." (N.d.T.)

— Non. C'est l'avis d'Iphimaque.

Ils étaient parvenus à la pièce dont Héraclès avait gardé le souvenir, le cénacle, mais elle était plus propre et lumineuse, avec des lampes allumées dans les niches murales et derrière les divans et les amphores, de même que dans les couloirs qui s'étendaient au-delà, ce qui conférait à l'ambiance une sorte de beauté dorée.

— Tu ne vas pas participer aux Lénéennes ? demanda l'enfant.

— Comment ? Je ne suis pas poète.

— Je croyais que si. Qu'es-tu, alors ?

— Déchiffreur d'Enigmes, répondit Héraclès.

— Qu'est-ce que c'est que ça ?

Héraclès réfléchit un moment.

— Tout bien pesé, ça ressemble à quelque chose que fait Iphimaque, dit-il. Avoir un avis sur des choses mystérieuses.

Les yeux de l'enfant brillèrent. Soudain il sembla se rappeler sa condition d'esclave, car il baissa la voix et annonça :

— Ma maîtresse ne va pas tarder à te recevoir.

— Je t'en remercie.

Quand l'enfant partit, Héraclès, en souriant, s'aperçut qu'il ne connaissait pas encore son nom. Il passa le temps en observant la légèreté des particules qui flottaient autour de la lumière des lampes et qui, imprégnées par les reflets, ressemblaient à de la limaille d'or ; il tenta de découvrir une sorte de loi ou de patron dans le parcours si léger de ces petites choses. Mais il dut rapidement détourner le regard, car il savait que sa curiosité, impatiente de découvrir des images de plus en plus complexes, courait le risque de se perdre dans l'infinité des choses.

Lorsque Etis fit son entrée dans le cénacle, les bords de son manteau semblèrent battre comme des ailes sous l'effet d'un brusque courant d'air ; son visage, encore pâle et aux yeux cernés, présentait un aspect un peu plus soigné ; le regard n'était plus aussi sombre et se montrait dégagé et léger. Les esclaves qui l'accompagnaient s'inclinèrent devant Héraclès.

— Ta visite nous honore, Héraclès Pontor. Je regrette que l'hospitalité de ma maison soit aussi incommode : la tristesse n'aime pas les cadeaux.

— J'apprécie ton hospitalité, Etis, et je n'en souhaite pas d'autre.

Elle lui indiqua un divan.

— Je peux au moins t'offrir du vin non mélangé.

— Pas à cette heure de la matinée.

Il la vit faire un geste, et les esclaves quittèrent la pièce en silence. Ils s'allongèrent tous deux sur des divans qui se faisaient face. Pendant qu'elle disposait les plis de son péplum sur ses jambes, Etis sourit et dit :

— Tu n'as pas changé, Héraclès Pontor. Tu ne perdrais pas la plus insignifiante de tes pensées avec une seule goutte de vin en dehors des heures habituelles, même pour offrir une libation aux dieux.

— Toi non plus, tu n'as pas changé, Etis : tu continues à me tenter avec le jus de raisin pour que mon âme perde le contact avec mon corps et flotte librement dans les cieux. Mais mon corps est devenu trop lourd.

— Ton esprit est cependant de plus en plus léger, n'est-ce pas ? Je dois reconnaître qu'il m'arrive la même chose. Il ne me reste que l'esprit pour fuir ces murs. Tu laisses voler le tien, Héraclès ? Je ne peux pas l'enfermer ; il étend ses ailes et je lui dis : "Emmène-moi où tu voudras." Mais il me conduit toujours au même endroit : le passé. Tu ne comprends pas ce penchant, bien sûr, parce que tu es un homme. Mais nous les femmes, nous vivons dans le passé...

— Athènes tout entière vit dans le passé, répliqua Héraclès.

— C'est ce que dirait Méragre, sourit-elle faiblement. Héraclès l'imita, mais il perçut alors son étrange regard. Que nous est-il arrivé, Héraclès ? Que nous est-il arrivé ? Il y eut une pause. Il baissa les yeux. Méragre, toi, ton épouse Hagesikora et moi... Que nous est-il arrivé ? Nous obéissions à des normes, à des lois dictées par des hommes qui ne nous ont pas connus et pour qui nous ne comptions pas. Des lois respectées par nos pères, et par les pères de nos pères. Des lois auxquelles les hommes doivent obéir même s'ils peuvent les remettre en cause à l'Assemblée. Nous les femmes, on ne nous permet même pas d'en parler à la fête des Thesmophories, quand nous sortons de nos maisons et nous réunissons sur l'agora : nous les femmes, nous devons nous taire et même supporter les conséquences de vos erreurs. Moi, tu le sais, je ne suis qu'une femme parmi d'autres, je ne sais ni lire ni écrire, je n'ai vu ni d'autres cieux ni d'autres terres, mais j'aime penser... Et tu sais ce que je pense ? Qu'Athènes est faite de lois rances comme la pierre des anciens temples. L'Acropole est froide comme un cimetière. Les colonnes du Parthénon sont les barreaux d'une cage : les oiseaux ne peuvent voler à l'intérieur. La paix... oui, il y a la paix. Mais à quel prix ? Qu'avons-nous fait de nos vies, Héraclès ?... C'était mieux avant. Du moins, nous pensions tous que les choses allaient mieux... C'était ce que croyaient nos parents.

— Ils se trompaient, dit Héraclès. Avant, ce n'était pas mieux qu'aujourd'hui. Pas tellement pire non plus. Simplement, il y avait la guerre.

Immobile, Etis répliqua rapidement, comme si elle avait répondu à une question :

— Avant, tu m'aimais.

Héraclès se sentit hors de son corps, il s'observa allongé sur le divan, très calme, l'air indifférent, respirant calmement. Mais il reconnaissait que son corps subissait différents phénomènes : soudain, par exemple, ses mains étaient froides et transpiraient. Elle ajouta :

— Et je t'aimais.

Pourquoi changeait-elle de sujet ? se demandait-il. Etait-elle incapable d'une conversation raisonnable, équilibrée, comme celle de deux hommes ? Pourquoi maintenant, soudain, ces questions personnelles ? Il s'agita sur le divan, inquiet.

— Excuse-moi, oh Héraclès, s'il te plaît. Considère mes paroles comme le souffle d'une femme solitaire... Mais je m'interroge : tu n'as jamais pensé que les choses auraient pu être différentes ? Non, ce n'est pas ce que je voulais dire : je sais que tu n'as jamais pensé cela. Mais tu ne l'as jamais *regretté* ?

Et maintenant, cette question absurde ! Il en déduisit qu'il avait perdu l'habitude de parler aux femmes. Même avec son dernier client, Diagoras, il était possible de parvenir à une certaine logique dans la conversation, malgré l'évidente opposition des tempéraments. Mais avec les femmes ? Où voulait-elle en venir avec cette question ? Les femmes pouvaient-elles se rappeler tous les sentiments qu'elles avaient éprouvés dans le passé ? Et en admettant que ce fût le cas, quelle importance ? Les sensations, les sentiments, étaient des oiseaux multicolores : ils allaient et venaient, fugaces comme le sommeil, et lui le savait. Mais comment allait-il pouvoir le lui expliquer, à elle qui l'ignorait manifestement ?

— Etis, dit-il en s'éclaircissant la gorge, nous éprouvions des choses quand nous étions jeunes, et aujourd'hui nous en éprouvons d'autres, très différentes. Qui peut dire avec certitude ce qui serait arrivé dans l'un ou l'autre cas ? Je sais bien qu'Hagesikora était la femme que mes parents m'avaient imposée et, bien qu'elle ne m'ait pas donné d'enfants, j'ai été heureux avec elle et je l'ai pleurée quand elle est morte. Quant à Méragre, il t'a choisie...

— Et je l'ai choisi quand tu as choisi Hagesikora, car c'était l'homme que mes parents m'avaient imposé, répliqua Etis, l'interrompant. J'ai également été heureuse avec lui et je l'ai pleuré quand il est mort. Et aujourd'hui... nous voilà tous deux, modérément heureux, n'osant pas parler de tout ce que nous avons perdu, de chacune des occasions que nous avons laissée passer, du mépris de nos instincts, de chaque insulte à nos désirs… en raisonnant… en inventant des raisons – elle fit une pause et battit plusieurs fois des paupières, comme si elle sortait d'un rêve. Mais je te demande à nouveau d'excuser ces petites folies. Le dernier homme de ma maison est mort, et… que sommes-nous, les femmes, sans les hommes ? Tu es le premier à nous rendre visite depuis les agapes funéraires.

"Elle parlait donc à cause de la douleur qu'elle ressent", pensa Héraclès, compréhensif. Il décida d'être aimable :

— Comment va Elea ?

— Elle résiste encore. Mais elle souffre quand elle pense à sa terrible solitude.

— Et Daminos de Clazobion ?

— C'est un négociant. Il n'acceptera pas d'épouser Elea avant ma mort. La loi le lui permet. Maintenant, après la mort de son frère, ma fille est légalement devenue une *épiclère*, et doit contracter le mariage pour éviter que notre fortune ne passe aux mains de l'Etat. Daminos détient la prérogative de la prendre pour épouse, car il est son oncle paternel, mais il ne m'apprécie guère, moins encore depuis la mort de Méragre, et il attend que je disparaisse, comme les charognards attendent, dit-on, que les corps s'effondrent. Cela n'a pas d'importance, dit-elle en se frottant les bras. Au moins, je suis assurée que cette maison fera partie de l'héritage d'Elea. Et puis, je ne sais pas où choisir : tu te doutes que ma fille n'a pas beaucoup de prétendants, car notre famille est tombée dans le déshonneur…

Après une brève pause, Héraclès dit :

— Etis, j'ai accepté un petit travail – elle le regarda. Il parla rapidement, sur un ton formel. Je ne peux te révéler le prénom de mon client, mais je t'assure qu'il s'agit d'une personne honnête. Quant au travail, il a un certain rapport avec Tramaque. J'ai cru devoir l'accepter… et t'en informer.

Etis pinça les lèvres.

113

— Tu es donc venu me voir en tant que Déchiffreur d'Enigmes ?

— Non. Je suis venu te mettre au courant. Je ne t'importunerai pas davantage si tu ne le souhaites pas.

— Quelle sorte de mystère peut être lié à mon fils ? Sa vie n'avait pas de secrets pour moi...

Héraclès prit une profonde inspiration.

— Ne t'inquiète pas : mon enquête n'est pas centrée sur Tramaque, même si elle tourne autour de lui. Tu me rendrais un grand service en répondant à quelques questions.

— Très bien, dit Etis, mais sur un ton qui laissait entendre qu'elle pensait exactement le contraire.

— Tu as constaté que ton fils était soucieux, ces derniers mois ?

Elle fronça les sourcils, songeuse.

— Non... Il était comme d'habitude. Il ne me semblait pas particulièrement soucieux.

— Tu passais beaucoup de temps en sa compagnie ?

— Non, parce que, bien que tel fût mon désir, je ne voulais pas l'étouffer. Il était devenu très sensible sur ce point, comme, dit-on, les enfants mâles dans les maisons dirigées par les femmes. Il ne supportait pas que nous nous immiscions dans sa vie. Il voulait voler loin – elle fit une pause. Il était impatient d'atteindre l'âge d'éphèbe, et de pouvoir partir d'ici. Héra sait que je ne lui interdisais rien.

Héraclès acquiesça en fermant brièvement les yeux, dans un geste qui semblait indiquer qu'il était d'accord avec tout ce qu'Etis pourrait dire sans nécessité pour elle de le dire. Puis il ajouta :

— Je sais qu'il suivait l'enseignement de l'Académie...

— Oui. Je l'ai voulu non seulement pour lui, mais aussi en souvenir de son père. Tu sais que Platon et Méragre entretenaient des liens amicaux. Et Tramaque était un bon élève, d'après ses mentors...

— Que faisait-il de son temps libre ?

Après une brève pause, Etis dit :

— Je te répondrai que je l'ignore, mais, comme mère, je crois le savoir : quoi qu'il ait fait, Héraclès, cela ne devait pas être très différent de ce que fait n'importe quel jeune homme de son âge. C'était déjà un homme, même si la loi ne le reconnaissait pas. Et il était maître de sa vie, comme tout homme. Il ne nous laissait pas mettre le nez dans ses affaires, à nous autres femmes. "Contente-toi d'être la meilleure mère d'Athènes", me disait-il... Ses lèvres pâles ébauchèrent un sourire. Mais je le répète qu'il n'avait pas de secrets pour moi : je savais qu'il recevait une bonne éducation à l'Académie. Les détails de son intimité ne m'intéressaient pas, je le laissais voler de ses propres ailes.

— Etait-il très religieux ?

Etis sourit et s'agita sur le divan.

— Oh, oui, les Mystères sacrés. Le recours à Eleusis est la seule chose qu'il me reste. Tu ne sais pas quelles forces cela me donne, pauvre veuve que je suis, d'avoir quelque chose de différent en quoi croire, Héraclès... Celui-ci ne changea pas d'expression en la regardant. Mais je n'ai pas répondu à ta question... Oui, il était religieux... A sa façon. Il nous accompagnait à Eleusis, si cela signifie être religieux. Mais il avait davantage confiance en ses forces qu'en ses croyances.

— Tu connais Antise et Eunio ?

— Bien sûr. Ses meilleurs amis, camarades de l'Académie et descendants de bonnes familles. Parfois, ils venaient également à Eleusis avec nous. J'ai une excellente opinion d'eux : c'étaient les dignes amis de mon fils.

— Etis... était-ce l'habitude de Tramaque de partir chasser en solitaire ?

— Parfois. Il aimait montrer qu'il était préparé pour la vie, sourit-elle. Et il l'était.

— Excuse le désordre de mes questions, s'il te plaît, mais je t'ai déjà dit que mon enquête n'était pas centrée sur Tramaque... Tu connais Ménechme, le sculpteur poète ?

Les yeux d'Etis se fermèrent à demi. Elle se redressa un peu plus sur le divan, comme un oiseau qui aurait voulu prendre son envol.

— Ménechme ?… dit-elle, et elle se mordit doucement la lèvre. Après une très courte pause, elle ajouta : Je crois que… Oui, maintenant je m'en souviens. Il fréquentait ma maison du vivant de Méragre. C'était un individu étrange, mais mon mari avait des amis très étranges… je ne parle bien sûr pas de toi.

Héraclès imita son fin sourire avant de dire :

— Tu ne l'as pas revu ? Etis répondit que non. Tu sais si, d'une certaine façon, il était en relation avec Tramaque ?

— Non, je ne crois pas. En fait, Tramaque ne m'a jamais parlé de lui. Le visage d'Etis reflétait l'inquiétude. Elle fronça le sourcil. Héraclès, que se passe-t-il ?… Tes questions sont si… Même si tu ne peux me révéler sur quoi tu enquêtes, dis-moi, au moins, si la mort de mon fils… Je veux dire : Tramaque a bien été attaqué par une meute de loups ? C'est ce que l'on nous a dit et c'est la vérité, n'est-ce pas ?

Le visage toujours privé d'expression, Héraclès dit :

— Il en est ainsi. Sa mort n'a rien à voir avec ça. Mais je ne te dérangerai pas plus longtemps. Tu m'as aidé, et je t'en remercie. Que les dieux te soient propices.

Il partit précipitamment. Sa conscience le tenaillait, car il avait dû mentir à une femme bonne*.

On dit qu'il se passa ce jour-là une chose surprenante : la grande urne des offrandes en l'honneur

---

* La mienne ne me tenaille absolument pas, puisque j'ai raconté hier à Helena la coïncidence qui me préoccupe le plus. "Mais comment peux-tu avoir autant de fantaisie ? protesta-t-elle. Quelle relation peut-il y avoir entre la mort de Montalo et celle d'un personnage d'un texte millénaire ? Je t'en prie ! Tu deviens fou ? Ce qui est arrivé à Montalo est un fait *réel*, un accident. Le personnage du livre que tu traduis est de la pure fiction. Peut-être s'agit-il d'un procédé eidétique, d'un symbole caché, je n'en sais rien…" Comme toujours, Helena a raison. Son écrasante vision pratique des

116

d'Athéna Niké laissa échapper, par inadvertance des prêtres, les centaines de papillons blancs qu'elle contenait. Et ce matin-là, sous le soleil radieux et tiède de l'hiver athénien, les ailes vibratiles, fragiles et lumineuses, envahirent la ville tout entière. Certains les virent pénétrer dans le sanctuaire inviolé d'Artémis de Brauron et chercher le camouflage du marbre nivéal de la déesse ; d'autres surprirent dans l'air qui entoure la statue d'Athéna Promaque de petites fleurs blanches mobiles agitant leurs pétales sans tomber à terre. Les papillons, qui se reproduisaient rapidement, traquèrent sans péril les corps de pierre des jeunes filles qui soutiennent, sans besoin d'aide, le toit de l'Erechthéion, se nichèrent dans l'olivier sacré, cadeau d'Athéna Portégide, descendirent, dans l'éclat de leur vol, les pentes de l'Acropole et, maintenant transformés en une très légère armée, firent irruption avec une douceur gênante dans la vie quotidienne. Personne ne voulut rien leur faire, parce qu'ils ne représentaient presque rien : à peine une lumière clignotante, comme si le Matin, en faisant vibrer ses paupières si légères, laissait tomber sur la ville la poussière de son brillant maquillage. De sorte que, observés par un peuple étonné, ils se dirigèrent sans rencontrer d'obstacles à travers l'impalpable éther, vers le temple d'Arès et la *stoa* de Zeus, l'édifice du Tholos et celui de l'Héliée, le Théséion et le monument aux Héros, toujours

---

choses mettrait en pièces les recherches les plus intelligentes d'Héraclès Pontor qui, si fictif soit-il, se transforme chaque jour en mon héros favori, la seule voix qui donne du sens à tout ce chaos, mais que veux-tu que je te dise, lecteur étonné : il m'a soudain semblé très important de vérifier davantage de choses au sujet de Montalo et de sa forme de vie solitaire. J'ai écrit une lettre à Aristide, un des académiciens qui l'ont le mieux connu. Il n'a pas tardé à me répondre : il va me recevoir chez lui. Je me demande parfois si je ne suis pas en train d'imiter Héraclès Pontor avec *ma propre* enquête ? *(N.d.T.)*

resplendissants, instables, obstinés dans leur transparente liberté. Après avoir embrassé les frises des édifices publics comme des enfants fuyants, ils occupèrent les arbres des jardins et neigèrent, en zigzaguant sur la pelouse et les rochers des sources. Les chiens aboyaient sans leur faire de mal, comme ils le font parfois devant les fantômes et les tourbillons de sable ; les chats bondissaient vers les pierres en s'écartant de leur chemin indécis ; les bœufs et les mules relevaient leur lourde tête pour les contempler, mais, comme ils étaient incapables de rêver, cela ne les rendait pas tristes.

Enfin, les papillons se posèrent sur les hommes et commencèrent à mourir*.

Quand Héraclès Pontor entra dans le jardin de sa maison, à midi, il découvrit qu'un linceul lustré de cadavres de papillons recouvrait la terre. Mais les becs mobiles des oiseaux qui nichaient sur les corniches ou les hautes branches des pins avaient commencé à les dévorer : les huppes, coucous, roitelets, craves, pigeons ramiers, rossignols, chardonnerets, le cou penché sur la nourriture, concentrés comme des peintres sur leurs pots, rendaient sa couleur

---

* Cette invasion de papillons blancs – absurde, car il n'y a pas de preuve historique qu'ils aient constitué une offrande à Athéna Niké – est plutôt une invasion eidétique : les idées de "vol" et "d'ailes", présentes depuis le début du chapitre, altèrent la réalité du récit. L'image finale est pour moi celle des oiseaux du lac Stymphale, où Héraclès reçoit l'ordre de disperser la myriade d'oiseaux qui recouvraient le lac Stymphale, ce à quoi il parvient en faisant du bruit avec des cymbales de bronze. Admettons, le lecteur a-t-il remarqué la présence, habilement dissimulée, de la "jeune fille au lys" ? S'il te plaît, lecteur, dis-le-moi, ou alors crois-tu que ce soit le fait de mon imagination ? Voilà les petites fleurs blanches et les "jeunes filles " – les cariatides de l'Erechthéion –, mais aussi les paroles fondamentales : "aide" – "sans nécessité d'*aide*" et "danger" – "traquèrent sans *danger*" –, intimement associées à cette image ! *(N.d.T.)*

verte au léger gazon. Le spectacle était étrange, mais Héraclès ne le trouva pas de bon ou de mauvais augure, car, entre autres choses, il ne croyait pas aux augures.

Tout à coup, tandis qu'il suivait le trottoir du jardin, un battement d'ailes sur sa droite attira son attention. L'ombre, courbée et obscure, surgit derrière les arbres, effrayant les oiseaux.

— Tu te caches pour surprendre les gens, maintenant ? sourit Héraclès.

— Par les rayons acérés de Zeus, je jure que non, Héraclès Pontor, crépita la voix du vieillard d'Eumarque, mais tu me paies pour être discret et épier sans être vu, non ? Eh bien voilà : j'ai appris le métier.

Excités par le bruit, les oiseaux interrompirent leur festin et prirent leur envol : leurs petits corps, très vifs, s'élevèrent et s'abattirent à la verticale sur la terre, et les deux hommes clignèrent des yeux, éblouis, par la lumière zénithale du soleil de midi*.

— Cet horrible masque que tu as pour esclave m'a indiqué par gestes que tu n'étais pas chez toi, dit Eumarque, j'ai donc attendu patiemment ton arrivée pour te dire que mon travail avait porté quelques fruits…

— Tu as fait ce que je t'avais ordonné ?

— Comme tes propres mains font ce que te dictent tes pensées. Hier soir, je suis devenu l'ombre de mon pupille ; je l'ai suivi, infatigable, à une distance prudente, comme la femelle épervier escorte le premier vol de ses petits ; j'ai gardé les yeux rivés sur lui tandis que, esquivant les gens dont les rues étaient pleines, il traversait la ville en compagnie de son ami Eunio, qu'il avait retrouvé à la tombée de la

---

* Les oiseaux, comme les papillons, sont également eidétiques dans ce chapitre, et se transforment donc maintenant en rayons de soleil. Que le lecteur remarque que cela n'a rien de miraculeux ou de magique, mais est aussi littéraire que le changement de métrique dans un poème. (N.d.T.)

nuit sur la *stoa* de Zeus. Ils ne marchaient pas par plaisir, si tu vois ce que je veux dire : leurs pas volatiles avaient une destination précise. Mais le Père Cronide aurait pu m'enchaîner comme Prométhée à un rocher et ordonner à un énorme oiseau de me dévorer jour après jour le foie de son bec noir, que je n'aurais jamais imaginé, Héraclès, une destination aussi étrange !... A tes grimaces, je vois que mon récit t'impatiente... Ne t'inquiète pas, je vais l'achever : j'ai fini par savoir où ils se rendaient ! Je vais te le dire, et tu t'en étonneras avec moi...

La lumière du soleil reprit son lent picotement sur l'herbe du jardin. Elle se posa ensuite sur une branche et roula plusieurs notes. Un autre rossignol s'approcha de lui*.

Eumarque acheva enfin de parler.

— Explique-moi, oh Grand Déchiffreur, ce que signifie tout cela, dit-il.

Héraclès sembla méditer un instant avant de répondre :

— Bien. J'ai encore besoin de ton aide, mon bon Eumarque : suis les pas d'Antise la nuit et viens m'en informer tous les deux ou trois jours. Mais vole d'abord de toute urgence chez mon ami avec ce message...

— Comme je te suis reconnaissant pour ce dîner en plein air, Héraclès, dit Crantor. Tu savais que je supporte désormais difficilement l'intérieur lugubre des maisons athéniennes ? Les habitants des villages situés au sud du Nil ne peuvent croire que dans notre Athènes civilisée nous vivions enfermés entre des murs de brique. Ils pensent que seuls les morts

---

* La métamorphose de l'oiseau en lumière s'opère ici à l'envers. Pour les lecteurs qui affrontent pour la première fois un texte eidétique, ces phrases peuvent prêter à une certaine confusion, mais, je le répète, il n'y a là aucun prodige mais de la simple philologie. (*N.d.T.*)

ont besoin de murs – il prit un nouveau fruit dans la coupe et plongea la pointe aiguë de sa dague entre les veines du bois de la table. Tu n'es pas très bavard, dit-il après une pause.

Le Déchiffreur sembla sortir d'un rêve. Dans la paix intacte du jardin, un petit oiseau égrena un trille. Un tintement aiguisé trahissait la présence de Cerbère dans un coin, qui léchait les restes de son écuelle.

Ils mangeaient sous le porche. Obéissant aux désirs de Crantor, Ponsica, aidée par l'invité lui-même, avait sorti la table et les deux divans du cénacle. Il faisait froid, et de plus en plus, car le chariot de feu du Soleil achevait sa course en laissant derrière lui un sillage courbe d'or qui s'étendait, impavide, dans la frange d'air au-dessus des pins, mais il était encore possible de profiter tranquillement du coucher du soleil. Cependant, et bien que son ami se fût montré loquace, voire amusant, en lui rapportant grand nombre d'anecdotes dignes de *L'Odyssée* et en lui permettant, de plus, d'écouter en silence sans devoir intervenir, Héraclès avait fini par regretter cette invitation : les détails du problème qu'il était sur le point de résoudre le pressaient. De plus, il surveillait en permanence la trajectoire courbe du soleil, car il ne voulait pas arriver en retard à son rendez-vous du soir. Mais son sens athénien de l'hospitalité lui fit dire :

— Crantor, mon ami, excuse mon mauvais accueil en tant qu'hôte. J'avais laissé mon esprit s'envoler ailleurs.

— Oh, je ne veux pas troubler ta méditation, Héraclès. Je suppose qu'elle a un rapport direct avec ton travail...

— C'est exact. Mais il est temps pour moi de répudier mon attitude peu hospitalière. Allons, posons les pensées sur les branches et consacrons-nous à la conversation.

Crantor se passa le revers de la main sur le nez et finit d'engloutir le fruit.

— Tout va bien ? Je veux dire, dans ton métier.

— Je n'ai pas à me plaindre. Je suis mieux traité que mes collègues de Corinthe ou d'Argos, qui se consacrent exclusivement à déchiffrer les énigmes des oracles de Delphes pour quelques riches clients. Ici, on me sollicite pour des affaires variées et intéressantes : la résolution d'un mystère dans un texte égyptien, l'endroit où se trouve un objet égaré, ou l'identité d'un voleur. Il y eut une époque, peu après ton départ, à la fin de la guerre, où je mourais de faim... Ne ris pas, je suis sérieux... J'ai eu moi aussi à résoudre les devinettes de Delphes. Mais aujourd'hui, avec la paix, nous les Athéniens, nous ne trouvons rien de mieux à faire que de déchiffrer des énigmes, même quand il n'y en a pas : nous nous réunissons sur l'agora, au théâtre de Dionysos Eleuthère, ou simplement dans la rue, et nous nous interrogeons sans arrêt les uns les autres... Et quand personne ne peut répondre, on loue les services du Déchiffreur.

Crantor se remit à rire.

— Toi aussi tu as choisi la vie que tu voulais, Héraclès.

— Je ne sais pas, Crantor, je ne sais pas – il se frotta les bras, nus sous son manteau. Je crois que c'est cette vie qui m'a choisi...

Le silence de Ponsica, qui apportait une nouvelle jarre de vin non mélangé, sembla les gagner. Héraclès remarqua que son ami – mais Crantor était-il toujours son ami ? N'étaient-ils pas désormais deux inconnus qui parlaient de vieilles amitiés communes ? – ne perdait pas l'esclave de vue. Les derniers rayons du soleil se posaient, purs, sur les courbes douces du masque sans traits ; entre les ouvertures symétriques du manteau noir aux bords pointus qui la recouvrait de la tête aux pieds, émergeaient, minces mais infatigables comme des pattes d'oiseaux, les bras niveaux. Ponsica déposa la jarre sur la table avec légèreté, se pencha et revint à l'intérieur de la maison. Cerbère, dans son coin, aboya furieusement.

— Je ne peux pas, je ne pourrais pas… murmura soudain Crantor.

— Quoi ?

— Porter un masque pour dissimuler ma laideur. Et je suppose que ton esclave ne le porterait pas non plus si tu ne l'y obligeais pas.

— La complication de ses cicatrices me distrait, dit Héraclès. Et il haussa les épaules pour ajouter : Et puis, c'est mon esclave, après tout. D'autres les font travailler nues. Moi, je l'ai recouverte.

— Son corps te distrait lui aussi ? sourit Crantor en lissant sa barbe de sa main brûlée.

— Non, mais seuls m'intéressent son efficacité et son silence : j'ai besoin des deux pour réfléchir tranquillement.

L'invisible oiseau lança un sifflement aigu de trois notes différentes. Crantor retourna la tête vers la maison.

— Tu l'as déjà vue ? demanda-t-il. Je veux dire, nue.

Héraclès acquiesça.

— Quand je me suis intéressé à elle sur le marché de Falero, le vendeur l'a entièrement dévêtue : il pensait que son corps compensait largement l'état de son visage, et que cela m'inciterait à payer davantage. Mais je lui ai dit : "Rhabille-la. Je veux seulement savoir si elle cuisine bien et si elle peut diriger sans aide une maison de taille moyenne." Le marchand m'a assuré qu'elle était très efficace, mais je voulais qu'elle me le dise elle-même. Quand j'ai constaté qu'elle ne me répondait pas, j'ai su que le vendeur avait essayé de me cacher qu'elle ne pouvait pas parler. Celui-ci, très gêné, s'empressa de m'expliquer la raison de son mutisme, et me raconta l'histoire des bandits lydiens. Il ajouta : "Mais elle s'exprime par un alphabet de gestes très simples." Je l'ai donc achetée – Héraclès fit une pause et but une gorgée de vin. C'est la meilleure acquisition de ma vie, je te l'assure, dit-il ensuite. Et elle y a gagné elle aussi : j'ai pris mes dispositions pour que, à ma mort, elle soit affranchie, et je lui ai accordé une liberté considérable ; elle me demande même parfois la permission de se rendre à Eleusis, car c'est une dévote des Mystères sacrés, et je l'y autorise sans difficulté, conclut-il en souriant. Nous vivons heureux tous les deux.

— Comment le sais-tu ? fit Crantor. Le lui as-tu jamais demandé ?

Héraclès le regarda par-dessus le bord courbe de la coupe.

— Je n'en ai pas besoin, dit-il. Je le déduis. Des notes de musique aiguës se répandirent dans l'air. Crantor ferma à demi les yeux et dit, après une pause :

— Tu déduis tout… Il se lissait les moustaches et la barbe de sa main brûlée. Toujours en train de déduire, Héraclès… Les choses se présentent devant toi nues et muettes, mais tu déduis, tu déduis… Il agita la tête et son visage revêtit une curieuse expression : comme s'il avait admiré l'obstination de la déduction de son ami. Tu es incroyablement athénien, Héraclès. Les platoniciens, au moins, comme ton client de l'autre jour, croient en des vérités absolues et immuables qu'ils ne peuvent voir… Mais toi… En quoi crois-tu ? En ce que tu déduis ?

— Je ne crois qu'en ce que je peux voir, dit Héraclès avec une grande simplicité. La déduction est une autre façon de voir les choses.

— J'imagine un monde plein de gens comme toi – Crantor fit une pause et sourit, comme s'il l'imaginait vraiment. Ce serait tellement triste.

— Ce serait efficace et silencieux, répondit Héraclès. Ce qui serait triste, ce serait un monde de gens platoniques : ils marcheraient dans les rues comme s'ils volaient, les yeux clos et la pensée placée dans l'invisible.

Ils rirent tous deux, mais Crantor s'arrêta pour dire, sur un ton étrange :

— Ainsi donc, la meilleure solution est un monde de gens comme moi.

Héraclès haussa les sourcils de façon comique.

— Comme toi ? Ils éprouveraient à un moment donné l'impulsion de se brûler les pieds, ou les mains, ou de se jeter la tête contre le mur… Ils seraient tous mutilés. Et qui sait si certains ne seraient pas mutilés par d'autres…

— Sans doute, répliqua Crantor rapidement. Cela arrive tous les jours, en fait, dans tous les mondes. Le poisson que tu m'as servi aujourd'hui, par exemple, a été mutilé par nos dents effilées. Les platoniciens croient en ce qu'ils ne voient pas, tu crois en ce que tu vois… Mais vous mutilez tous des viandes et des poissons au cours des repas. Ou des figues douces.

Héraclès, négligeant la moquerie, engloutit la figue qu'il avait portée à sa bouche. Crantor poursuivit :

— Et vous pensez, raisonnez, croyez, et avez confiance… Mais la Vérité… où est la Vérité ? et il eut un rire énorme qui agita sa poitrine. Plusieurs oiseaux se détachèrent, comme des feuilles effilées, du sommet des arbres.

Après une pause, les pupilles noires contemplèrent fixement Héraclès.

— J'ai remarqué que tu observes sans cesse les cicatrices de ma main droite, dit-il. Elles te distraient elles aussi ? Oh, Héraclès, je me réjouis de ce que j'ai fait cet après-midi-là à Eubée, quand nous avions une conversation semblable ! Tu te rappelles ? Nous étions assis, toi et moi, seuls, près d'un petit feu, à l'intérieur de ma cabane. Je t'ai dit : "Si j'éprouvais maintenant l'impulsion de me brûler la main droite et me la *brûlais*, je te démontrerais qu'il y a des choses qui ne peuvent être raisonnées." Tu as répliqué : "Non, Crantor, parce qu'il serait facile de *raisonner* que tu l'as fait pour me prouver qu'il y a des choses qui ne peuvent être raisonnées." J'ai alors tendu le bras et posé la main sur les flammes ; il imita le geste, plaçant son bras droit parallèlement à la table. Il poursuivit : Toi, étonné, tu t'es levé d'un bond et exclamé : "Crantor, par Zeus, que fais-tu !"

Et moi, sans retirer ma main, j'ai répliqué : "Qu'est-ce qui te surprend à ce point, Héraclès ? Le fait que, malgré ton raisonnement, je suis *en train de me brûler la main* ? Que, malgré toutes les explications logiques que ton esprit t'offre sur la raison pour laquelle j'agis de la sorte, ce qui est sûr, *la réalité est*, Héraclès Pontor, que je suis *en train de me brûler* ?" et il partit d'un nouvel éclat de rire. A quoi te sert le raisonnement quand tu vois que la Réalité se brûle les mains ?

Héraclès baissa la tête vers sa coupe.

— En fait, Crantor, il y a une énigme face à laquelle mon raisonnement ne sert à rien, dit-il. Comment est-il possible que nous soyons *amis* ?

Ils se mirent à rire à nouveau, avec parcimonie. A cet instant, un petit oiseau se posa à un bout de la table en agitant ses fines ailes sombres. Crantor l'observa en silence*.

— Observe cet oiseau, par exemple, dit-il. Pourquoi s'est-il posé sur la table ? Pourquoi est-il ici, avec nous ?

— Il doit avoir une raison, mais nous devrions le lui demander.

— Je parle sérieusement : de ton point de vue, tu pourrais penser que ce petit oiseau est plus important dans nos vies qu'il n'en a l'air...

— De quoi veux-tu parler ?

— Peut-être... Crantor adopta un ton mystérieux. Cela fait peut-être partie d'une clé qui expliquerait notre présence dans le grand Œuvre du monde...

Héraclès sourit, bien qu'il ne fût pas de bonne humeur.

---

* La présence de cet oiseau n'est absolument pas fortuite, comme le lecteur doit déjà le supposer : au contraire, elle renforce, avec les papillons et les oiseaux eidétiques du jardin, l'image occulte des oiseaux du lac Stymphale. La répétition ostensible des mots "pointu", "courbe" et "effilé", résume habilement le bec de ces animaux. (*N.d.T.*)

— C'est en cela que tu crois maintenant ?

— Non. Je parle exclusivement de ton point de vue. Tu sais, celui qui cherche perpétuellement des explications court le risque de les inventer.

— Personne n'inventerait quelque chose d'aussi absurde, Crantor. Qui pourrait croire que la présence de cet oiseau fait partie de… comment as-tu dit… d'une clé qui explique tout* ?

Crantor ne répondit pas : il tendit la main droite avec une lenteur hypnotisante ; les doigts, aux ongles effilés et courbes, s'ouvrirent à proximité de l'oiseau ; alors, d'un unique geste éblouissant, il attrapa le petit animal.

— *D'aucuns* le croient, dit-il. Je vais te raconter une histoire – il approcha la petite tête de son visage et la contempla avec une expression étrange – on n'aurait pu dire si c'était de la tendresse ou de la curiosité – tout en parlant. J'ai rencontré il y a quelque temps un homme médiocre. C'était le fils d'un écrivain tout aussi médiocre. Cet homme aspirait à être écrivain comme son père, mais les Muses ne l'avaient pas béni du même talent. Ainsi donc, il apprit d'autres langues et se mit à traduire des textes : ce fut le métier le plus proche qu'il put trouver de la profession paternelle. Un jour, on remit à cet homme un papyrus ancien et on lui demanda de le traduire. Il s'y consacra avec un réel élan, jour et nuit. Il s'agissait d'une œuvre littéraire en prose, une œuvre tout à fait normale, mais l'homme, peut-être en raison de son incapacité à créer un texte de son invention, *voulut* croire qu'il recelait une clé. Là commença son agonie : où ce secret se trouvait-il ? Dans ce que disaient les personnages ?… Dans les descriptions ?… Dans les images évoquées ? Il crut

---

* Nouveau jeu de l'astucieux auteur avec ses lecteurs ! Les personnages, ignorant la vérité, c'est-à-dire que ce sont de simples personnages d'un texte qui dissimule une clé secrète, se moquent de la présence eidétique de l'oiseau. *(N.d.T.)*

la trouver enfin… "Je l'ai !" se dit-il. Mais ensuite il pensa : "Cette clé n'en cache-t-elle pas une autre, et celle-ci une autre, et une autre… ?" Comme des myriades d'oiseaux qui ne peuvent être attrapés… les yeux de Crantor, soudain impénétrables, regardaient fixement un point situé au-delà d'Héraclès.

Ils te regardaient toi*.

— Qu'est-il arrivé à cet homme ?

— Il est devenu fou – sous le chaos hirsute de sa barbe, les lèvres de Crantor se séparèrent en un sourire courbe et effilé. Ce fut terrible : dès qu'il croyait avoir trouvé la clé de l'énigme, une autre très différente lui arrivait entre les mains, puis une autre, une autre… A la fin, complètement fou, il cessa de traduire le texte et fuit sa maison. Il erra dans le bois pendant plusieurs jours comme un oiseau aveugle. Les animaux ont fini par le dévorer** – Crantor baissa la tête vers la minuscule frénésie de la créature qu'il hébergeait dans sa main et sourit à nouveau. Voilà l'avertissement que je donne à tous ceux qui cherchent avec acharnement des clés cachées : Faites attention, la rapidité de vos ailes ne doit pas vous empêcher de voir que vous volez à l'aveuglette… Doucement, presque avec tendresse,

_____

* Je viens d'avoir un léger vertige et j'ai dû interrompre mon travail. Ce n'était rien : juste une coïncidence stupide. Il se trouve que mon père, décédé aujourd'hui, était écrivain. Je ne peux décrire la sensation que j'ai éprouvée en traduisant les paroles de ce personnage, Crantor, qui ont été rédigées il y a des milliers d'années sur un vieux papyrus par un auteur inconnu. "Il parle de moi !" ai-je pensé l'espace affolant d'un instant. En parvenant à la phrase "Ils te regardaient toi", un nouveau saut à la deuxième personne, comme au chapitre précédent, je me suis éloigné de la feuille de papier comme si elle allait me brûler, et j'ai dû cesser de traduire. J'ai ensuite relu ce que j'avais écrit plusieurs fois jusqu'au moment où j'ai senti mon absurde terreur céder. Maintenant je peux poursuivre. *(N.d.T.)*
** Comme pour Montalo ? *(N.d.T.)*

il approcha son pouce effilé et pointu de la petite tête qui dépassait entre ses doigts.

L'agonie de l'oiseau fut faible et terrible, comme les cris d'un enfant torturé sous terre.

Héraclès but tranquillement une gorgée de vin.

Quand il eut fini, Crantor lâcha l'animal sur la table avec le geste d'un joueur de *petteía* qui lance une fiche.

— Voici mon avertissement, dit-il.

L'oiseau était toujours vivant, mais il tremblait et piaillait frénétiquement. Il fit deux petits sauts maladroits sur ses pattes et agita la tête, répandant de tous côtés des traînées rougeoyantes.

Avec gourmandise, Héraclès saisit une autre figue dans la coupe.

Crantor observait les mouvements de tête rougeoyants de l'oiseau les yeux à demi clos, comme s'il avait pensé à une chose sans grande importance.

— Beau coucher de soleil, dit Héraclès avec un certain ennui, observant l'horizon. Crantor acquiesça.

L'oiseau s'envola soudain, un envol aussi brutal qu'un jet de pierre, et il alla s'écraser contre l'un des arbres proches. Il laissa une trace sombre et émit un cri. Il monta alors, frappant les branches les plus proches. Il tomba à terre et reprit son vol, pour retomber, traînant avec ses orbites vides une guirlande de sang. Après plusieurs sauts inutiles, il traîna dans l'herbe jusqu'au moment où il ne bougea plus.

Héraclès remarqua en bâillant :

— Oui, il ne fait pas trop froid*.

––––––––––––––––––

* Héraclès ne s'aperçoit pas que Crantor a arraché les deux yeux à l'oiseau. Il faut donc en déduire que cette torture brutale n'a eu lieu que sur le plan eidétique, comme les attaques de la "bête" du chapitre précédent ou les serpents lovés de la fin du deuxième chapitre. Maintenant, c'est la première fois qu'*un personnage* de l'œuvre réalise un acte présentant ces caractéristiques, c'est-à-dire un acte *purement* littéraire. Ce qui ne laisse pas de m'intriguer, car la norme veut que les actes littéraires soient effectués par le seul

Soudain, Crantor se leva du divan, comme s'il avait considéré la conversation comme terminée.

— Le Sphinx dévorait ceux qui ne répondaient pas correctement à ses questions, dit-il. Mais tu sais le plus terrible, Héraclès ? Le plus terrible, c'était que le Sphinx avait des ailes, et un jour il s'est envolé et a disparu. Depuis, nous les hommes nous connaissons quelque chose de bien *pire* que d'être dévorés par lui : ne pas savoir si nos réponses sont correctes – il passa une de ses énormes mains dans sa barbe et sourit. Je te remercie du dîner et de ton hospitalité, Héraclès Pontor. Nous aurons l'occasion de nous revoir avant mon départ d'Athènes.

— J'y compte bien, dit Héraclès.

Et l'homme et le chien s'éloignèrent dans le jardin*.

Diagoras arriva à l'endroit convenu à la tombée de la nuit et, comme il se l'était imaginé, il dut attendre. Il apprécia cependant que le Déchiffreur

---

auteur, puisque les personnages doivent tenter, à chaque instant, que leurs actions imitent le mieux possible la réalité. Mais il semble que le créateur anonyme de Crantor ne se soucie pas de donner un air crédible à son personnage. *(N.d.T.)*
* Quel est le but de cet acharnement eidétique avec l'oiseau, dont la présence, ne l'oublions pas, est également eidétique. Que veut transmettre l'auteur ? C'est un avertissement, dit Crantor, mais de qui à qui ? Si Crantor fait partie de l'histoire, d'accord ; mais s'il n'est qu'un porte-parole de l'auteur, l'avertissement revêt un terrible air de malédiction : "Fais attention, traducteur ou lecteur, ne dévoile pas le *secret* que contiennent ces pages… parce qu'il peut t'arriver quelque chose de désagréable." Montalo l'avait peut-être découvert et… C'est absurde ! Cet ouvrage a été écrit il y a des millénaires. Quel genre de menace durerait aussi longtemps ? J'ai la tête pleine d'oiseaux – eidétiques. La réponse doit être plus simple : Crantor est un personnage de plus, simplement il est *mal fait*. Crantor est une erreur de l'auteur. Il n'a peut-être rien à voir avec le thème principal. *(N.d.T.)*

n'ait pas choisi un lieu aussi fréquenté que le précédent : celui de ce soir était un coin de rue solitaire situé au-delà de la zone des commerces métèques, face aux ruelles qui s'engageaient dans les quartiers de Kolytos et Melita, à l'abri des regards d'un peuple dont on pouvait entendre les bruyantes distractions, pas aussi faiblement que l'aurait souhaité Diagoras, qui provenaient surtout de l'agora. La nuit était froide et bruinait capricieusement, impénétrable aux regards ; de temps en temps, un ivrogne, le pas traînant, dérangeait la sombre paix des rues ; mais les serviteurs des astynomes allaient et venaient, toujours par deux ou en groupe, portant des torches et des bâtons, et de petites patrouilles de soldats revenaient d'une garde de service religieux. Diagoras ne regardait personne et personne ne le regardait. Il y eut cependant un homme qui s'approcha de lui : il était de petite taille et portait un manteau élimé qui lui servait également de capuche ; entre ses plis se glissa prudemment, comme la patte d'une grue, un bras osseux et allongé, la paume de la main tendue.

— Par Arès guerrier, croassa-t-il d'une voix de corbeau, j'ai servi vingt ans dans l'armée athénienne, j'ai survécu à la Sicile et perdu le bras gauche. Et qu'a fait pour moi ma patrie athénienne ? Elle m'a jeté à la rue pour y chercher des os à ronger, comme les chiens. Sois plus charitable que nos gouvernants, bon citoyen !...

Dignement, Diagoras chercha des oboles dans son manteau.

— Vis aussi longtemps que les fils des dieux ! dit le mendiant, reconnaissant, et il s'éloigna.

Presque simultanément, Diagoras entendit quelqu'un l'appeler. L'obèse silhouette du Déchiffreur d'Enigmes se découpait, ourlée par la lune, à l'extrémité d'une des rues.

— Allons-y, dit Héraclès.

Ils marchèrent en silence, en s'engageant dans le quartier de Melita.

— Où m'emmènes-tu ? demanda Diagoras.

— Je veux te montrer quelque chose.

— Tu as du nouveau ?

— Je crois que je sais tout.

Héraclès parlait avec son économie de mots habituelle, mais Diagoras crut percevoir dans sa voix une tension dont il ne sut interpréter l'origine. "Cela annonce peut-être de mauvaises nouvelles", pensa-t-il.

— Dis-moi simplement si Antise et Eunio ont quelque chose à voir dans tout cela.

— Attends. Tu me le diras bientôt toi-même.

Ils avancèrent dans la rue sombre des forgerons, dans laquelle étaient regroupés les ateliers de cette profession, qui étaient fermés à cette heure tardive. Ils dépassèrent l'établissement de bains de Pidea et le petit sanctuaire d'Héphreste ; ils s'engagèrent dans une rue si étroite qu'un esclave qui portait sur le dos une perche avec deux amphores dut attendre qu'ils sortent pour pouvoir entrer ; ils traversèrent la petite place construite en l'honneur du héros Mélampe, et la lune leur servit de guide lorsqu'ils descendirent par le versant de la rue des étables et dans les ténèbres denses de la rue des tanneurs. Diagoras, qui ne s'habituait pas à ces marches silencieuses, dit :

— Par Zeus, j'espère qu'il ne s'agit pas d'une autre hétaïre que nous allons devoir poursuivre...

— Non. Nous sommes tout près.

Une rangée de ruines s'étendait le long de la rue dans laquelle ils se trouvaient. Les murs contemplaient la nuit les yeux vides.

— Tu vois ces hommes avec des torches, devant la porte de cette maison ? signala Héraclès. C'est là. Maintenant, fais ce que je te dis. Quand ils te demanderont ce que tu veux, tu répondras : "Je viens voir la représentation." Et tu leur remettras quelques oboles. Ils te laisseront passer. Je t'accompagnerai et j'en ferai de même.

— Que signifie tout cela ?

— Je t'ai déjà dit que tu me l'expliqueras plus tard. Allons-y.

Héraclès arriva le premier ; Diagoras imita ses gestes et ses paroles. Dans le ténébreux vestibule de la maison délabrée, on distinguait l'entrée d'un étroit escalier en pierre ; plusieurs hommes le descendaient. Diagoras, d'un pas tremblant, suivit le Déchiffreur et plongea dans l'obscurité. L'espace d'un instant, il ne vit que le dos robuste de son compagnon ; les marches, très hautes, requéraient toute son attention. Puis il commença à entendre les cantiques et les paroles. En bas, les ténèbres étaient différentes, comme élaborées par un autre artiste, et il avait besoin d'autres yeux ; ceux de Diagoras, par manque d'habitude, ne distinguèrent que des formes vagues. La forte odeur de vin se mêlait à celle des corps. Il y avait des gradins avec des bancs en bois, et ils s'y assirent.

— Regarde, dit Héraclès.

Au fond de la salle, un chœur de masques récitait des vers autour d'un autel situé sur une petite scène ; les choreutes élevaient les mains en montrant la paume. A travers les orifices des masques, les yeux, même sombres, semblaient vigilants. Des torches placées dans les coins éblouissaient le regard, mais Diagoras, fermant à demi les paupières, put distinguer une autre silhouette masquée derrière une table encombrée de parchemins.

— Qu'est-ce que c'est ? demanda-t-il.

— Une représentation théâtrale, dit Héraclès.

— Je sais. Je veux dire qu'est…

Le Déchiffreur lui fit signe de se taire. Le chœur avait achevé l'antistrophe et ses membres se regroupaient en file face au public. Diagoras commença à ressentir l'oppression de cet air irrespirable ; mais il n'y avait pas que l'air qui l'inquiétait : il y avait aussi l'*élan* compact des spectateurs. Ceux-ci ne constituaient pas un groupe très nombreux – il y avait des sièges vides – mais solidaire : ils dressaient la tête, balançaient leurs corps au rythme du chant, buvaient du vin dans de petites outres ; l'un d'eux, assis à côté de Diagoras, les yeux exorbités, haletait. C'était l'*élan*.

Diagoras se rappelait avoir observé cela pour la première fois lors des représentations des poètes Eschyle et Sophocle ; une participation presque religieuse, un silence tacite, intelligent, comme celui qui gît dans les paroles écrites, et bien sûr... quoi ?... Plaisir ?... Peur ?... Ivresse ?... Il n'arrivait pas à comprendre. Il lui semblait parfois que ce lourd rituel était beaucoup plus ancien que la compréhension des hommes. Il ne s'agissait pas exactement de théâtre : c'était quelque chose de préalable, d'anarchique ; il n'existait pas de beaux vers qu'un public cultivé pût traduire en de belles images ; le discours n'était presque jamais rationnel : les mères forniquaient avec leurs enfants, les pères étaient assassinés par ceux-ci, les épouses prenaient leurs maris dans des filets sanglants et inextricables, un crime se payait par un autre, la vengeance était infinie, les Furies traquaient les coupables et les innocents, les cadavres restaient sans sépulture ; partout, des hurlements de douleur d'un chœur impitoyable ; et une terreur oppressante, gigantesque, comme celle de l'homme abandonné en pleine mer. Un théâtre qui était comme l'œil d'un Cyclope qui aurait guetté le public depuis sa caverne. Diagoras avait toujours éprouvé de l'inquiétude devant ces œuvres tourmentées. Il n'était absolument pas surpris qu'elles déplaisent tant à Platon ! Où étaient, dans de tels spectacles, les doctrines morales, les règles de conduite, les qualités du poète qui doit éduquer le peuple, le... ?

— Diagoras, murmura Héraclès, observe les deux choreutes sur la droite, au deuxième rang.

L'un des acteurs s'approcha de la silhouette qui se trouvait derrière la table. D'après les hauts cothurnes qu'il portait aux pieds et le masque élaboré qui dissimulait son visage, il semblait être le coryphée. Il entreprit un dialogue stichomythique avec le personnage assis :

CORYPHÉE. – Allons, Traducteur, cherche les clés, s'il y en a.

TRADUCTEUR. – Je les cherche depuis longtemps. Mais les mots m'égarent.

CORYPHÉE. – Ainsi donc, tu penses qu'il est inutile d'insister ?

TRADUCTEUR. – Non, car je crois que tout ce qui est écrit peut être déchiffré.

CORYPHÉE. – Tu n'as pas peur d'arriver à la fin ?

TRADUCTEUR. – Pourquoi devrais-je avoir peur ?

CORYPHÉE. – Parce qu'il se peut qu'il n'existe pas de solution.

TRADUCTEUR. – Tant que j'aurai des forces, je continuerai.

CORYPHÉE. – Oh, Traducteur : tu traînes une pierre qui retombera du sommet !

TRADUCTEUR. – C'est mon destin : il serait vain de prétendre me rebeller !

CORYPHÉE. – Il semble que cela t'inspire une confiance aveugle.

TRADUCTEUR. – Il doit y avoir quelque chose derrière les mots ! Il y a toujours une signification !

— Tu les reconnais ? demanda Héraclès.

— Oh, par tous les dieux, murmura Diagoras.

CORYPHÉE. – Je vois qu'il est inutile d'essayer de te faire changer d'opinion.

TRADUCTEUR. – Tu ne te trompes pas : je suis rivé à cette chaise et à ces papyrus.

On entendit des coups de cymbale. Le chœur entonna une stase rythmique :

CHŒUR. – Je pleure sur ton destin, Traducteur, qui attache tes yeux aux paroles, en te faisant croire que tu finiras par trouver une clé dans le texte que tu traduis ! Pourquoi Athéna aux yeux de chouette a-t-elle voulu nous donner la connaissance lumineuse ?

Te voilà, malheureux, essayant, comme Tantale, d'atteindre la futile récompense de tes fatigues, mais les significations fuyantes, tu ne peux pas les attraper avec tes mains tendues ni avec ton regard expert ! Oh supplice* !

Diagoras ne voulut pas en regarder davantage. Il se leva et se dirigea vers la sortie. Les cymbales résonnèrent tellement fort que le son devint lumière, et tous clignèrent des yeux. Le chœur leva les bras :

CHŒUR. – Attention, Traducteur, attention ! Ils te surveillent ! Ils te surveillent !

— Diagoras, attends-moi ! s'exclama Héraclès Pontor.

CHŒUR. – Un danger te guette ! Tu as été averti, Traducteur** !

Dans la froide obscurité de la rue, sous l'œil vigilant de la lune, Diagoras reprit son souffle à plusieurs reprises. Le Déchiffreur, qui suivait, haletait lui aussi, mais dans son cas cela provenait de l'effort consécutif à la montée des marches.

— Tu les as reconnus ? demanda-t-il.

Diagoras fit signe que oui.

— Ils portaient des masques, mais c'étaient eux.

Ils revinrent par les mêmes rues solitaires.

----

* Oui, supplice. Nous trouvons-nous devant un message de l'auteur adressé à ses traducteurs potentiels ? Convient-il de penser que le secret de *La Caverne des idées* est de telle nature que son créateur anonyme a voulu se prémunir, en essayant de décourager tous ceux qui prétendraient le découvrir ? (*N.d.T.*)

** Cela peut sembler drôle, et tel doit être le cas, mais ici, chez moi, penché sur les papiers, j'ai cessé de traduire en parvenant à ces mots, et j'ai regardé en arrière, inquiet. Bien sûr, il n'y a que de l'obscurité (j'ai l'habitude de travailler dans mon bureau avec une lampe, rien de plus). Je dois attribuer ma conduite au mystérieux sortilège de la littérature, qui à cette heure de la nuit parvient à confondre les esprits, comme dirait Homère. (*N.d.T.*)

— Eh bien, qu'est-ce que cela signifie ? demanda Héraclès. Pourquoi Antise et Eunio viennent-ils la nuit en ces lieux, dissimulés dans de longues tuniques sombres ? Tu vas pouvoir me l'expliquer, je suppose.

— A l'Académie, nous pensons que le théâtre est un art d'imitation vulgaire, dit Diagoras avec lenteur. Nous défendons expressément à nos disciples d'assister à des représentations dramatiques, et bien sûr d'y participer. Platon pense... Enfin, nous pensons tous que la majorité des poètes est peu scrupuleuse et donne le mauvais exemple aux jeunes gens en montrant des personnages nobles qui, cependant, sont pleins de vices abjects. Le véritable théâtre, pour nous, n'est pas un amusement destiné à faire rire ou crier la plèbe. Dans le gouvernement idéal de Platon, le...

— Ce n'est manifestement pas l'avis de tous tes disciples, l'interrompit Héraclès.

Diagoras ferma les yeux, l'air peiné.

— Antise et Eunio... murmura-t-il. Je ne l'aurais jamais cru.

— Et très certainement Tramaque. Je le déplore.

— Mais quel genre d'... œuvre grotesque répétaient-ils ? Et quel était ce lieu ? Je ne connais aucun théâtre couvert dans la cité, excepté l'Odéon.

— Ah, Diagoras, Athènes respire pendant que nous pensons ! s'exclama Héraclès avec un soupir. Il y a beaucoup de choses que nos yeux ne voient pas, mais qui appartiennent également au peuple : distractions absurdes, métiers invraisemblables, activités irrationnelles... Tu ne sors jamais de ton Académie et je ne sors jamais de mon cerveau, ce qui revient au même, mais Athènes, mon cher Diagoras, n'est pas notre *idée* d'Athènes...

— Tu es maintenant de l'avis de Crantor ?

Héraclès haussa les épaules.

— Ce que j'essaie de te dire, Diagoras, c'est que la vie comporte des lieux étranges que ni toi ni moi n'avons jamais visités. L'esclave qui m'a procuré cette information m'a assuré qu'il existe dans la ville plusieurs théâtres clandestins comme celui-ci. En règle générale, il s'agit de vieilles maisons acquises à bas prix par des commerçants métèques, que ces derniers louent ensuite aux poètes. Avec cet argent, ils paient leurs lourds impôts. Bien sûr, les archontes ne permettent pas ce genre d'activité, mais, comme tu viens de le voir, le public ne manque pas... Le théâtre est un commerce assez lucratif à Athènes.

— En ce qui concerne l'œuvre...

— Je n'en connais ni le titre ni le thème, mais l'auteur : c'est une tragédie de Ménechme, le sculpteur poète. Tu l'as vu jouer ?

— Ménechme ?

— Oui, c'est l'homme qui était assis à la table, qui jouait le rôle du Traducteur. Il portait un petit masque et j'ai pu le reconnaître. Un individu réellement curieux : il a un atelier de sculpture au Céramique, où il gagne sa vie en réalisant des frises pour les maisons des nobles athéniens, et il écrit des tragédies qu'il ne fait jamais jouer officiellement, mais devant un groupe de gens "choisis", des poètes médiocres comme lui, dans ces petits théâtres secrets. J'ai effectué plusieurs vérifications dans son quartier. Il semble qu'il utilise son atelier à d'autres fins que le travail : il organise des fêtes nocturnes dans le style de celles de Syracuse, des orgies qui feraient pâlir un moricaud. Les principaux invités sont les jeunes garçons qui lui servent de modèles pour ses marbres et de choreutes dans ses œuvres...

Diagoras se retourna vers Héraclès.

— Tu n'oseras jamais insinuer... dit-il.

Héraclès haussa les épaules et soupira, comme s'il se voyait dans l'obligation d'annoncer une mauvaise nouvelle et que cela lui fît de la peine.

— Viens, dit-il. Arrêtons-nous ici et parlons.

Ils se trouvaient dans une zone dégagée, près d'une *stoa* aux murs décorés avec des peintures qui évoquaient des visages humains. L'artiste avait supprimé tous les traits à l'exception des yeux, qui restaient ouverts et vigilants. Au loin, dans la rue observée par la lune, un chien aboya.

— Diagoras, dit lentement Héraclès, malgré le fait que nous ne nous connaissons pas beaucoup, je crois te connaître un peu, et je soupçonne qu'il en va de même pour toi. Ce que je vais te dire ne te plaira pas, mais c'est la vérité, ou une partie de la vérité. Et tu m'as payé pour la connaître.

— Parle, dit Diagoras. Je t'écoute.

En employant un ton aussi délicat que les ailes d'un petit oiseau, Héraclès commença :

— Tramaque, Antise et Eunio ont mené… et mènent… une vie, disons, un peu dissipée. Ne m'en demande pas la raison : je ne crois pas que tu doives t'en sentir responsable en tant que mentor. Mais voilà les faits : l'Académie leur conseille de chasser les émotions vulgaires du plaisir physique, de même que de participer à des œuvres théâtrales, mais eux ont des relations avec des hétaïres et sont choreutes… Il leva rapidement une main, comme s'il avait senti que Diagoras se trouvait sur le point de l'interrompre. En théorie, cela n'est pas mauvais, Diagoras. Il se peut même que certains de tes collègues mentors soient au courant et le permettent. En fin de compte, cela regarde les jeunes gens. Mais dans le cas d'Antise et d'Eunio… et probablement de Tramaque… Eh bien, disons qu'ils ont un peu exagéré. Ils ont rencontré Ménechme, j'ignore encore comment, et sont devenus de fervents… disciples de sa… particulière "école" de nuit. L'esclave que j'ai engagé pour suivre Antise hier soir m'a dit que, après avoir joué au théâtre que nous avons vu, Eunio et Antise sont partis avec Ménechme à son atelier… et ont participé à une petite fête.

— Une fête… les yeux de Diagoras bougeaient, vigilants, dans leurs orbites, comme s'ils avaient voulu englober d'un seul regard la silhouette entière du Déchiffreur. Quelle fête ?

Les yeux du vieil homme surveillaient, à fleur de tête... l'atelier de sculpture... un homme mûr... plusieurs adolescents... riaient... les reflets des lampes... tandis que les adolescents attendaient... une main... la taille... Le vieil homme se passa la langue sur les lèvres... la caresse... un jeune homme, beaucoup plus beau... complètement nu... le vin renversé... Comme ça, disait-il... Le vieil homme, surpris... tandis que le sculpteur... s'approchant... lentement et doucement... plus doucement... Ah, gémit-il... pendant que les autres jeunes... des rondeurs. Alors, tous, renversés... une étrange posture... des jambes... désespérant... dans la pénombre... avec la sueur... Attends, l'entendit-il murmurer... "Incroyable", pensa le vieil homme*.

— C'est ridicule, dit Diagoras d'une voix rauque. Pourquoi ne quittent-ils pas l'Académie, alors ?

— Je l'ignore. Héraclès haussa les épaules. Peut-être veulent-ils penser le matin comme des hommes et jouir la nuit comme des animaux. Je n'ai pas la moindre idée sur la question. Mais ce n'est pas là le problème le plus grave. Ce qui est certain, c'est que leurs familles ne savent pas qu'ils mènent une double vie. La veuve Etis, par exemple, est satisfaite de l'éducation que Tramaque recevait à l'Académie... Et ne parlons pas du noble Praxinoe, le père d'Antise, qui est prytane à l'Assemblée, ou de Trisipe, le père d'Eunio, un ancien et glorieux stratège... Je me demande ce qui arriverait si les activités nocturnes de tes élèves venaient à se savoir.

---

* "La quasi-totalité de ce passage, qui décrivait sans doute la fête de Ménechme et des adolescents observée par Eumarque, a été perdue. Les mots ont été écrits avec une encre plus soluble, et beaucoup d'entre eux se sont évaporés avec le temps. Les espaces vides ont l'air de branches nues sur lesquelles se posaient les oiseaux des vocables", commente Montalo sur ce fragment en mauvais état. Puis il s'interroge : "Comment le lecteur reconstruira-t-il sa propre orgie avec les mots restants ?" *(N.d.T.)*

— Ce serait terrible pour l'Académie… murmura Diagoras.

— Oui, mais, et pour eux ? Plus encore aujourd'hui, en atteignant l'âge d'éphèbe, quand ils acquièrent les droits civiques… Quelle serait d'après toi la réaction de leurs nobles parents, qui ont tellement voulu les éduquer selon les idéaux du maître Platon ? Je crois que les premiers intéressés à ce que rien de cela ne s'ébruite sont tes élèves… sans parler de Ménechme.

Et, comme s'il n'avait maintenant plus rien à dire, Héraclès reprit sa marche solitaire dans la rue. Diagoras le suivit en silence, scrutant son visage. Héraclès dit :

— Tout ce que je t'ai raconté jusqu'alors s'approche très près de la vérité. Je vais maintenant t'expliquer mon hypothèse, que je considère comme assez plausible. A mon avis, tout allait bien pour eux jusqu'à ce que Tramaque décide de les dénoncer…

— Quoi ?

— Il est possible que sa conscience l'ait tenaillé, sachant qu'il trahissait les règles de l'Académie, qui sait. Quoi qu'il en soit, voici ma théorie : Tramaque avait décidé de parler. De tout raconter.

— Cela n'aurait pas été si terrible, s'empressa de dire Diagoras. J'aurais compris…

Héraclès l'interrompit.

— Nous ignorons ce que recouvre ce *tout*, rappelle-toi. Nous ne connaissons pas très bien la nature exacte de la relation qu'ils avaient, et qu'ils ont, avec ce Ménechme…

Héraclès fit une pause pour établir un silence suffisamment explicite. Diagoras murmura :

— Tu prétends me dire que… sa terreur dans le jardin… ?

L'expression d'Héraclès révéla que ce n'était pas là ce qu'il considérait comme l'aspect le plus important. Mais il dit :

— Oui, peut-être. Mais tu dois tenir compte du fait que je n'ai jamais voulu en savoir plus sur la prétendue terreur que tu affirmes avoir vue dans les yeux de Tramaque, mais...

— ... quelque chose que tu as vu sur son cadavre et dont tu n'as pas voulu me parler, s'impatientait Diagoras.

— Exact. Il s'avère que maintenant tout concorde. Le fait de t'avoir caché ce détail, Diagoras, obéissait au fait que ses implications sont tellement désagréables que je souhaitais tout d'abord établir un type d'hypothèse qui pourrait l'expliquer. Mais je crois que le moment de te le révéler est venu.

Soudain, Héraclès porta une main à sa bouche. Diagoras pensa un instant que le Déchiffreur voulait se bâillonner lui-même pour ne pas parler. Mais, après avoir caressé sa petite barbe argentée, Héraclès dit :

— A première vue, il s'agit de quelque chose de très simple. Le corps de Tramaque, comme tu le sais, était couvert de morsures, mais... pas *entièrement*. Je veux dire que ses bras étaient presque *indemnes*. Et c'est ce détail qui m'a surpris. La première chose que nous faisons lorsqu'on nous attaque est de lever les bras, ce sont eux qui reçoivent les premiers coups. Comment expliquer qu'une meute entière de loups *ait attaqué* le pauvre Tramaque sans presque lui blesser les bras ? Il n'y a qu'une explication possible : les loups ont trouvé Tramaque, *au mieux* inconscient, et ont commencé à le dévorer sans avoir besoin de l'affronter... Ils sont allés directement au plus sûr : ils lui ont même arraché le cœur...

— Epargne-moi les détails, répliqua Diagoras. Ce que je ne comprends pas, c'est le rapport que tout cela a avec... Il s'interrompit soudain. Le Déchiffreur l'observait fixement, comme si les yeux de Diagoras exprimaient mieux sa pensée que les paroles. Un moment : tu as dit que les loups avaient trouvé Tramaque inconscient, *au mieux*, inconscient...

— Tramaque n'est jamais parti à la chasse, continua Héraclès, impassible. Mon hypothèse est qu'il

142

allait tout raconter. Ménechme… et j'aimerais penser que *c'était Ménechme*… lui avait probablement donné rendez-vous ce jour-là aux abords de la ville pour parvenir à une sorte d'accord avec lui. Il y a eu une discussion… et peut-être une lutte. Il se peut également que Ménechme ait déjà pensé à faire taire Tramaque de la pire des façons. Ensuite, les loups, par hasard, ont fait disparaître les preuves. Maintenant, ce n'est qu'une hypothèse…

— D'accord, parce que Tramaque pouvait être simplement en train de dormir quand les loups l'ont trouvé, fit remarquer Diagoras.

Héraclès hocha la tête en signe de dénégation.

— Un homme qui dort est capable de se réveiller et de se défendre… Non, je ne le crois pas : les blessures de Tramaque prouvent qu'*il ne s'est pas défendu*. Les loups ont trouvé un corps immobile.

— Mais il se peut que…

— … qu'il ait perdu connaissance pour toute autre raison, non ? C'est ce que j'ai d'abord cru, c'est pour cela que je ne voulais pas te faire part de mes soupçons. Mais s'il en est ainsi, pourquoi Antise et Eunio ont-ils commencé à avoir peur à la mort de leur ami ? Antise a même décidé de quitter Athènes…

— Ils craignent peut-être que nous découvrions la double vie qu'ils mènent.

Héraclès répliqua immédiatement, comme s'il considérait comme terrain familier toutes les suggestions que pourrait lui faire Diagoras :

— Tu oublies le dernier détail : s'ils ont peur à ce point d'être découverts, pourquoi poursuivent-ils leurs activités ? Je ne nie pas qu'ils soient inquiets d'être découverts, mais je crois que Ménechme les inquiète *beaucoup plus*… Je t'ai déjà dit que j'ai fait mon enquête à son sujet. C'est un individu irascible et violent, à la force physique particulière malgré sa minceur. Il se peut qu'aujourd'hui Antise et Eunio sachent de quoi il est capable, et ils sont terrifiés.

Le philosophe ferma les yeux et pinça les lèvres. Il était suffoqué par la colère.

— Ce… maudit, marmonna-t-il. Que suggères-tu ? De l'accuser publiquement ?

— Pas encore. Nous devons d'abord nous assurer du degré de culpabilité de chacun d'eux. Il nous faudra ensuite savoir ce qui est arrivé à Tramaque. Et enfin… le visage d'Héraclès adopta une expression étrange. Le plus important : être sûr que la sensation désagréable qui niche en moi depuis que j'ai accepté ce travail, une sensation qui est comme un grand œil qui surveillerait mes sentiments, soit erronée…

— Quelle sensation ?

Le regard d'Héraclès, perdu dans l'air de la nuit, était insondable. Après une pause, il répondit lentement :

— Celle, pour la première fois de ma vie, de me tromper *complètement**.

Il était là, ses yeux pouvaient le voir dans l'obscurité : il n'avait cessé de le chercher, attentivement, entre les spirales opaques en pierre de la caverne. C'était le même, il n'y avait aucun doute. Il le reconnut, comme d'autres fois, au bruit : une sourde palpitation, comme le poing recouvert de cuir d'un pugiliste qui lui aurait frappé, à intervalles réguliers, l'intérieur de la tête. Mais ce n'était pas là ce qui comptait. Ce qui était absurde, illogique, ce que son œil rationnel se refusait à accepter, était la présence

---

* "Yeux" et "vigilants" sont deux mots très fréquents dans cette dernière partie, et correspondent aux vers que l'auteur met dans la bouche du chœur : "Ils te surveillent." L'eidesis de ce chapitre est donc double : d'un côté les travaux d'Hercule se poursuivent avec l'image des oiseaux du lac Stymphale ; d'un autre on parle d'un "Traducteur" et d'"yeux qui surveillent". Qu'est-ce que cela peut signifier ? Le "Traducteur" doit-il "surveiller" quelque chose ? Quelqu'un "surveille-t-il" le "Traducteur" ? Aristide, l'ami érudit de Montalo, me recevra demain chez lui. *(N.d.T.)*

flottante du bras dont la main serrait fortement les viscères. Là, derrière son épaule, c'était là qu'il devait regarder. Mais pourquoi les ombres s'épaississaient-elles précisément à cet endroit ? Ecartez-vous, ténèbres ! Il devait savoir ce qui se cachait dans cette coagulation de noirceur, quel corps, quelle image. Les battements redoublèrent. Assourdi, il se réveilla brusquement... et constata avec incrédulité que les bruits continuaient.

Quelqu'un donnait de grands coups dans sa porte.

— Qu'est-ce... ?

Il ne rêvait pas : l'appel était pressant. Il tâtonna avant de trouver son manteau, soigneusement plié sur un siège près du lit. Par la légère égratignure pratiquée par la petite fenêtre de sa chambre, filtrait à peine le regard vigilant de l'Aube. Quand il s'engagea dans le couloir, un visage ovale, consistant en tout et pour tout en les ouvertures noires des yeux, s'approcha en flottant dans l'air.

— Ponsica, ouvre la porte !... dit-il.

Au début, sottement, il s'inquiéta qu'elle ne lui répondît pas. "Par Zeus, je suis encore endormi : Ponsica ne peut parler." L'esclave eut des gestes nerveux de la main droite ; de la gauche, elle soutenait une lampe à huile.

— Quoi ?... Peur ? Tu as peur ?... Ne sois pas stupide !... Nous devons ouvrir la porte !

En grommelant, il écarta la jeune fille d'une poussée et se dirigea vers le vestibule. Les coups se répétèrent. Il n'y avait pas de lumière, il se rappela que c'était elle qui portait la seule lampe, de sorte qu'en ouvrant le terrible rêve qu'il avait fait quelques instants plus tôt seulement, tellement semblable à celui de la veille, effleura sa mémoire comme une toile d'araignée caresse les yeux distraits de celui qui, sans surveiller ses pas, avance dans la pénombre d'une maison ancienne. Sur le seuil, ce n'était pourtant pas une main étreignant un cœur palpitant qui l'attendait, mais la silhouette d'un homme. L'arrivée de Ponsica avec la lumière dévoila presque simultanément son visage : âge moyen, yeux vigilants et chassieux, il portait le manteau gris des esclaves.

— Je suis envoyé par mon maître Diagoras avec un message pour Héraclès Pontor, dit-il, avec un fort accent béotien.

— Je suis Héraclès Pontor. Parle.

L'esclave, un peu intimidé par la présence inquiétante de Ponsica, obéit, indécis :

— Le message est : "Viens le plus vite possible. Il y a eu une autre mort*."

---

* Ici s'achève le chapitre v. J'ai fini de le traduire après ma conversation avec le professeur Aristide. Aristide est un homme affable et cordial, aux gestes amples et au sourire rare. Comme le personnage de Ponsica dans ce livre, il semble parler davantage avec les mains qu'avec le visage, dont il contrôle les expressions par une discipline de fer. Ce sont peut-être ses yeux... j'allais dire "vigilants" – l'eidesis s'est également infiltrée dans mes pensées –, ce sont peut-être ses yeux, dis-je, le seul détail mobile et humain dans ce désert aux traits potelés et à la barbiche noire et pointue dans le style oriental. Il me reçut dans le vaste salon de sa maison. "Soyez le bienvenu", me dit-il derrière son bref sourire, et il désigna l'une des chaises qui se trouvaient devant la table. Je commençai à lui parler de l'œuvre. Aristide n'avait pas du tout entendu parler de l'existence de *La Caverne des idées*, d'auteur inconnu, écrite à la fin de la guerre du Péloponnèse. Le thème retint également son attention. Mais il trancha les deux questions d'un geste vague, me donnant à entendre que, si Montalo s'y était intéressé, cela signifiait que l'œuvre en "valait la peine".

Quand je lui mentionnai l'eidesis, il adopta une expression plus concentrée.

— C'est curieux, dit-il, mais Montalo a consacré ses dernières années de vie à l'étude des textes eidétiques : il a traduit bon nombre d'entre eux et a élaboré la version définitive de plusieurs originaux. Je dirais même qu'il était obsédé par l'eidesis. Et ce n'est pas rien : je connais des collègues qui ont consacré leur vie à découvrir la clé d'une œuvre eidétique. Je t'assure qu'elles peuvent devenir le pire venin qu'offre la littérature – il se gratta une oreille. Ne crois pas que j'exagère : moi-même, lorsque je traduisais certaines d'entre elles, je ne pouvais éviter de rêver des images que je découvrais. Elles te jouent parfois de mauvais tours. Je me rappelle un traité astronomique d'Alcée de Quiridon où l'on répétait, sous toutes ses variantes, le mot "rouge" presque toujours accompagné de deux autres : "tête" et "femme". Eh bien : je me suis mis à rêver d'une belle femme rousse... Son visage... j'ai même pu le voir... me tourmentait – il fit une grimace. J'ai fini par apprendre, par un autre texte qui m'est tombé par hasard entre les mains, qu'une ancienne maîtresse de l'auteur avait été condamnée à mort dans un jugement injuste : le pauvre homme avait dissimulé sous une eidesis l'image de sa décapitation. Tu peux imaginer quelle terrible surprise j'ai eue... Ce beau fantôme aux cheveux roux... soudain transformé en une tête fraîchement coupée ruisselant de sang – il haussa les sourcils et me regarda, comme pour m'inviter à partager sa désillusion. Ecrire est étrange, mon ami : à mon avis, la première activité la plus étrange et terrible à laquelle un homme puisse se livrer est l'écriture, et il ajouta, en retrouvant son sourire parcimonieux : Lire est la deuxième.

— Mais au sujet de Montalo...

— Oui, oui. Il est allé beaucoup plus loin dans son obsession de l'eidesis. Il pensait que les textes eidétiques pouvaient constituer une preuve irréfutable de la théorie des Idées de Platon. Je suppose que tu la connais...

— Naturellement, répliquai-je. Tout le monde la connaît. Platon affirmait que les idées existaient indépendamment de nos pensées. Il disait que c'étaient des entités réelles, et même beaucoup plus réelles que les êtres et les objets.

Il ne sembla pas tellement apprécier mon résumé de l'œuvre platonique, mais sa tête petite et grassouillette s'agita en un geste d'assentiment.

— Oui... dit-il en hésitant. Montalo croyait que, si un texte eidétique quelconque évoquait chez *tous* les lecteurs la *même* idée cachée, cela *prouverait* que les idées possèdent une existence propre. Son raisonnement, si puéril nous semble-t-il, n'était pas sans fondement : si tout le monde est capable de trouver une table dans cette pièce, la *même* table, cela signifie que cette table existe. Et puis, et c'est ici le point qui intéressait le plus Montalo, s'il se produisait un tel consensus chez les lecteurs, cela prouverait également que le monde est rationnel, et donc bon, beau et juste.

— Je n'ai pas saisi ce dernier point.

— C'est un corollaire dérivé du précédent : si nous trouvons tous une idée dans une image eidétique, les Idées existent, et si les Idées existent, le monde est rationnel, comme Platon et la majorité des anciens Grecs le concevaient ; et un monde rationnel, fait à la mesure de nos pensées et idéaux, qu'est-ce d'autre qu'un monde bon, beau et juste ?

— Par conséquent, murmurai-je, étonné, pour Montalo, un texte eidétique représentait rien moins que... la clé de l'existence.

— Quelque chose comme ça – Aristide lança un bref soupir et contempla les ongles nets de ses doigts. Je suis désolé de te dire qu'il n'a jamais trouvé la preuve qu'il cherchait. Peut-être cette frustration fut-elle la principale responsable de sa maladie...

— Maladie ?

Il haussa un sourcil avec une curieuse dextérité.

— Montalo devint fou. Il passa les dernières années de sa vie cloîtré chez lui. Nous savions tous qu'il était malade et n'acceptait pas de visites, aussi l'avons-nous laissé décliner en paix. Et un jour, on a retrouvé son corps dévoré par les bêtes... dans le bois tout proche. Il avait sûrement erré au hasard, au cours d'un de ses accès de folie, il s'était évanoui et... sa voix s'éteignit peu à peu, comme s'il avait voulu refléter – eidétiquement ? – par ce ton la triste fin de son ami. Enfin, il conclut en une seule phrase, à la limite de l'audition humaine : Quelle mort horrible...

— Ses bras étaient-ils intacts ? demandai-je stupidement. *(N.d.T.)*

VI*

Le cadavre était celui d'une jeune fille : elle portait
un voile sur le visage, un péplum lui couvrait également les cheveux et elle avait un manteau autour
des bras ; elle était allongée de profil sur l'infini graf-
fiti des décombres et, à la position de ses jambes,
nues jusqu'aux cuisses et pas désagréables à observer, même dans ces circonstances, on aurait dit que
la mort l'avait surprise alors qu'elle courait ou bon-
dissait le péplum relevé ; la main gauche était fermée,
comme dans les jeux dans lesquels les enfants
cachent des choses, mais la droite tenait une dague
dont la lame, d'un pouce de longueur, semblait
avoir été forgée dans le sang. Elle était pieds nus.
Pour le reste, il ne semblait pas y avoir dans sa svelte
anatomie, du cou aux mollets, d'endroit que les blessures n'eussent transpercé : courtes, longues, linéaires,
courbes, triangulaires, carrées, profondes, superfi-
cielles, légères, graves ; le péplum tout entier avait
été lacéré ; le sang salissait le bord des déchirures.
La vision, triste, n'était qu'un préambule : une fois
nu, le corps dévoilerait sans doute les épouvantables
mutilations que laissaient présager les proémi-
nences grotesques du vêtement, sous lesquelles les
humeurs s'accumulaient en excroissances sales semblables à des plantes aquatiques observées depuis

---

* "Sale, truffé de corrections et de taches, phrases illisibles ou
tronquées", affirme Montalo au sujet d'un papyrus du sixième
chapitre. (N.d.T.)

la surface d'une eau cristalline. Cette mort ne semblait pas révéler d'autre surprise.

Il y en *avait* pourtant une : en soulevant le voile qui recouvrait le visage du cadavre, Héraclès découvrit les traits d'un homme.

— Ah, tu es étonné, Déchiffreur ! cria l'astynome, avec une joie féminine. Par Zeus, je ne t'en blâme pas ! Moi-même je n'ai pas voulu le croire quand mes serviteurs me l'ont raconté !… Et maintenant, permets-moi de te poser une question : que fais-tu ici ? Cet aimable individu, dit-il en désignant l'homme chauve, m'a assuré que cela t'intéresserait de voir le corps. Mais je ne comprends pas pourquoi. Il n'y a rien à déchiffrer, je pense, à part le sombre motif qui a inspiré cet éphèbe… ! Il se retourna soudain vers l'homme chauve. Comment m'as-tu dit qu'il s'appelait ?

— Eunio, dit Diagoras comme s'il parlait en rêve.

— … le sombre motif qui a poussé Eunio à se déguiser en courtisane, à se saouler et à s'infliger ces épouvantables blessures… Que cherches-tu ?

Héraclès relevait doucement les bords du péplum.

— Ta, ta, ta, ba, ba, ba, chantonnait-il.

Le cadavre semblait étonné par cette humiliante exploration : il contemplait le ciel de l'aube de son œil unique – l'autre, qui avait été arraché et pendait au bout d'une subtile viscosité, regardait l'intérieur d'une oreille : de la bouche ouverte dépassait, moqueur, le muscle de la langue, coupé en deux.

— Peut-on savoir ce que tu regardes ? s'exclama l'astynome, impatient, car il désirait en finir avec son travail. Il était chargé de nettoyer la ville des excréments et des ordures, et de veiller au destin des morts que l'on y retrouvait, et l'apparition matinale de ce cadavre sur un terrain vague couvert de décombres et de déchets dans le quartier du Céramique intérieur relevait de sa responsabilité.

— Pourquoi es-tu si sûr que c'est Eunio lui-même qui s'est fait tout cela, astynome ? demanda Héraclès, maintenant occupé à ouvrir la main gauche du cadavre.

L'astynome savoura son grand moment. Son petit visage brillant fut sali par un sourire grotesque.

— Je n'ai pas eu besoin d'engager un Déchiffreur pour le savoir ! braillat-il. As-tu senti ses vêtements repoussants ?… Ils empestent le vin !… Et il y a des *témoins* qui l'ont vu se mutiler lui-même avec cette dague…

— Des témoins ? Héraclès n'avait pas l'air impressionné. Il avait trouvé quelque chose – un petit objet que le cadavre tenait dans sa main gauche – et l'avait mis dans son manteau.

— Très respectables. L'un d'eux, ici présent…

Héraclès releva la tête.

L'astynome désignait Diagoras*.

Ils présentèrent leurs condoléances à Trisipe, le père d'Eunio. La nouvelle s'était répandue rapidement et il y avait beaucoup de monde quand ils arrivèrent, principalement la famille et les amis, car Trisipe était très respecté : comme stratège, on se rappelait ses exploits en Sicile et, mieux encore, il faisait partie des rares combattants qui étaient revenus pour le lui raconter. Au cas où quelqu'un en aurait douté, son histoire était écrite en cicatrices sales sur le cimetière de son visage, "qui avait noirci

---

* "Les phrases semblent rechercher volontairement la vulgarité. La prose a perdu le lyrisme des chapitres précédents : la satire est apparue, l'humour vain de la comédie, le mordant, la répugnance. Le style a l'air d'un résidu de l'original, un déchet rejeté dans ce chapitre", affirme Montalo, et je suis entièrement de son avis. J'ajouterais que les images de "saleté" et de "décombres" semblent annoncer que le travail occulte est celui des écuries d'Augias, où le héros doit nettoyer les excréments des écuries du roi d'Elide. C'est plus ou moins ce que Montalo a dû faire : "J'ai nettoyé le texte des phrases mal construites et soigné quelques expressions ; le résultat n'est pas merveilleux, mais, au moins, il est plus hygiénique." *(N.d.T.)*

pendant le siège de Syracuse", comme il le disait habituellement : il était plus fier de l'une d'entre elles que de tous les honneurs reçus au cours de sa vie, il s'agissait d'un sillon tranchant, oblique, qui allait de la partie gauche de son front à la joue droite, infectant dans sa descente la pupille humide, produit d'un coup d'épée reçu à Syracuse ; son aspect, avec cette crevasse blanche sur la peau bronzée et le globe oculaire tellement semblable au blanc d'œuf, n'était pas très agréable à regarder, mais digne. Beaucoup de beaux jeunes gens l'enviaient.

Il régnait une grande agitation chez Trisipe. Mais on avait la sensation qu'il en était toujours ainsi, peu importait que ce jour fût exceptionnel : quand Diagoras et l'astynome arrivèrent – le Déchiffreur les suivait, car, pour une raison quelconque, il n'avait pas voulu se joindre à eux –, deux esclaves essayaient de sortir avec de gros paniers de déchets provenant peut-être de l'un des copieux banquets qu'offrait généralement le militaire aux prud'hommes de la ville. Il était presque impossible de franchir la porte en raison des multiples groupes de gens qui se tenaient devant elle : ils posaient des questions ; ils ne comprenaient pas ; ils donnaient des avis sans savoir ; ils observaient ; ils se lamentaient quand les cris rituels des femmes interrompaient leurs conversations. La mort n'était pas le seul thème de cette réunion animée : il y avait aussi, et surtout, la *puanteur*. La mort d'Eunio *puait*. Habillé en courtisane ? Mais... Ivre ?... Fou ?... Le fils aîné de Trisipe ?... Eunio, le fils du stratège ?... L'éphèbe de l'Académie ?... Un couteau ?... Mais... Il était encore trop tôt pour échafauder des théories, des explications, des énigmes : l'intérêt général, pour l'instant, se concentrait sur les faits. Les faits étaient comme des ordures sous le lit : personne ne savait exactement ce qu'ils avaient été, mais tous sentaient leur mauvaise odeur.

Trisipe, assis comme un patriarche sur une chaise du cénacle et entouré de familiers et d'amis, recevait les témoignages de condoléances sans se soucier de savoir d'où ils émanaient : il tendait une main ou les deux, redressait la tête, remerciait, se montrait confus, ni triste ni irrité mais confus – c'était ce qui le rendait digne de compassion –, comme si la présence de tous ces gens avait fini par le déconcerter, et il se préparait à élever la voix et à improviser un discours funèbre. L'émotion avait accentué la couleur bronze de son visage, duquel pendait une barbe grise en désordre, accentuant la blancheur sale de sa cicatrice et lui donnant une étrange apparence d'homme mal construit, élaboré par morceaux. Il sembla trouver enfin les mots adéquats et, après avoir faiblement imposé le silence, dit :

— Merci à tous. Si je possédais autant de bras que Briarée, j'aimerais les utiliser, comprenez-moi, pour vous serrer fort contre moi. Aujourd'hui je vois avec plaisir que mon fils était aimé... Permettez-moi de vous honorer par ces quelques mots d'éloge*...

— Je croyais connaître mon fils, dit Trisipe quand il eut achevé son discours. Il était respectueux des Mystères sacrés, bien que ce fût le seul dévot de notre famille ; et on le considérait comme un bon élève à l'école de Platon... Son mentor, ici présent, peut en témoigner...

Tous les visages se tournèrent vers Diagoras, qui rougit.

— C'est exact, dit-il.

---

* Lacune du texte. D'après Montalo : "Trente lignes ont été entièrement recouvertes par une énorme tache de couleur marron, elliptique, inattendue. Quel dommage ! Le discours de Trisipe perdu pour la postérité !..."
Je regagne mon bureau après un curieux incident : je rédigeais cette note quand j'ai senti un mouvement étrange dans mon jardin. Il fait beau, et j'avais laissé la fenêtre ouverte : même la nuit, j'aime voir la rangée de petits pommiers qui marque la limite de ma modeste propriété. Comme le plus proche voisin se trouve à un jet de pierre de ces arbres, je ne suis pas habitué à être dérangé par les gens, et encore

Trisipe fit une pause pour respirer par le nez et préparer un peu plus de salive sale : chaque fois qu'il parlait, il avait l'habitude de l'expulser avec une précision calculée à travers l'une des commissures de ses lèvres, celle qui semblait la plus fragile, bien qu'on ne pût savoir avec certitude s'il changeait de commissure après les pauses de ses discours prolongés. Comme il parlait toujours en militaire, il n'attendait jamais de réponse ; aussi s'étendait-il inutilement quand le thème était plus qu'épuisé. A ce moment, cependant, même le plus grand partisan de la concision n'aurait pas considéré que le thème était épuisé. Au contraire, tous écoutaient ses paroles avec un intérêt presque maladif :

— On m'a dit qu'il avait bu… qu'il s'était habillé en femme et s'était déchiqueté avec une dague… Il cracha des gouttes de salive en poursuivant : Mon fils ? Mon Eunio ?… Non, il n'aurait jamais fait une chose aussi… *puante*. Vous parlez d'un autre, pas de mon Eunio !… Il est devenu fou, dit-on ! Il a perdu l'esprit en une nuit et a de la sorte offensé le temple de son corps vertueux… Par Zeus et Athéna Portégide, c'est faux, je devrais alors croire que mon fils était un inconnu pour son propre père ! Qui plus est, que vous êtes tous aussi énigmatiques pour moi que le dessein des dieux ! Si ces ordures

_____

moins au petit matin. Eh bien, j'étais plongé dans les paroles de Montalo quand j'ai remarqué à la dérobée une vague silhouette qui se déplaçait entre les pommiers, comme si elle cherchait le meilleur angle pour m'épier. Inutile de dire que je me suis rendu à la fenêtre ; à ce moment, j'ai vu quelqu'un partir en courant depuis les arbres situés sur la droite ; je lui ai crié en vain de s'arrêter ; j'ignore qui c'était, j'ai à peine aperçu une silhouette. Je suis retourné à mon travail avec une certaine appréhension car, vivant seul, je constitue un morceau de choix pour l'appétit des voleurs. Maintenant la fenêtre est fermée. Enfin, cela n'a probablement pas d'importance. Je poursuis la traduction à partir de la ligne lisible suivante : "Je croyais connaître mon fils…" *(N.d.T.)*

sont vraies, je croirai à partir d'aujourd'hui que vos visages, vos témoignages de douleur et vos regards de compréhension sont aussi sales qu'une charogne sans sépulture !…

Il y eut des murmures. A en juger par les expressions d'indifférence, on aurait dit que presque tous étaient d'accord pour être considérés comme "une charogne sans sépulture", mais que personne n'était prêt à modifier en rien son opinion sur ce qui s'était passé. Il y avait des témoins dignes de foi, comme Diagoras, qui affirmaient, bien qu'avec réticence, avoir vu Eunio ivre et devenu fou, vêtu d'un péplum et d'un manteau de lin, s'infligeant des blessures plus ou moins importantes sur tout le corps. Diagoras précisa qu'il l'avait trouvé par pur hasard : "Je rentrais chez moi hier soir quand je l'ai vu. Au début, j'ai cru qu'il s'agissait d'une hétaïre ; puis il m'a salué, j'ai alors pu le reconnaître. Mais j'ai vu qu'il était ivre, ou fou. Il s'infligeait des égratignures avec la dague, et il riait en même temps, je n'ai pas eu tout de suite conscience de la gravité de la situation. Quand j'ai voulu l'arrêter, il s'était déjà enfui. Il se dirigeait vers le Céramique intérieur. Je me suis empressé de chercher de l'aide : j'ai rencontré Ipsyle, Deolpos et Argelao, qui sont quelques-uns de mes anciens disciples, et… ils avaient eux aussi vu Eunio… Nous avons fini par prévenir les soldats… mais trop tard…"

Quand Diagoras cessa d'être le centre de l'attention, il chercha le Déchiffreur du regard. Il le trouva sur le point de s'enfuir par la porte, en évitant les gens. Il courut derrière lui et parvint à le rattraper dans la rue, mais Héraclès ne l'écouta pas. Enfin, Diagoras tira sur son manteau.

— Attends !… Où vas-tu ?

Le regard d'Héraclès le fit reculer.

— Engage un autre Déchiffreur qui saura écouter les mensonges mieux que moi, Diagoras de Medonte, dit-il avec une fureur glacée. Je considérerai que la moitié de l'argent que tu m'as versé jusqu'à présent constitue mes honoraires : mon esclave te remettra le reste quand tu le souhaiteras. Bonne journée...

— S'il te plaît ! supplia Diagoras. Attends !... Je...

Ces yeux froids et impitoyables l'intimidèrent à nouveau. Diagoras n'avait jamais vu le Déchiffreur aussi fâché.

— Ce n'est pas tant le fait que tu m'aies trompé qui m'offense que ta sotte prétention à pouvoir *me tromper*... Je considère cela comme impardonnable, Diagoras !

— Je n'ai pas voulu te tromper !

— Alors, mes félicitations au maître Platon, car il t'a enseigné l'art difficile de mentir sans le vouloir.

— Tu travailles encore pour *moi* ! s'irrita Diagoras.

— Tu oublies à nouveau qu'il s'agit de *mon* travail ?

— Héraclès... Diagoras préféra baisser la voix, car il remarquait la présence de trop nombreux curieux agglomérés comme des déchets autour de la discussion. Héraclès, ne m'abandonne pas maintenant... Après ce qui est arrivé, je ne peux plus avoir confiance en personne d'autre que toi !...

— Affirme encore que tu as vu cet éphèbe habillé en jeune fille en train de se découper des morceaux de chair devant tes yeux, et je jure par le péplum d'Athéna Polyadès que tu n'entendras plus parler de moi !

— Viens, je t'en prie... Cherchons un lieu tranquille pour parler...

Mais Héraclès poursuivit :

— Etrange façon d'aider tes élèves, oh mentor ! En couvrant de fumier la réalité, tu crois contribuer à la découvrir ?

— Je ne prétends pas aider les élèves mais l'Académie ! La tête sphérique de Diagoras tout entière avait rougi ; il haletait, son regard était humide. Il avait réussi une chose curieuse : crier sans fracas, ternir sa voix jusqu'à parvenir à un cri intérieur, comme pour faire savoir à Héraclès – mais à lui seul – qu'il avait crié. Et avec la même magie vocale, il ajouta : L'Académie doit rester en dehors de tout cela !... Jure-le-moi !

— Je n'ai pas pour habitude d'offrir mes serments à ceux qui recourent aussi facilement au mensonge !

— Je tuerais, s'exclama Diagoras au sommet de son hurlement inversé, écoute-moi bien, Héraclès, je tuerais pour aider l'Académie… !

Héraclès aurait ri s'il n'avait pas été aussi indigné ; il pensa que Diagoras avait découvert le "murmurement" : la façon d'assourdir son interlocuteur par des murmures spasmodiques. Ses cris étouffés étaient comme ceux d'un enfant qui, craignant que son camarade ne lui arrache le merveilleux jouet de l'Académie – le mot sur lequel sa voix se taisait presque complètement, de sorte qu'Héraclès ne pouvait le deviner qu'aux mouvements de sa bouche –, tente de l'en empêcher par tous les moyens, mais au milieu d'un cours et sans que le maître s'en aperçoive.

— Je tuerais ! répéta Diagoras. Alors que représente pour moi un mensonge, comparé au fait de nuire à l'Académie ?… Le pire doit céder le passage au meilleur ! Ce qui a le moins de valeur doit être sacrifié à ce qui en a le plus !…

— Sacrifie-toi donc, Diagoras, et dis-moi la vérité, répliqua Héraclès avec un grand calme et une certaine ironie, parce que je t'assure que, à mes yeux, tu n'as jamais eu moins de valeur qu'actuellement.

Ils marchaient sur la *stoa* Poïkilê. C'était l'heure du ménage, et les esclaves dansaient avec les balais en bambou, balayant les déchets accumulés la veille. Ce bruit multiple et vulgaire, semblable à un caquetage de vieilles femmes, imprimait – Héraclès ne savait pas très bien pourquoi – une certaine dérision de fond à l'attitude passionnée et transcendante de Diagoras, lequel, toujours incapable de donner une tournure frivole aux choses, montrait à ce moment, et plus que jamais, toute la gravité que requérait la situation : avec son attitude songeuse, son langage d'orateur à l'Assemblée et ses profonds soupirs interrupteurs.

— Moi… en fait, je n'avais pas revu Eunio depuis hier soir, quand nous l'avons laissé à son interprétation de cette pièce de théâtre… Ce matin, un peu avant l'aube, un de mes esclaves m'a réveillé pour me dire que les serviteurs des astynomes avaient trouvé son cadavre au milieu des décombres d'un terrain vague du Céramique intérieur. Quand il m'a donné les détails, j'ai été horrifié… La première chose à laquelle j'ai pensé a été : "Je dois protéger l'honneur de l'Académie…"

— Le déshonneur d'une famille est-il préférable à celui d'une institution ? demanda Héraclès.

— Tu crois que non ? Si l'institution, comme c'est le cas, est beaucoup plus qualifiée que la famille pour gouverner et instruire noblement les hommes, la famille doit-elle survivre plutôt que l'institution ?

— Et de quelle façon nuirait-on à l'institution si l'on rendait public le fait qu'Eunio puisse avoir été assassiné ?

— Si tu trouves de la pourriture dans l'une de ces figues, dit Diagoras en désignant celle qu'Héraclès portait à sa bouche, et que tu ignores quelle peut en être l'origine, auras-tu confiance en les autres fruits du même figuier ?

— Peut-être pas – Héraclès pensait que poser des questions aux platoniciens consistait principalement à répondre à leurs questions.

— Mais si tu trouvais une figue sale par terre, poursuivit Diagoras, penserais-tu que le figuier est responsable de sa saleté ?

— Bien sûr que non.

— Eh bien j'ai pensé la même chose. Mon raisonnement a été le suivant : "Si Eunio a été le seul responsable de sa mort, l'Académie n'en pâtira pas et, même, les gens se réjouiront de ce que la figue malade ait été écartée des figues saines, mais s'il y a quelqu'un derrière la mort d'Eunio comment éviter le chaos, la panique, le soupçon ?" Qui plus est, pense à la possibilité que chacun de nos détracteurs – et nous en avons beaucoup – songe à établir des comparaisons dangereuses avec la mort de Tramaque... Tu imagines ce qu'il arriverait si la nouvelle se répandait que quelqu'un tue nos élèves ?

— Tu oublies un détail stupide, sourit Héraclès. Par ta décision, tu contribues à laisser impuni l'assassinat d'Eunio...

— Non ! s'exclama Diagoras sur un ton triomphal pour la première fois. C'est là que tu te trompes. Je pensais te dire la vérité *à toi*. De la sorte, tu continuerais à faire des recherches en secret, sans risque pour l'Académie, et tu prendrais le coupable...

— Un plan magistral, ironisa le Déchiffreur. Dismoi, Diagoras, comment as-tu fait ? Je veux dire, as-tu aussi placé la dague dans sa main ? En rougissant, le philosophe reprit son attitude abattue et transcendante.

— Non, par Zeus, il ne me serait jamais venu à l'idée de toucher le cadavre !... Quand l'esclave m'a conduit sur les lieux, tous les serviteurs de l'astynome et l'astynome lui-même étaient présents. Je leur ai fourni la version que j'avais élaborée en chemin et leur ai donné les noms d'anciens disciples dont je savais qu'ils confirmeraient mes dires si nécessaire... En voyant le poignard dans sa main et en sentant cette forte odeur de vin, j'ai pensé précisément que mon explication était plausible... En fait, pourquoi les choses ne se seraient-elles pas passées ainsi, Héraclès ? L'astynome, qui avait examiné le corps, m'a dit que toutes les blessures étaient à la portée de sa main droite... Il n'y avait pas de coupures dans le dos, par exemple... On aurait vraiment dit que c'était lui qui...

Diagoras se tut en voyant refluer la colère dans le regard froid du Déchiffreur.

— S'il te plaît, Diagoras, n'offense pas mon intelligence en citant l'opinion d'un misérable éboueur tel que l'astynome... Je suis Déchiffreur d'Enigmes.

— Qu'est-ce qui te fait penser qu'Eunio a été assassiné ? Il sentait le vin, il était habillé en femme, il tenait une dague de la main droite et pouvait s'être fait lui-même toutes ces blessures... Je connais plusieurs cas horribles en rapport avec les effets du vin pur sur les esprits jeunes. Ce matin même il m'est revenu en mémoire celui d'un éphèbe de mon *dêmos*, qui s'est saoulé pour la première fois au cours des Lénéennes et s'est frappé la tête contre un mur jusqu'à en mourir... Ainsi donc, j'ai pensé...

— Tu t'es mis à penser, comme toujours, l'interrompit Héraclès placidement, et moi, je me suis contenté d'examiner le corps : voilà la grande différence entre un philosophe et un Déchiffreur.

— Et qu'as-tu trouvé sur le corps ?

— Le vêtement. Le péplum qu'il portait sur lui, et qui était déchiré par les coups de couteau...

— Oui, et puis ?

— Les déchirures n'avaient pas de rapport avec les blessures qui se trouvaient *dessous*. Même un enfant aurait pu s'en rendre compte... Enfin, pas un enfant, mais moi si. Il m'a suffi d'un simple examen pour constater que, sur la déchirure linéaire de la toile, gisait une blessure circulaire, et que celle produite par une piqûre très profonde correspondait, sur la peau, à un trajet rectiligne et superficiel... Il est évident que quelqu'un *l'a habillé* en femme *après* qu'il a eu reçu les coups de poignard... en prenant soin de déchirer et de tacher le vêtement de sang auparavant, bien sûr.

— Incroyable, admira sincèrement Diagoras.

— Cela consiste simplement à savoir voir les choses, répliqua le Déchiffreur, indifférent. Comme si cela ne suffisait pas, notre assassin a également commis une erreur sur un autre détail : il n'y avait pas de sang près du cadavre. Si Eunio s'était lui-même ces coupures sauvages, les décombres et les déchets environnants porteraient au moins les traces d'un filet de sang. Mais il n'y avait pas de sang dans les décombres : c'étaient des ordures propres, si je peux m'exprimer ainsi. Ce qui signifie qu'Eunio n'a pas reçu les coups de poignard *à cet endroit* mais qu'il a été tué ailleurs et transporté ensuite dans cette zone en ruine du Céramique intérieur...

— Oh, par Zeus...

— Cette dernière erreur a peut-être été *décisive*, Héraclès entrouvrit les yeux et lissa sa barbe argentée en méditant. Puis il dit : De toute façon, je ne comprends pas encore pourquoi ils ont habillé Eunio en femme et ont placé *ça* dans sa main...

Il sortit l'objet de son manteau. Ils le contemplèrent tous deux en silence.

— Pourquoi crois-tu que c'est quelqu'un d'autre qui l'y a placé ? demanda Diagoras. Eunio aurait pu le prendre avant de...

Héraclès agita la tête en signe de dénégation, impatient.

— Le cadavre d'Eunio ne saignait plus et il était rigide, expliqua-t-il. Si Eunio avait eu *ça* en main quand il est mort, la contraction des doigts m'aurait empêché de le lui enlever aussi facilement que je l'ai fait. Non : *quelqu'un* l'a déguisé en jeune fille et le lui a placé entre les doigts...

— Mais, par les dieux sacrés, pour quelle raison ?

— Je ne sais pas. Et cela me déconcerte. C'est la partie du texte que je n'ai pas encore traduite, Diagoras... Bien que je puisse t'assurer, modestement, que je ne suis pas un mauvais traducteur, et soudain Héraclès fit demi-tour et commença à descendre l'escalier de la *stoa*. Tout est dit ! Ne perdons pas davantage de temps ! Il nous reste à effectuer un autre des travaux d'Hercule !

— Où allons-nous ?

Diagoras dut presser le pas pour rejoindre Héraclès, qui s'exclama :

— Rencontrer un individu très dangereux qui nous aidera peut-être !... Allons à l'atelier de Ménechme !

Et, tandis qu'il s'éloignait, il remit sous son manteau le lys blanc fané*.

Dans l'obscurité, une voix demanda :
— Il y a quelqu'un** ?
Dans l'obscurité, une voix demanda :
— Il y a quelqu'un ?
Le lieu était ténébreux et poussiéreux ; le sol couvert de décombres et peut-être aussi d'ordures, choses qui résonnaient et se laissaient fouler comme des pierres et choses qui résonnaient et se laissaient fouler comme des restes mous ou fragiles. L'obscurité était totale : on ne savait par où l'on marchait ni

---

* Je pourrais t'aider, Héraclès, mais comment te dire tout ce que je sais ? Comment saurais-tu, si intelligent sois-tu, que ceci n'est pas une piste *pour toi* mais *pour moi*, pour *le lecteur* d'une œuvre eidétique dans laquelle *toi-même*, comme personnage, *tu n'es qu'une piste* ? Ta présence, je le sais aujourd'hui, est également *eidétique* ! Tu es là parce que l'auteur a décidé de t'y placer, comme le lys que le mystérieux assassin dépose dans la main de sa victime, pour offrir au lecteur avec davantage de clarté l'idée des travaux d'Hercule, qui est l'un des fils conducteurs du livre. Ainsi donc, les travaux d'Hercule, la "jeune fille au lys" – avec la demande d'"aide" et l'avertissement du "danger" – et le "Traducteur", mentionnés tous trois dans ces derniers paragraphes, constituent les principales images eidétiques jusqu'à présent. Que peuvent-elles signifier ? *(N.d.T.)*

** J'interromps la traduction mais *je continue à écrire* : de la sorte, quoi qu'il arrive, je témoignerai de la situation. En quelques mots : *quelqu'un est entré chez moi*. Je parle maintenant des événements précédents – j'écris très vite, peut-être de façon désordonnée. Il fait nuit, et je me préparais à commencer la traduction de la dernière partie de ce chapitre quand j'ai entendu un bruit léger mais étrange dans la solitude de ma maison. Je n'y ai pas accordé d'importance et me suis mis à traduire : j'ai écrit deux phrases et j'ai alors entendu plusieurs bruits, comme des *pas*. Ma première impulsion m'ordonnait d'aller voir dans le vestibule et dans la cuisine, car les bruits provenaient de là, mais j'ai ensuite

vers où. L'enceinte pouvait être immense ou très petite ; il existait peut-être une autre sortie en plus du portique d'entrée, peut-être pas.

— Héraclès, attends, murmura une autre voix. Je ne te vois pas.

Pour cette raison, le bruit le plus faible représentait un sursaut irrépressible.

— Héraclès ?

— Je suis là.

— Où ?

— Ici.

Et pour cette raison, découvrir qu'*il y avait vraiment quelqu'un* revenait presque à crier.

— Que se passe-t-il, Diagoras ?

_____

pensé que je devais noter tout ce qui était en train de se passer, parce que...

Un autre bruit !

Je viens de rentrer de mon exploration particulière : il n'y avait personne, et je n'ai rien remarqué d'anormal. Je ne crois pas qu'on m'ait cambriolé. La porte d'entrée n'a pas été forcée. Il est vrai que la porte de la cuisine, qui donne sur un patio extérieur, était ouverte, mais je l'avais peut-être laissée moi-même ainsi, je ne m'en souviens pas. J'ai exploré tous les recoins. J'ai distingué les formes familières de mes meubles dans l'obscurité car je n'ai pas voulu donner à mon visiteur la possibilité de savoir où je me trouvais, et je n'ai pas allumé la lumière. Je suis allé dans le vestibule et dans la cuisine, dans la bibliothèque et dans la chambre. J'ai demandé à plusieurs reprises :

— Il y a quelqu'un ?

Puis, rasséréné, j'ai allumé quelques lampes et constaté ce que je viens de rapporter : tout ressemble à une fausse alerte. Maintenant, à nouveau assis à mon bureau, mon cœur se tranquillise peu à peu. Je pense : simple hasard. Mais je pense également : hier soir *quelqu'un* m'épiait depuis les arbres du jardin, et aujourd'hui... Un voleur ? Je ne crois pas, bien que tout soit possible. Mais un voleur se consacre surtout à *voler*, non à surveiller ses victimes. Il prépare peut-être un coup de maître. Il va avoir une surprise – je ris d'y penser : à part quelques manuscrits anciens, je ne possède rien de valeur chez moi. Je crois

— Oh, dieux… L'espace d'un instant j'ai pensé… C'est une statue.

Héraclès s'approcha à tâtons, tendit la main et toucha quelque chose : s'il s'était agi du visage d'un être vivant, ses doigts auraient plongé directement dans ses yeux. Il palpa les pupilles, reconnut la ligne du nez, les lèvres ourlées, le promontoire démesuré de la barbe. Il sourit avant de dire :

— En effet, c'est une statue. Mais il doit y en avoir beaucoup ici : il s'agit de son atelier.

— Tu as raison, admit Diagoras. Et puis j'arrive presque à les voir : mes yeux s'habituent.

---

ressembler à Montalo sur ce point… Sur ce point et sur bien d'autres…

Je pense maintenant à Montalo. J'ai procédé à de nouvelles vérifications ces jours-ci. En résumé, on peut dire que sa solitude exacerbée n'était pas si étrange : il m'arrive la même chose. Nous avons tous deux choisi de vivre à la campagne, et des maisons vastes, quadrillées par des patios intérieurs et extérieurs, comme les anciennes propriétés grecques des riches d'Olynthe ou de Trézène. Et nous nous sommes tous deux consacrés à la passion de traduire les textes que l'Héllade nous a légués. Nous n'avons pas joui – ou souffert – de l'amour d'une femme, nous n'avons pas eu d'enfants, et nos amis – Aristide par exemple, dans son cas ; Helena, avec des différences *évidentes*, dans le mien – ont été surtout des collègues. Quelques questions surgissent : qu'a-t-il pu *arriver* à Montalo au cours des dernières années de sa vie ? Aristide m'a dit qu'il était obsédé par le désir de prouver la théorie des Idées de Platon au travers d'un texte eidétique… *La Caverne* contient peut-être la preuve qu'il cherchait, et c'est ce qui l'a rendu fou ? Pourquoi, s'il était expert en ouvrages eidétiques, ne pas avertir dans son édition que *La Caverne* en est un ?

Bien que j'ignore pourquoi, je suis de plus en plus persuadé que la réponse à ces questions se cache dans *le texte*. Je dois continuer à traduire.

Je présente au lecteur mes excuses pour cette interruption. Je recommence la phrase : "Dans l'obscurité, une voix demanda." *(N.d.T.)*

C'était vrai : le pinceau des pupilles avait commencé à dessiner des silhouettes de couleur blanche au milieu du noir, des ébauches de statues, des brouillons perceptibles. Héraclès toussa, ils étaient assiégés par la poussière, et il agita de sa sandale la saleté qui gisait à ses pieds : un bruit semblable à celui qui consiste à agiter un coffre plein de verroterie.

— Où est-il passé ? demanda-t-il.

— Pourquoi ne pas l'attendre dans le vestibule ? suggéra Diagoras, incommodé par la pénombre inépuisable et la lente émergence des sculptures. Il ne devrait pas tarder…

— Il est *là*, dit Héraclès. Sinon, pourquoi aurait-il laissé la porte ouverte ?

— C'est un lieu si étrange…

— C'est un atelier d'artiste, simplement. Ce qui est étrange, c'est que les fenêtres soient fermées. Allons.

Ils s'avancèrent. C'était maintenant très facile : leurs regards se posaient peu à peu sur les îles de marbre, les bustes installés sur des consoles en bois, les corps qui n'avaient pas encore échappé à la pierre, les rectangles où étaient sculptées les frises. L'espace même qui les contenait devenait visible : c'était un atelier assez vaste, avec une entrée de chaque côté, après un vestibule, et ce qui ressemblait à de lourdes tentures ou rideaux à l'autre extrémité. L'un des murs était déchiré par des filaments d'or, légères taches resplendissantes qui couraient sur le bois d'énormes portes closes. Les sculptures, ou les blocs de pierre dans lesquels elles prenaient vie, étaient réparties à intervalles réguliers dans les lieux, surgissant entre les déchets de l'art : résidus, esquilles, cailloux, grès, outils, débris et morceaux de toile déchirés. Devant les rideaux se trouvait un assez vaste podium en bois auquel on accédait par deux courts escaliers situés sur les côtés. Sur le podium, on distinguait une montagne de draps blancs assiégée par un dépotoir de gravats. Il faisait froid entre ces murs, et, si étrange que cela parût, cela sentait la pierre : un arôme d'une densité et d'une saleté inattendues, comme si l'on avait reniflé le sol en aspirant fort jusqu'à attraper aussi l'âcre légèreté de la poussière.

— Ménechme ? demanda à voix haute Héraclès Pontor.

Le bruit qui suivit, énorme, surprenant dans cette pénombre minérale, déchira le silence. Quelqu'un avait ôté la planche qui obturait l'une des larges fenêtres, la plus proche du podium, en la laissant tomber à terre. La lumière de midi, éclatante et tranchante comme la malédiction d'un dieu, traversa la pièce sans rencontrer d'obstacles ; la poussière tournait autour d'elle en nuages calcaires visibles à l'œil nu.

— Mon atelier ferme l'après-midi, dit l'homme.

Il existait sans doute une porte dissimulée derrière les rideaux, car ni Héraclès ni Diagoras ne l'avaient vu arriver.

Il était très mince, et avait une apparence négligée maladive. Sur sa tête ébouriffée et grise, les cheveux blancs ne s'étaient pas étendus partout et fleurissaient en mèches blanches sales ; la pâleur de son visage était tachée par les cernes. Il n'y avait pas un seul détail dans son aspect qu'un artiste n'eût souhaité améliorer : la barbe clairsemée et mal implantée, la coupe irrégulière du manteau, le fracas produit par les sandales. Ses mains, fibreuses, brunes, montraient une collection compliquée de résidus d'origines diverses, ses pieds également. Son corps tout entier était un outil usé. Il toussa, se lissa en vain les cheveux ; ses yeux injectés de sang battirent des paupières ; il tourna le dos à ses visiteurs, en les ignorant, et se dirigea vers une table proche du podium, couverte d'instruments, occupé semblait-il car il n'y avait aucun moyen de s'en assurer, à choisir ceux qui convenaient le mieux à son travail. On entendit différents bruits métalliques, comme des notes de cymbales désaccordées.

— Nous le savions, mon bon Ménechme, dit Héraclès avec une grande douceur, et nous ne sommes pas venus pour acquérir une statue…

Ménechme tourna la tête et consacra à Héraclès un résidu de son regard.

— Que fais-tu ici, Déchiffreur d'Enigmes ?

— Je viens bavarder avec un collègue, répondit Héraclès. Nous sommes tous les deux des artistes : tu te consacres à sculpter la vérité, moi à la découvrir.

Le sculpteur poursuivit sa tâche sur la table, provoquant un disgracieux bruit d'outils. Puis il demanda :

— Qui t'accompagne ?

— Je suis… Diagoras éleva la voix, très digne.

— C'est un ami, l'interrompit Héraclès. Tu peux me croire si je t'affirme qu'il est en grande partie responsable de ma présence ici, mais ne perdons pas davantage de temps…

— D'accord, acquiesça Ménechme, parce que j'ai du travail. Une commande pour une famille aristocratique de l'Escambonide, je dois avoir fini d'ici un mois. Et beaucoup d'autres choses – il toussa à nouveau : une toux, comme ses paroles, sale et de mauvaise qualité.

Il abandonna soudain ce qu'il faisait sur la table, avec des mouvements toujours brusques, à contretemps, et monta par l'un des escaliers du podium. Héraclès dit, avec une amabilité extrême :

— Quelques questions seulement, ami Ménechme, et avec ta collaboration, nous en aurons fini plus tôt. Nous voulons savoir si les noms de Tramaque, fils de Méragre, celui d'Antise, fils de Praxinoe, et celui d'Eunio, fils de Trisipe, te disaient quelque chose.

Ménechme, occupé à enlever en haut du podium les draps qui recouvraient la sculpture, s'arrêta.

— Pourquoi cette question ?

— Oh, Ménechme : si tu réponds à mes questions par d'autres questions, comment en finir vite ? Procédons par ordre : réponds d'abord à mes questions et je répondrai ensuite aux tiennes.

— Je les connais.

— Pour des raisons professionnelles ?

— Je connais beaucoup d'éphèbes de cette ville… Il s'interrompit pour tirer sur un drap, qui résistait. Il manquait de patience, ses gestes possédaient des qualités de lutteur ; les objets semblaient le défier. Il accorda à la toile deux brèves tentatives, comme un avertissement. Il serra alors les dents, assura ses pieds sur le podium en bois et, émettant un grognement sale, tira dessus des deux mains. Le drap se détacha avec un bruit de déchets renversés, soulevant en désordre les amas intangibles de poussière.

La sculpture, enfin découverte, était complexe : elle montrait un homme assis à une table couverte de rouleaux de papyrus. La base, inachevée, se tordait avec la chasteté informe du marbre vierge du ciseau. De la tête de la silhouette, qui tournait le dos à Héraclès et à Diagoras, on ne voyait que le sommet, tant il avait l'air concentré sur ce qu'il faisait.

— L'un d'eux t'a-t-il servi de modèle ? demanda Héraclès.

— Parfois, fut la réponse laconique.

— Je ne crois cependant pas que tous tes modèles soient aussi acteurs dans tes pièces…

Ménechme avait regagné son établi et préparait une rangée de ciseaux de différentes tailles.

— Je leur laisse le choix, dit Ménechme sans regarder. Ils font parfois les deux.

— Comme Eunio ?

Le sculpteur tourna brusquement la tête : Diagoras pensa qu'il aimait maltraiter ses muscles comme un père ivre maltraiterait ses enfants.

— Je viens d'apprendre ce qui est arrivé à Eunio, si c'est de ça que tu veux parler, dit Ménechme ; ses yeux étaient deux ombres fixées sur Héraclès. Je n'ai rien à voir avec son élan de folie.

— Personne n'a dit le contraire, Héraclès leva ses deux mains ouvertes, comme si Ménechme le menaçait.

Quand le sculpteur reporta son attention sur ses outils, Héraclès dit :

— Ah, tu savais que Tramaque, Antise et Eunio participaient incognito à tes pièces ? Les mentors de l'Académie leur interdisaient de faire du théâtre…

Les épaules osseuses de Ménechme se haussèrent en même temps.

— Je crois le savoir. C'est la chose la plus stupide que j'aie jamais entendue ! et en disant cela, il remonta en deux bonds par l'escalier qui conduisait au podium. Personne ne peut interdire l'art ! s'exclama-t-il, et il donna un coup de ciseau impulsif, presque au hasard, sur l'un des coins de la table en marbre ; le son suspendit en l'air une légère trace musicale.

Diagoras ouvrit la bouche pour répliquer, mais il sembla réfléchir et abandonna.

— Ils avaient peur d'être découverts ? demanda Héraclès.

Ménechme tourna autour de la statue avec une expression d'acharnement, comme s'il avait cherché un autre coin désobéissant à punir.

— Je suppose, dit-il. Mais leurs vies ne m'intéressaient pas. Je leur ai offert la possibilité d'être choreutes, c'est tout. Ils ont accepté sans discuter, et les dieux savent que je leur en ai été reconnaissant : mes tragédies, à la différence de mes statues, ne me procurent ni renommée ni argent, juste du plaisir, et il n'est pas facile de trouver des gens qui y participent…

— Quand les as-tu rencontrés ?

Après une pause, Ménechme répondit :

— Pendant les voyages que nous faisions à Eleusis. Je suis dévot.

— Mais tes rapports avec eux ne se bornaient pas à partager des croyances religieuses, n'est-ce pas ? Héraclès avait commencé un lent parcours dans l'atelier, s'arrêtant pour examiner plusieurs œuvres avec l'intérêt limité qu'aurait pu manifester un aristocrate mécène.

— Que veux-tu dire ?

— Je veux dire, oh Ménechme, que tu les aimais.

Le Déchiffreur se trouvait devant la figure d'un Hermès inachevé pourvu d'un caducée, d'un pétase et de sandales ailées.

— Surtout Antise, à ce que je vois, dit-il.

Il désignait le visage du dieu, dont le sourire exprimait une certaine belle malice.

— Et cette tête de Bacchus, couronnée de pampres ? poursuivit Héraclès. Et ce buste d'Athéna ? Il allait d'une statue à l'autre, en gesticulant comme un vendeur qui aurait voulu en faire monter le prix. Je dirais que je remarque plusieurs beaux visages d'Antise répartis entre les déesses et les dieux de l'Olympe sacré !…

— Antise est aimé par beaucoup de monde, dit Ménechme en se remettant furieusement au travail.

— Et exalté par toi. Je me demande comment tu t'arrangeais avec la jalousie. J'imagine que Tramaque et Eunio ne devaient pas tellement apprécier ton inclination ostensible pour leur ami…

L'espace d'un instant, entre les notes du pinceau, il sembla que Ménechme respirait lourdement, mais lorsqu'il tourna la tête Héraclès et Diagoras s'aperçurent qu'il souriait.

— Par Zeus, tu crois que j'avais beaucoup d'importance pour eux ?

— Oui, puisqu'ils acceptaient d'être tes modèles et de jouer dans tes œuvres, désobéissant ainsi aux préceptes sacrés qu'ils recevaient à l'Académie. Je crois qu'ils t'admiraient, Ménechme : que, pour toi, ils posaient nus ou habillés en femme, et que, à la fin du travail, ils utilisaient leur nudité ou leurs vêtements androgynes pour ton plaisir… et s'exposaient par là à être découverts et à déshonorer leurs familles…

Ménechme, sans cesser de sourire, s'exclama :

— Par Athéna ! Tu me crois aussi intéressant, comme artiste et comme homme, Héraclès Pontor ?

Héraclès répliqua :

— Pour les esprits jeunes qui, de même que tes sculptures, sont encore inachevés, toute terre est bonne pour y plonger ses racines, Ménechme de Carisie. Et mieux encore, celle qui abonde en fumier...

Ménechme n'eut pas l'air de l'écouter : il se consacrait à ce moment avec une grande concentration à sculpter certains plis des vêtements de l'homme. Cling ! Cling ! Il se mit soudain à parler, mais on aurait dit qu'il s'adressait au marbre. Sa voix rugueuse et inégale salissait d'échos les murs de l'atelier.

— Je suis un guide pour beaucoup d'éphèbes, oui... Tu crois que notre jeunesse n'a pas besoin de guides, Héraclès ? Peut-être... et il semblait mettre à profit son irritation croissante pour augmenter la force de ses coups : Cling !... le monde dont ils vont hériter est-il agréable ? Regarde autour de toi !... Notre art athénien... Quel art ?... Avant, les statues revêtaient un grand pouvoir : nous imitions les Egyptiens, qui ont toujours été plus sages !... Cling ! Et maintenant, que faisons-nous ? Dessiner des formes géométriques qui suivent strictement la Règle !... Nous avons perdu spontanéité, force, beauté !... Cling ! Cling ! Tu dis que je laisse mes œuvres inachevées, et c'est exact... Mais tu devines pourquoi ?... Parce que je suis incapable de créer quoi que ce soit en respectant la Règle !

Héraclès voulut l'interrompre, mais le début propre de son intervention fut pris dans le bourbier de coups et d'exclamations de Ménechme.

— Et le théâtre !... A une autre époque, le théâtre était une orgie à laquelle participaient encore les dieux !... Mais avec Euripide, qu'est-il devenu ?... Une dialectique bon marché qui plaît aux nobles esprits d'Athènes !... Cling ! Un théâtre qui est une méditation réfléchie au lieu d'une fête sacrée !... Euripide lui-même, déjà vieux, l'a reconnu à la fin de sa vie ! Il interrompit son travail et se retourna vers Héraclès, en souriant. Et il a changé radicalement d'opinion...

Et, comme si cette dernière phrase avait eu besoin d'une pause, il reprit les coups avec davantage de force qu'auparavant, tout en poursuivant :

— Le vieil Euripide a abandonné la philosophie et s'est consacré au véritable *théâtre* ! Cling ! Tu te rappelles sa dernière œuvre ?... Et il s'exclama avec une grande satisfaction, comme si le mot avait été une pierre précieuse et qu'il l'avait soudain découvert entre les décombres : *Les Bacchantes !*

— Oui ! une autre voix s'imposa. *Les Bacchantes !* L'œuvre d'un fou ! Ménechme se retourna vers Diagoras, qui semblait répandre ses cris avec exaltation, comme si le silence qu'il avait gardé jusqu'alors lui avait coûté un grand effort. Euripide a perdu ses facultés en vieillissant, comme cela nous arrive à tous, et son théâtre s'est dégradé de façon inconcevable !... Les nobles ciments de son esprit raisonneur, acharné à chercher la Vérité philosophique pendant la maturité, ont cédé sous le poids des ans... et leur dernière œuvre est devenue, comme celles d'Eschyle et de Sophocle, un dépotoir puant dans lequel pullulent les maladies de l'âme et il y coule des flots de sang innocent ! Rougissant dans l'élan de son discours, il défia Ménechme du regard.

Après un bref silence, le sculpteur s'enquit doucement :

— Je peux savoir qui est cet imbécile ?

Héraclès arrêta d'un geste la réplique irritée de son compagnon :

— Excuse-moi, mon bon Ménechme, nous ne sommes pas venus ici pour parler d'Euripide et de son théâtre... Laisse-moi poursuivre, Diagoras !... Le philosophe avait grand mal à se contenir. Nous voulons te demander...

Un fracas d'échos l'interrompit : Ménechme avait commencé à crier tout en arpentant le podium. De temps en temps, il désignait l'un des deux hommes de son petit marteau, comme s'il s'apprêtait à le lui lancer à la tête.

— Et la philosophie ?... Rappelez-vous Héraclite !... "Sans discorde il n'y a pas d'existence !..." C'est ce que pensait le philosophe Héraclite !... La philosophie n'a-t-elle pas changé elle aussi ?... Avant, c'était une force, un élan !... Maintenant... qu'est-ce que c'est ?... Pur intellect !... Avant... ! Par quoi étions-nous intrigués ?... Par la *matière* des choses : Thalès, Anaximandre, Empédocle... ! Avant, nous pensions à la matière ! Et aujourd'hui ? A quoi pensons-nous aujourd'hui ? Il déforma sa voix de façon grotesque pour dire : Au monde des Idées !... Les Idées existent, bien sûr, mais elles vivent ailleurs, loin de nous !... Elles sont parfaites, pures, bienveillantes et utiles... !

— Elles le sont ! bondit Diagoras, en hurlant. Elles le sont, de la même façon que tu es imparfait, vulgaire, canaille et... !

— S'il te plaît, Diagoras, laisse-moi parler ! s'exclama Héraclès.

— Nous ne devons pas aimer les éphèbes, oh non !... se moquait Ménechme. Nous devons aimer l'*idée* d'éphèbe !... Embrasser une pensée de lèvres, caresser une définition de muscle !... Et ne faisons pas de statues, par Zeus ! C'est un art d'imitation vulgaire !... Faisons des *idées* de statues !... Voilà la philosophie dont vont hériter les jeunes !... Aristophane était bien inspiré de la situer dans les *nuages* !...

Diagoras haletait, au comble de l'indignation.

— Comment peux-tu avoir un avis aussi insolent sur quelque chose que tu ignores, toi... ?

— Diagoras ! la fermeté de la voix d'Héraclès provoqua une pause soudaine. Tu ne vois pas que Ménechme essaie de détourner la conversation ? Laisse-moi parler une bonne fois pour toutes !... Et il poursuivit, avec un calme surprenant, en s'adressant au sculpteur : Ménechme, nous sommes venus t'interroger sur les morts de Tramaque et d'Eunio...

Il dit cela en s'excusant presque, comme s'il avait demandé pardon pour avoir mentionné un sujet aussi trivial devant quelqu'un qu'il considérait comme très important. Après un court silence, Ménechme cracha sur le sol du podium, se frotta le nez et dit :

— Les loups ont tué Tramaque pendant qu'il chassait. Quant à Eunio, on m'a raconté qu'il était ivre, et que les ongles de Dionysos ont saisi son cerveau en l'obligeant à se planter à plusieurs reprises un poignard dans le corps... Qu'ai-je à voir avec cela ?

Héraclès répliqua immédiatement :

— Le fait qu'ils se rendaient tous les deux le soir, avec Antise, à ton atelier, et participaient à tes curieuses diversions. Et qu'ils t'admiraient tous trois et répondaient à tes exigences amoureuses, mais tu n'en favorisais qu'un. Et qu'il y a probablement eu des disputes entre eux, et peut-être des menaces, car les diversions que tu organises avec tes éphèbes ne jouissent pas précisément d'une bonne réputation, et qu'aucun ne souhaitait qu'elles soient rendues publiques... Et que Tramaque n'est pas allé chasser, mais le jour où il est sorti d'Athènes ton atelier est resté vide et personne ne t'a vu nulle part...

Diagoras haussa les sourcils et se retourna vers Héraclès, car il ignorait cette dernière information. Mais le Déchiffreur poursuivit, comme s'il avait récité un chant rituel :

— Et que Tramaque a en fait été assassiné ou frappé jusqu'à perdre connaissance, et abandonné à la merci des loups... Et qu'hier soir Eunio et Antise sont venus ici après la représentation de ta pièce. Et que ton atelier est la maison la plus proche du lieu où on a retrouvé Eunio ce matin. Et que je sais de source sûre qu'Eunio a lui aussi été assassiné, et que son assassin a commis le crime ailleurs puis qu'il a transporté le corps. Et qu'il est logique de supposer que les deux lieux ne sont pas très distants l'un de l'autre, car personne ne songerait à traverser Athènes un cadavre sur le dos – il fit une pause et ouvrit les bras, dans un geste presque amical. Comme tu peux le constater, mon bon Ménechme, tu as beaucoup à voir avec tout cela.

L'expression du visage de Ménechme était impassible. On aurait pu croire qu'il souriait, mais son regard était sombre. Sans rien dire, il se retourna lentement vers le marbre, tournant le dos à Héraclès, et il continua à le tailler en donnant des coups espacés. Puis il s'exprima, et sa voix eut l'air amusée.

— Oh, le raisonnement ! Merveilleux, exquis ! il émit un petit rire suffoqué. Je suis coupable à cause d'un syllogisme ! Mieux encore : à cause de la distance qui sépare ma maison du terrain vague des potiers – sans cesser de sculpter, il tourna la tête lentement et se mit à rire, comme si la sculpture ou son propre travail lui avaient semblé dignes de moquerie. C'est ainsi que nous les Athéniens nous construisons les vérités de nos jours : nous parlons de distances, nous faisons des calculs avec les émotions, nous raisonnons les faits… !

— Ménechme… dit doucement Héraclès.

Mais l'artiste poursuivit :

— On pourra affirmer, dans les années à venir, que Ménechme fut estimé coupable pour une question de longitude !… Aujourd'hui, tout obéit à une Règle, ne l'ai-je pas dit souvent ? La justice n'est désormais plus qu'une question de distance…

— Ménechme, insista Héraclès sur le même ton. Comment savais-tu que le corps d'Eunio avait été retrouvé sur le terrain vague des potiers ? Je ne l'ai pas dit.

Diagoras fut surpris par la violente réaction du sculpteur : il s'était tourné vers Héraclès les yeux grands ouverts, comme si ce dernier avait été une grosse Galatée qui se serait soudain animée. L'espace d'un instant, il ne proféra pas un seul mot. Puis il s'exclama, avec un filet de voix :

— Tu es fou ? Tout le monde en parle !… Que prétends-tu insinuer par là ?…

Héraclès employa à nouveau son ton d'excuse le plus humble :

— Rien, ne t'inquiète pas : il faisait partie de mon raisonnement sur la distance.

Alors, comme s'il avait oublié quelque chose, il gratta sa tête en forme de cône et ajouta :

— Ce que je ne comprends pas très bien, mon bon Ménechme, c'est pourquoi dans mon raisonnement tu t'es basé uniquement sur la distance et non sur la *possibilité* que *quelqu'un ait assassiné* Eunio… idée beaucoup plus étrange, par Zeus, et dont sans doute personne ne parle, mais que tu sembles avoir admise de bon gré dès que je t'en ai parlé. Tu as commencé par critiquer mon raisonnement sur la distance et tu ne m'as pas demandé : "Héraclès, pourquoi es-tu si sûr qu'Eunio a été assassiné ?…" Je dois dire que je ne comprends pas, Ménechme.

Diagoras n'éprouva aucune compassion pour Ménechme, bien qu'il constatât à quel point les déductions sans pitié du Déchiffreur le plongeaient progressivement dans la confusion la plus absolue, en le faisant tomber dans le piège de ses propres mots frénétiques de la même façon que ces lacs de pourriture qui, d'après divers témoignages de voyageurs avec lesquels il avait parlé, engloutissent plus rapidement ceux qui tentent de s'échapper avec des contorsions ou des moulinets désespérés. Dans le lourd silence qui s'ensuivit, il voulut ajouter, par moquerie, un commentaire creux qui mettrait bien en évidence la victoire qu'ils avaient remportée sur cet animal nuisible.

— Belle sculpture, que celle sur laquelle tu travailles, Ménechme. Qui représente-t-elle ? demanda-t-il avec un sourire cynique.

L'espace d'un instant, il crut qu'il n'obtiendrait pas de réponse. Mais il remarqua alors que Ménechme souriait, et cela suffit à l'inquiéter.

— Il s'appelle *Le Traducteur*. L'homme qui prétend déchiffrer le mystère d'un texte écrit dans une autre langue sans voir que les mots ne conduisent qu'à de nouveaux mots, et les pensées à de nouvelles pensées, mais que la Vérité reste hors d'atteinte. N'est-ce pas une bonne comparaison avec ce que nous faisons tous ?

Diagoras ne comprit pas très bien ce que voulait dire le sculpteur, mais comme il ne souhaitait pas avoir l'air dépassé il remarqua :

— C'est une statue très curieuse. Quel vêtement porte-t-elle ? Il n'a pas l'air grec…

Ménechme ne répondit pas. Il observait son œuvre et souriait.

— Je peux la voir de près ?

— Oui, dit Ménechme.

Le philosophe s'approcha du podium et monta par l'un des escaliers. Ses pas résonnèrent sur le bois sale du piédestal. Il s'approcha de la sculpture et observa son profil.

L'homme de marbre, courbé sur la table, entouré de rouleaux de papyrus, soutenait entre le pouce et l'index une fine plume,. Quelle sorte de vêtement portait-il ? se demanda Diagoras. Une sorte de manteau très ajusté… Des vêtements étrangers, de toute évidence. Il observa son cou penché, les premières vertèbres saillantes, reconnut la qualité du travail, les épaisses mèches de cheveux encadrant la tête, les oreilles aux lobules importants et impropres…

Il ne pouvait pas encore voir son visage : la statue avait la tête trop penchée. A son tour, Diagoras se pencha un peu : il observa les tempes profondément dégagées, les aires de calvitie précoce… Il ne put éviter, en même temps, d'admirer ses mains : les veines apparentes, fines ; la droite attrapait la pointe de la plume ; la gauche reposait la paume tournée vers le bas afin d'aider à étaler le parchemin sur lequel l'homme écrivait, le doigt à moitié orné d'un gros anneau sur le sceau duquel était gravé un cercle. Un rouleau de papyrus déplié se trouvait près de cette main : il devait s'agir de l'œuvre originale. L'homme rédigeait la traduction sur le parchemin. Sur celui-ci même les lettres étaient sculptées avec une grande habileté ! Intrigué, Diagoras se pencha par-dessus l'épaule de la statue et lut les mots dont on supposait qu'il venait de les "traduire". Il ne comprit pas ce qu'ils pouvaient signifier. Ils disaient :

Il ne comprit pas ce qu'ils pouvaient signifier. Ils disaient

Mais il n'avait pas encore vu le visage de la statue. Il inclina davantage la tête et la contem*

---

* Je ne peux poursuivre la traduction. Mes mains tremblent.

Je reprends mon travail après deux jours d'angoisse. Je ne sais pas encore si je vais continuer ou non, peut-être n'en aurai-je pas le courage. Mais j'ai au moins réussi à regagner mon bureau, à m'asseoir et à contempler mes papiers. Je n'aurais pas cru possible de faire cela hier soir, quand je bavardais avec Helena. Avec elle, ce fut un acte impulsif, je le reconnais : je lui avais demandé la veille de me tenir compagnie, je ne me sentais pas la force de supporter la solitude nocturne de ma maison, et, même si je n'ai pas voulu lui raconter à cet instant les raisons secrètes de ma requête, elle a dû deviner quelque chose, parce qu'elle a accepté tout de suite. J'ai essayé de ne pas parler de mon travail. Je me suis montré aimable, poli et timide. J'ai gardé cette conduite même quand nous avons fait l'amour. J'ai fait l'amour avec le désir secret qu'elle me *le fasse* à moi. J'ai palpé son corps sous les draps, respiré l'arôme âcre du plaisir et écouté ses gémissements croissants sans que rien de cela ne m'aide trop : je cherchais, je crois que je cherchais à sentir *en elle* ce qu'elle sentait *de moi*. Je voulais – je désirais – que ses mains m'explorent, me perçoivent, frappent mon obstacle, me donnent forme dans l'obscurité... Non, pas *forme*. Je voulais me sentir comme un simple matériau, un reste solide de quelque chose qui était là, occupant un espace, non comme une silhouette, une figure pourvue de traits et d'une identité. Je ne voulais pas qu'elle me parle, je ne souhaitais pas entendre de mots, encore moins mon nom, pas de phrases vides qui puissent faire allusion à moi. Aujourd'hui je comprends partiellement ce qui m'est arrivé : cela provient peut-être de l'angoisse de traduire, de cette horrible sensation de *porosité*, comme si mon existence m'avait été révélée, soudain, comme quelque chose de beaucoup plus fragile que le texte que je traduis et qui se manifeste à travers moi dans la partie *supérieure* de ces pages. J'ai pensé que j'avais besoin, pour cette raison, de renforcer ces notes *marginales*, d'équilibrer d'une certaine façon le poids d'Atlas du texte *supérieur*. "Si je pouvais écrire, si je pouvais créer quelque chose de personnel…" ai-je pensé, non pour la première fois, mais avec des angoisses plus importantes que jamais. Mon activité avec Helena, son corps, ses seins fermes, ses muscles souples, sa jeunesse, ne m'a pas tellement aidé : peut-être juste à me reconnaître (j'avais un besoin urgent de son corps comme d'un miroir dans lequel je puisse me voir *sans me regarder*), mais ces brèves retrouvailles, cette anagnorèse avec moi-même, m'ont seulement aidé à trouver le sommeil, et donc à disparaître à nouveau. Le lendemain, l'aube se levant entre les collines, nu et debout devant la fenêtre de ma chambre, percevant un mouvement de draps dans le lit et la voix endormie de mon amie, nue et allongée, je décidai de tout lui raconter. Je parlai calmement, sans détourner les yeux de la flamme grandissante à l'horizon :

— *Je suis dans le texte*, Helena. Je ne sais comment ni pourquoi, mais c'est moi. L'auteur me décrit comme une statue sculptée par l'un des personnages, qu'il appelle *Le Traducteur*, qui se trouve assis à une table, en train de traduire la même chose que moi. Tout correspond : les tempes profondément dégagées, les zones de calvitie, les oreilles menues avec des lobes volumineux, les mains fines et aux veines apparentes… C'est moi. Je n'ai pas osé poursuivre la traduction : je ne pourrais pas supporter de lire la description de mon propre *visage*…

Elle protesta. Elle se redressa sur le lit. Elle me posa de multiples questions, se fâcha. Moi, encore nu, je quittai la pièce, me dirigeai vers le séjour et revint avec les feuillets de ma traduction interrompue. Je les lui remis. C'était amusant : tous les deux nus, elle assise, moi debout, transformés à nouveau en collègues de travail ; elle fronçant ses sourcils de professeur en même temps que sa poitrine, tremblante, rosée, se soulevait à chaque respiration ; moi, attendant en silence devant la fenêtre, mon absurde membre fripé par le froid et l'angoisse.

— C'est ridicule… dit-elle en achevant sa lecture. C'est absolument ridicule…

Elle protesta à nouveau, me tança. Elle me dit que je me faisais des idées, que la description était très vague, qu'elle pouvait s'appliquer à n'importe qui d'autre. Elle ajouta :

— Et l'anneau de la statue porte un cercle gravé dans le sceau. Un *cercle* ! Pas un *cygne*, comme le tien !…

C'était là le détail le plus horrible. Et elle s'en était déjà rendu compte.

— En grec, "cercle" se dit *kúklos* et "cygne" *kúknos*, tu le sais, répondis-je calmement. Il y a une seule lettre de différence. Si ce *l*, ce lambda, est un *n*, un nu, alors il n'y a plus aucun doute : c'est moi, je contemplai l'anneau avec la silhouette du cygne sur le majeur de ma main gauche, un cadeau de mon père dont je ne me sépare jamais.

— Mais le texte dit *kúklos* et non…

— Montalo remarque dans une de ses notes que le mot est difficile à lire. Il l'interprète comme *kúklos*, mais signale que la quatrième lettre n'est pas très nette. Tu comprends, Helena ? La quatrième lettre – j'avais adopté un ton neutre, presque indifférent. Je dépends du simple avis philologique de Montalo sur *une lettre* pour savoir si je dois devenir fou…

— Mais c'est absurde ! s'exaspéra-t-elle. Que fais-tu… là-dedans ? elle frappa les feuillets. Cette œuvre a été écrite il y a des milliers d'années !… Comment… ? elle écarta les draps qui recouvraient ses longues jambes. Elle lissa ses cheveux cuivrés. Elle se dirigea, pieds nus et dévêtue, vers la porte. Viens. Je veux lire le texte original. Son ton avait changé : elle parlait maintenant d'un air ferme, décidé.

Horrifié, je la suppliai de n'en rien faire.

— Nous allons lire à deux le texte de Montalo, m'interrompit-elle, devant la porte. Peu m'importe que tu décides ensuite de ne pas poursuivre la traduction. Je veux t'ôter cette folie de la tête.

Nous allâmes dans le salon, pieds nus, et dévêtus. Je me rappelle que j'ai eu une pensée absurde en la suivant : "Nous voulons nous assurer que nous sommes des êtres humains, des corps matériels, de la chair, des organes, et non de simples personnages ou lecteurs… Nous allons le savoir. Nous voulons le savoir." Dans le séjour il faisait froid, mais sur le moment cela ne nous dérangea pas. Helena arriva avant moi dans le bureau et se pencha sur les papiers. Je fus incapable de m'approcher : j'attendis derrière elle, observant

Mais il n'avait pas encore vu le visage de la statue. Il inclina davantage la tête et la contempla.

C'étaient des traits*

— Un homme très astucieux, dit Héraclès quand ils sortirent de l'atelier. Il laisse ses phrases inachevées, comme ses sculptures. Il adopte un personnage répugnant pour nous faire reculer en nous bouchant les narines, mais je suis sûr que, devant ses disciples, il sait se montrer charmant.

— Tu crois que c'est lui qui… ? demanda Diagoras.

— N'allons pas trop vite. La vérité peut se trouver loin, mais elle possède une patience infinie pour attendre notre arrivée. Pour l'instant, j'aimerais pouvoir parler à nouveau à Antise…

— Si je ne me trompe pas, nous le trouverons à l'Académie : ce soir il y a un dîner en l'honneur d'un invité de Platon, et Antise est l'un des échansons.

---

son dos lustré et penché, la courbe douce de ses vertèbres, le tremplin rembourré de ses fesses. Il y eut une pause. Je me rappelle que je pensai : "Elle est en train de lire mon visage." Je l'entendis gémir. Je fermai les yeux.

— Oh, dit-elle.

Je la sentis s'approcher et m'enlacer. Sa tendresse m'horrifiait. Elle dit :

— Oh… oh…

Je ne voulus pas lui poser de questions. Je ne voulus pas savoir. Je m'accrochai fermement à son corps tiède. Je perçus alors son rire : doux, grandissant, naissant dans son ventre comme la joyeuse représentation d'une autre vie.

— Oh… oh… oh… fit-elle sans cesser de rire.

Après, longtemps après, je lus ce qu'elle avait lu, et je compris pourquoi elle riait.

J'ai décidé de poursuivre la traduction. Je reprends le texte à partir de la phrase : "Mais il n'avait pas encore vu le visage de la statue." *(N.d.T.)*

* Lacune du texte. Montalo affirme que les cinq lignes suivantes sont illisibles. *(N.d.T.)*

— Parfait, sourit Héraclès Pontor. Eh bien, Diagoras, je crois que l'heure est venue pour moi de connaître ton Académie*.

---

* Je viens de faire une découverte étonnante ! Si je ne me trompe pas, et je ne crois pas me tromper, les étranges énigmes liées à cette œuvre commenceraient à revêtir un sens… non moins étrange cependant et, en ce qui me concerne, beaucoup plus inquiétant. Ma trouvaille a été, comme cela arrive si souvent, le fruit du hasard : cette nuit, je revoyais la dernière partie du chapitre VI dans l'édition de Montalo, que je n'avais pas fini de traduire, quand je constatai que les bords des feuilles collaient entre eux avec une obstination irritante – cela m'était déjà arrivé, mais, simplement, je ne m'en étais pas soucié. Je les examinai de près : elles semblaient normales, mais le mélange liquide qui les unissait était encore *frais*. Je fronçai les sourcils, de plus en plus inquiet. J'étudiai feuille par feuille le sixième chapitre et fus absolument persuadé que les dernières avaient été ajoutées *récemment* au livre. Mon cerveau bouillonnait d'hypothèses. Je retournai au texte et constatai que les passages "nouveaux" correspondaient à la *description de la statue* de Ménechme. Mon cœur se mit à battre avec force. Que signifiait cette folie ?

Je remis mes déductions à plus tard et achevai la traduction du chapitre. Alors, soudain, en regardant par la fenêtre – il faisait déjà nuit – et en contemplant dans la pénombre la rangée de pommiers qui délimite mon jardin, je me rappelai l'homme qui avait l'air de m'épier et qui avait fui quand je m'étais aperçu de sa présence… et le soupçon que j'eus, la nuit suivante, que quelqu'un était *entré* chez moi. Je me levai d'un saut. J'avais le front moite et mes tempes battaient à intervalles de plus en plus rapprochés.

La déduction me semble évidente : *quelqu'un a échangé, dans mon bureau, les feuilles du texte de Montalo, contre d'autres, identiques*, et il l'a fait *il y a peu de temps*. Il s'agit peut-être de quelqu'un qui *me connaît*, du moins en ce qui concerne mon aspect physique, et qui a donc pu ajouter les étonnants détails de la description de la sculpture ? Mais qui serait capable d'arracher les feuilles d'une œuvre originale et de les remplacer par son propre texte à seule fin de tourmenter le traducteur ?

Quoi qu'il en soit, évidemment, je ne pourrai plus dormir tranquille à partir d'aujourd'hui. Ni travailler tranquille, car, comment saurais-je *de qui est l'œuvre* que je traduis ? Pire encore : parviendrai-je à avancer de phrase en phrase sans m'arrêter à penser que l'une d'elles peut-être – ou toutes – constitue des messages directs *à moi* adressés par le mystérieux inconnu ? Aujourd'hui où je suis en proie au doute, comment pourrais-je être sûr que d'autres paragraphes, dans les chapitres précédents, n'ont rien à voir *avec moi* ? La fantaisie de la littérature est si ambiguë qu'il n'est même pas nécessaire de briser les règles du jeu : le simple *soupçon* que quelqu'un puisse avoir déchiré les feuilles, donne un tour terrible à tout cela. Soyons sincères, lecteur : n'as-tu pas parfois la sensation affolante qu'un texte, par exemple celui-là même que tu es en train de lire, *s'adresse à toi personnellement* ? Et quand cette sensation s'empare de toi, n'agites-tu pas la tête, en clignant des paupières, et en pensant : "Quelle sottise ! Il vaut mieux oublier ça et continuer à lire" ? Juge alors quelle n'est pas ma frayeur de savoir avec une certitude absolue qu'une partie de ce livre *me concerne* sans aucun doute possible !… Et je dis bien : "frayeur", en effet. J'ai toujours vu les textes à distance… et soudain je me trouve pris dans l'un d'eux !

Ainsi donc, je dois faire quelque chose.

J'interromprai donc mon travail jusqu'à ce que cette affaire soit résolue. Mais j'essaierai également de capturer mon visiteur inconnu… *(N.d.T.)*

VII

Le chemin qui conduit à l'école de philosophie de l'Académie est, à ses débuts, à peine un sentier qui se détache de la Voie sacrée peu après la porte de Dipylon. Le voyageur ne voit rien de spécial en le parcourant : le lé s'engage dans un bocage de grands pins qui se courbent tout en devenant pointu comme une canine, de sorte que l'on a la sensation que l'on arrivera à un moment donné à des frondaisons impénétrables sans être en réalité parvenus où que ce soit. Mais en dépassant les premiers tournants, par-delà une étendue réduite et pourtant compacte de pierres et de plantes à feuilles recourbées comme des crocs, on remarque la façade nette du bâtiment principal en forme de cube d'ivoire soigneusement posé sur une petite colline. Peu après, le chemin s'élargit avec un certain orgueil. Il y a un portique à l'entrée. On ne sait pas précisément qui le sculpteur a voulu représenter avec les deux visages de la couleur ivoire des dents qui, placés chacun dans des niches, contemplent dans un silence symétrique l'arrivée du voyageur : certains affirment qu'il s'agit du Vrai et du Faux, d'autres du Beau et du Bon, et les moins nombreux, peut-être les plus sages, personne, puisqu'il fallait bien placer quelque chose dans ces niches, en fin de compte. Dans l'espace central, une inscription : "Que personne n'entre qui ne connaisse la Géométrie", encadrée par des lignes tordues. Plus loin, les beaux jardins d'Akadêmos, tissés de sentiers bouclés. La statue du héros, au centre d'une petite place, semble exiger du visiteur le respect qui lui est dû : de sa main gauche tendue, l'index pointé vers le bas, la lance dans l'autre, le regard encadré par les ouvertures d'un heaume hérissé de crins couronné de pointes ressemblant à de grands crocs. Près du bois, la sobriété marmoréenne de l'architecture. L'école possède des espaces ouverts entre des colonnes blanches avec des plafonds dentelés et rougeâtres pour les cours d'été et un espace fermé qui sert de refuge aux élèves et aux mentors quand le froid montre les crocs. Le gymnase possède toutes les installations nécessaires, mais n'est pas aussi grand que celui du Lycée. Les maisons les plus modestes constituent le lieu d'habitation de certains professeurs et le lieu de travail de Platon.

Quand Héraclès et Diagoras arrivèrent, le crépuscule avait déchaîné un borée hostile qui agitait les branches tordues des plus grands arbres. Dès qu'il passa le portique blanc, le Déchiffreur put constater que l'esprit et l'attitude de son compagnon changeaient complètement. On aurait dit un chien de chasse qui reniflait sa proie : il dressait la tête et passait régulièrement la langue sur ses lèvres ; sa barbe, discrète à l'ordinaire, était hérissée ; il écoutait à peine ce qu'Héraclès lui disait (bien que ce dernier, fidèle à son habitude, ne parlât pas beaucoup), et se bornait à acquiescer sans le regarder et à murmurer "Oui" à un simple commentaire, ou à répondre "Attends un instant" à ses questions. Héraclès devina qu'il avait envie de lui prouver que ce lieu était le plus parfait de tous, et la seule idée que quelque chose pût mal se passer l'angoissait terriblement.

La petite place était déserte et le bâtiment de l'école semblait abandonné, mais rien de cela n'intrigua Diagoras.

— Ils font de courtes promenades dans le jardin avant de dîner, dit-il.

Soudain, Héraclès sentit son manteau se tordre sous l'effet d'une violente secousse.

— Ils viennent – le philosophe désignait l'obscurité du parc. Et il ajouta, avec une emphase extatique : Et voilà Platon !

Par les sentiers enchevêtrés, un groupe d'hommes s'approchait. Ils portaient tous des *himations* sombres leur couvrant les épaules, sans tunique ni *chiton* dessous. Ils semblaient avoir appris l'art de se déplacer comme les canards : en rang, du plus grand au plus petit. Ils bavardaient. C'était merveilleux de les voir parler et marcher en file en même temps. Héraclès les soupçonna de posséder une sorte de clé numérique pour savoir précisément qui devait parler et qui devait répondre. Ils ne se coupaient jamais la parole : le numéro deux se taisait, et *à ce moment précis* le numéro quatre répliquait et le numéro cinq semblait deviner sans se tromper la fin de ce qu'allait dire le numéro quatre et intervenait à ce moment. Les rires résonnaient en chœur. Il pressentit également autre chose : bien que le numéro un, qui était Platon, restât silencieux, tous les autres semblaient s'adresser à lui, bien qu'ils ne le mentionnassent pas de façon explicite. Pour parvenir à cela, le ton montait progressivement et de façon mélodieuse depuis la voix la plus grave, le numéro deux, à la plus aiguë, le numéro six, qui, en plus d'être l'individu de plus petite stature, s'exprimait par des cris pénétrants, comme pour s'assurer que le numéro un l'écoutait. L'impression d'ensemble était celle d'une lyre dotée de mouvement.

Le groupe serpenta dans le jardin, se rapprochant davantage à chaque tournant. Par une étrange coïncidence, quelques adolescents sortirent du gymnase, complètement nus ou portant de courtes tuniques, mais ils réfrénèrent immédiatement leur agitation en apercevant la rangée de philosophes. Les deux groupes se réunirent sur la petite place. Héraclès se demanda un instant ce que verrait un éventuel observateur qui se serait situé dans le ciel : la ligne des adolescents et celle des philosophes qui se rapprochaient pour se réunir au sommet... peut-être, en tenant compte de la ligne de haies du jardin, une parfaite lettre delta ?

Diagoras lui fit signe de s'approcher.

— Maître Platon, dit-il, sur un ton révérencieux, se frayant un passage avec Diagoras pour parvenir au grand philosophe. Maître Platon : voici Héraclès, du *dêmos* de Pontor. Il désirait connaître l'école, et j'ai cru bien faire en l'invitant ce soir...

— Tu as très bien fait, Diagoras, à moins qu'Héraclès ne pense le contraire, répondit Platon, affable, d'une belle voix grave, et il se retourna vers le Déchiffreur en levant la main en guise de salut. Sois le bienvenu, Héraclès Pontor.

— Je t'en remercie, Platon.

Héraclès, de même que beaucoup d'autres, devait lever la tête pour s'adresser à Platon, gigantesque silhouette entourée d'hommes robustes et enchâssée par un torse puissant duquel semblait émaner le torrent argenté de sa voix. Cependant, il y avait quelque chose dans la manière d'être de cet insigne philosophe qui l'assimilait à un enfant enfermé dans une forteresse : c'était peut-être cette attitude presque constante d'étonnement sympathique, car lorsque quelqu'un lui parlait, qu'il s'adressait à quelqu'un, ou simplement quand il méditait, Platon ouvrait ses immenses yeux gris aux cils recourbés et haussait les sourcils à une hauteur presque comique, ou, au contraire, les fronçait comme un satyre au sourcil sévère. Cela lui donnait simplement l'expression d'un homme qui, sans avertissement, se fait mordre les fesses. Ceux qui le connaissaient affirmaient qu'un tel étonnement n'était pas légitime : plus une chose semblait l'étonner, moins d'importance cela lui conférait.

Devant Héraclès Pontor, l'expression de Platon traduisit un immense étonnement.

Les philosophes avaient commencé à entrer en ordre dans le bâtiment de l'école. Les élèves attendaient leur tour. Diagoras retint Héraclès pour lui dire :

— Je ne vois pas Antise. Il a dû rester au gymnase… Et soudain, presque sans transition, il murmura : Oh, Zeus…

Le Déchiffreur suivit la direction de son regard.

Un homme s'approchait en solitaire par le chemin d'entrée. Son aspect n'était pas moins imposant que celui de Platon, mais, à la différence de celui-ci, il semblait s'y ajouter une certaine sauvagerie. Il berçait dans ses énormes bras un chien blanc à la tête difforme.

— J'ai finalement décidé d'accepter ton invitation, Diagoras, dit Crantor avec un sourire sympathique. Je crois que nous allons passer une soirée très amusante*.

— Philotexte te salue, maître Platon, et se tient à ta disposition, dit Eudoxos. Il a voyagé autant que toi, et je t'assure que sa conversation est du plus grand intérêt…

— Comme la viande que nous avons dégustée aujourd'hui, répliqua Polyclète.

---

* Au cours de ces dernières heures, j'ai retrouvé le contrôle de mes nerfs. Cela provient essentiellement du fait que j'ai réparti de façon rationnelle mes périodes de repos entre les paragraphes : j'étire les jambes et fais de courtes promenades autour de ma cellule. Grâce à cet exercice, je suis parvenu à mieux concrétiser le monde exigu dans lequel je me trouve : un rectangle de quatre pas sur trois avec un lit dans un coin et une table avec sa chaise le long du mur opposé ; sur la table, mes documents de travail et le texte de *La Caverne* de Montalo. Je dispose également, ô luxe inouï, d'un petit trou pratiqué dans le sol pour y faire mes besoins. Une porte en bois massif sur des montants en fer me refuse la liberté. Aussi bien le lit que la porte, ne parlons pas du trou, sont ordinaires. La table et la chaise, cependant, ont l'air de meubles onéreux. Et je possède un abondant

Il y eut des rires, mais tous savaient que les commentaires banals ou privés, qui avaient jusqu'alors constitué l'essence de la réunion, devaient céder le pas, comme dans tout bon *symposium*, à une discussion réfléchie et au fructueux échange d'opinions d'un côté à l'autre de la salle. Les commensaux s'étaient répartis en cercle, allongés sur de confortables divans, et les élèves les servaient comme de parfaits esclaves. Personne ne prêtait beaucoup d'attention à la présence silencieuse, bien que notoire, du Déchiffreur d'Enigmes : sa profession était célèbre, mais beaucoup la considéraient comme vulgaire. Par contre, un mouvement croissant s'était créé autour de Philotexte de Chersonèse, un mystérieux petit vieillard dont le visage était dissimulé par la pénombre occasionnée par les rares lampes de la pièce, ami du mentor Eudoxos, et par le philosophe Crantor, du *dêmos* de Pontor, "ami du mentor Diagoras", comme il l'avait dit lui-même, arrivé depuis peu à Athènes après un grand périple dont tous attendaient le récit avec impatience. Maintenant, avec le travail infatigable des langues, qui se tordaient pour nettoyer les canines pointues des restes de viande, restes qui seraient ensuite emportés par du vin aromatisé qui stimulait le palais, le moment était venu de satisfaire la curiosité qu'inspiraient ces deux visiteurs.

— Philotexte est écrivain, poursuivit Eudoxos, et il connaît tes *Dialogues* et les admire. Et puis il

matériel pour l'écriture. Tout cela représente un bon stimulant pour me tenir occupé. L'unique lumière que mon geôlier m'autorise est celle de cette lampe misérable et capricieuse que je contemple en ce moment, placée sur la table. Ainsi donc, bien que j'essaie de résister, je finis toujours par m'asseoir et par continuer la traduction, entre autres pour ne pas devenir fou. Je sais que c'est exactement ce que souhaite Anonyme. "Traduis !" m'a-t-il ordonné à travers la porte il y a… combien de temps ?… mais… Ah, j'entends un bruit. Ce doit être la nourriture. Enfin. *(N.d.T.)* .

semble investi par Apollon du pouvoir de l'oracle de Delphes… Il a des visions… Il assure qu'il a vu le monde du futur, et que ce dernier, par certains aspects, s'accommode de tes théories… Par exemple, par rapport à cette égalité que tu prônes entre les travaux des hommes et des femmes…

— Par Zeus Cronide, intervint à nouveau Polyclète, feignant une grande angoisse, laisse-moi boire quelques coupes supplémentaires, Eudoxos, avant que les femmes n'apprennent le métier de soldat…

Diagoras était le seul à ne pas participer à la cordialité générale, car il s'attendait à voir Crantor exploser d'un moment à l'autre. Il voulut en parler à voix basse à Héraclès, mais il remarqua que ce dernier, à sa façon, ne s'intégrait pas à l'ambiance lui non plus : il restait immobile sur le divan, tenant la coupe de vin dans sa main gauche obèse sans se décider à l'abandonner sur la table ni à la porter à ses lèvres. On aurait dit la statue allongée d'un vieux et gros tyran. Mais ses yeux gris étaient vifs. Que regardait-il ?

Diagoras constata que le Déchiffreur ne perdait pas de vue les allées et venues d'Antise.

L'adolescent, qui portait un *chiton* bleu malicieusement fendu sur les côtés, avait été désigné comme échanson principal, et portait, comme c'est la coutume, une couronne de lierre qui hérissait ses boucles blondes et une *hipothymide* ou guirlande de fleurs sur ses épaules d'ivoire. En cet instant, il servait Eudoxos, puis il passerait à Harpocrate, et poursuivrait avec le reste des commensaux en suivant un ordre de préséance très strict.

— Et quel genre de choses écris-tu, Philotexte ? demanda Platon.

— De tout… répliqua le petit vieux dans l'ombre. Poésie, tragédie, comédie, œuvres en prose, épique et d'autres genres, très variés. Les Muses ont été indulgentes avec moi et ne m'ont pas opposé trop d'obstacles. D'autre part, bien qu'Eudoxos ait parlé de mes prétendues "visions", en me comparant même à l'oracle de Delphes, je dois te dire, Platon, que je ne "vois" pas le futur, mais que je l'invente : je l'écris, ce qui équivaut pour moi à l'inventer. Je conçois, par pur plaisir, des mondes différents de celui-ci et des voix qui parlent d'autres époques, passées ou futures ; et en achevant mes créations je les lis et je vois qu'elles sont bonnes. Si elles sont mauvaises, ce qui arrive aussi parfois, je les jette et en commence d'autres, et, après les rires brefs qui récompensèrent ses dernières phrases, il ajouta : Il est certain qu'Apollon m'a parfois permis de déduire ce que *peut* être le futur, et, de fait, j'ai l'impression que les hommes et les femmes finiront par exercer les mêmes métiers, comme tu le suggères dans tes *Dialogues*. En revanche, je ne crois pas qu'il existe un jour des gouvernements merveilleux ni des gouvernants "en or" qui travaillent pour la cité…

— Pourquoi ? demanda Platon avec une curiosité sincère. A notre époque, il est difficile que de tels gouvernements existent, c'est certain. Mais dans un avenir lointain, dans des centaines ou des milliers d'années… pourquoi pas ?

— Parce que l'homme n'a pas changé et ne changera jamais, Platon, répliqua Philotexte. Quoi qu'il nous en coûte de le reconnaître, l'être humain ne se laisse pas guider par les Idées invisibles et parfaites, ni même par des raisonnements logiques, mais par des impulsions, des désirs irrationnels…

Une controverse soudaine éclata. Certains s'interrompirent mutuellement dans leur hâte d'intervenir. Mais une voix à l'accent fort et hérissé s'imposa par-dessus les autres :

— Je suis d'accord avec cela.

Les visages se tournèrent vers Crantor.

— Que veux-tu dire, Crantor ? demanda Speusippe, l'un des mentors les plus respectés, car tous supposaient qu'il hériterait de la direction de l'Académie à la mort de Platon.

— Que je suis d'accord avec cela.

— Avec quoi ? Avec ce qu'a dit Philotexte ?

— Avec cela.

Diagoras ferma les yeux et récita une prière muette.

— Ainsi donc, tu crois que les hommes ne se laissent pas guider par la présence évidente des Idées mais par des impulsions irrationnelles ?

Au lieu de répondre, Crantor répliqua :

— Puisque tu aimes tant les questions socratiques, Speusippe, je vais t'en poser une. Si tu devais parler de l'art de la sculpture, prendrais-tu pour exemple une très belle silhouette d'adolescent peinte sur une amphore, ou la reproduction sur de la terre glaise, horrible et détériorée, d'un mendiant moribond ?

— Dans ton dilemme, Crantor, répondit Speusippe sans chercher à dissimuler la contrariété que lui inspirait la question, tu ne me laisses pas d'autre possibilité que de choisir la silhouette en terre, puisque l'autre n'est pas de la sculpture mais de la peinture.

— Parlons donc de statues en terre, sourit Crantor, et non de belles peintures.

Le robuste philosophe semblait totalement étranger à l'attente qu'il avait créée, occupé comme il l'était à ingérer de longues gorgées de vin. Au pied de son divan, Cerbère, le chien blanc difforme, finissait avec d'inlassables bruits de mandibules les restes de son maître.

— Je n'ai pas très bien compris ce que tu as voulu dire, dit Speusippe.

— Je n'ai rien voulu dire.

Diagoras se mordit la lèvre pour ne pas intervenir : il savait que, s'il parlait, l'harmonie du *symposium* se briserait comme un petit gâteau au miel sous le tranchant des canines.

— Je crois que Crantor veut dire que nous les êtres humains nous ne sommes que des statues de terre glaise… intervint le mentor Harpocrate.

— Tu le crois vraiment ? demanda Speusippe. Crantor fit un geste ambigu.

— C'est curieux, dit Speusippe, toutes ces années à voyager dans des contrées lointaines… et tu restes enfermé dans ta caverne. Parce que je suppose que

tu connais notre mythe de la caverne, non ? Le prisonnier qui a vécu toute sa vie dans une grotte, à
contempler des ombres d'objets et d'êtres réels, et
se retrouve soudain libre et sort à la lumière du
soleil... en remarquant qu'il n'avait vu que de
simples silhouettes, et que la réalité est beaucoup
plus belle et complexe qu'il ne l'avait imaginé...
Oh, Crantor, j'ai de la peine pour toi, car tu restes
prisonnier et que tu n'as pas aperçu le lumineux
monde des Idées* !

Soudain, Crantor se leva avec une rapidité fou-
droyante, comme s'il s'était lassé de quelque chose :
de sa position, des autres commensaux ou de la
conversation. Son mouvement fut si brusque qu'Hipsipyle, le mentor qui, par ses formes rondes et grasses,
ressemblait le plus à Héraclès Pontor, se réveilla
d'un épais sommeil contre lequel il luttait depuis le
début des libations et faillit renverser sa coupe de
vin sur l'impeccable Speusippe. "A propos, où est
Héraclès Pontor ?" se demanda fugitivement Diagoras. Son divan était vide, mais Diagoras ne l'avait
pas vu se lever.

---

* J'aperçois moi aussi des ombres dans ma "cellule-caverne" :
les mots helléniques dansent devant mes yeux, depuis combien de temps n'ai-je pas vu la lumière du soleil, qui est celle
du Bien, de laquelle tout découle ? Deux jours ? Trois ? Mais
au-delà de cette frénétique danse de graphismes je devine les
"crocs tordus" et le pelage "hérissé" et "dur" de l'Idée de sanglier, liée au troisième des travaux d'Hercule, la capture du
sanglier d'Erymanthe. Et si on ne mentionne nulle part le mot
"sanglier" j'en *vois* un malgré tout, je crois même l'entendre :
ses soufflements rauques, la poussière soulevée par ses coups
de patte, l'irritante éraflure des branches sous ses sabots, alors
cela signifie que l'Idée de sanglier existe, est aussi réelle que
moi. Montalo était-il intéressé par cette œuvre parce qu'il
considérait qu'elle *démontrait* de façon définitive la théorie
platonicienne des Idées ? Et Anonyme ? Pourquoi a-t-il commencé par jouer avec moi, en ajoutant un faux texte à l'original, puis m'a-t-il séquestré ? J'ai envie de crier, mais je crois que
l'Idée de cri est ce qui me soulagerait le plus. *(N.d.T.)*

194

— Vous parlez très bien, dit Crantor, et il lissa sa barbe noire hérissée avec un sourire tordu.

Il commença alors à se déplacer autour du cercle de commensaux. De temps en temps il agitait la tête et lançait un petit sourire, comme s'il avait trouvé toute cette situation très drôle.

— Vos paroles, dit-il, à la différence de la chair savoureuse que vous m'avez servie aujourd'hui, sont inépuisables... J'ai oublié l'art oratoire, parce que j'ai vécu dans des lieux où il était inutile... J'ai connu de nombreux philosophes qui étaient davantage convaincus par une émotion que par un discours... et d'autres qui ne pouvaient être convaincus, parce qu'ils ne pensaient rien qui ne pût être énoncé, compris, démontré ou réfuté en paroles, et se bornaient à désigner du doigt le ciel nocturne en indiquant qu'ils n'étaient pas devenus muets mais qu'ils dialoguaient comme le font les étoiles au-dessus de nos têtes...

Il poursuivit son lent tour de table, mais sa voix s'assombrit.

— Des mots... Vous parlez... Je parle... Nous lisons... Nous déchiffrons l'alphabet... Et, en même temps, notre bouche mastique... Nous avons faim... n'est-ce pas* ? Notre estomac reçoit les aliments... Nous soufflons et nous nous ébrouons... Nous plantons nos canines dans les morceaux tordus de viande...

Soudain il s'arrêta et dit, avec beaucoup d'emphase :

— Remarque que j'ai dit "canines" et "tordus**" !...

Personne ne comprit très bien auquel des assistants s'était adressé Crantor par cette phrase. Après une pause, il reprit sa promenade et son discours :

— Nous plantons, je le répète, nos crocs dans les morceaux tordus de viande, nos mains se déplacent

---

* Oui. Très, Crantor. Je te traduis tout en dégustant les immondices qu'Anonyme a bien voulu me laisser aujourd'hui dans l'écuelle. Souhaites-tu en goûter un peu ? *(N.d.T.)*
** Les mots eidétiques du chapitre, oui, je l'avais remarqué. Merci de toute façon, Crantor. *(N.d.T.)*

pour porter la coupe de vin à nos lèvres, notre peau se hérisse quand soufflent des rafales de vent, notre membre se dresse quand il hume la beauté, et notre intestin, parfois, se montre paresseux... ce qui est un problème, n'est-ce pas ? Reconnais-le*...

— Ne m'en parle pas ! Hipsipyle se sentit visé. Je n'ai pas bien déféqué depuis les dernières Thesmopho...

D'autres mentors, indignés, le firent taire. Crantor poursuivit :

— Nous avons des sensations... Des sensations parfois impossibles à définir... mais que de mots les recouvrent !... Comme nous les échangeons contre des images, des idées, des émotions, des faits !... Oh, et quel torrentiel fleuve de paroles est ce monde et de quelle façon nous glissons dessus !... Votre caverne, votre précieux mythe... Des mots, tout simplement... Je vais vous dire quelque chose, et je vous le dirai avec des mots, mais ensuite je retournerai au silence : tout ce que nous avons pensé, ce que nous penserons, ce que nous savons déjà, ce que nous saurons dans l'avenir, absolument tout, forme un beau *livre* que nous écrivons et lisons en commun ! Et tandis que nous nous efforçons de déchiffrer et de lire le texte de ce livre... notre corps... quoi ?... Notre corps réclame des choses... se fatigue... se dessèche... et finit par s'émietter... Il fit une pause. Son large visage se distendit en un sourire de masque d'Aristophane. Mais... oh, quel livre intéressant ! Comme il est amusant, et que de mots il contient ! N'est-ce pas ?

Il se fit un lourd silence quand Crantor eut fini de parler**.

_____

* Oui, également. Tu devines tout, Crantor. Depuis que je suis enfermé ici, l'un de mes principaux soucis est la constipation. *(N.d.T.)*

** Je dois être devenu fou. J'ai *dialogué* avec un personnage ! Soudain il m'a semblé qu'il s'adressait à moi, et je lui ai *répondu* dans mes notes. Tout est peut-être imputable au

Cerbère, qui avait suivi son maître, aboya furieusement à ses pieds en hérissant le moignon de sa queue et en montrant ses crocs acérés, comme pour lui demander ce qu'il comptait faire. Crantor se pencha comme un père affectueux qui, distrait par la conversation avec d'autres adultes, ne se fâche pas d'être interrompu par son jeune fils, le prit entre ses énormes mains et l'emporta comme une petite besace blanchâtre, pleine à une extrémité et presque vide de l'autre, vers le divan. A partir de cet instant, il sembla se désintéresser de ce qui se passait autour de lui et il se mit à jouer avec le chien.

— Crantor utilise les mots pour les critiquer, dit Speusippe. Comme vous le voyez, il se dément lui-même en parlant.

— L'idée du livre qui rassemblerait toutes nos pensées m'a plu, commenta Philotexte dans l'ombre. Pourrait-on créer un tel livre ?

Platon eut un bref éclat de rire.

— On voit bien que tu es écrivain et non philosophe ! Moi aussi, j'ai écrit, à une autre époque… C'est pour cela que je distingue nettement une chose de l'autre.

— Les deux sont peut-être semblables, répliqua Philotexte. J'invente des personnages et toi des vérités. Mais je ne veux pas changer de sujet. Je parlais d'un livre qui refléterait notre façon de penser… ou notre connaissance des choses et des êtres. Serait-il possible de l'écrire ?

Calliclès, un jeune géomètre dont le défaut unique mais notoire consistait à se déplacer sans élégance, comme si ses extrémités avaient été désarticulées,

---

temps depuis lequel je suis enfermé dans cette cellule, sans parler à personne. Mais il est également certain que Crantor se tient toujours sur la ligne qui sépare la fiction du réel… Ou plutôt, sur la ligne qui sépare le littéraire et le non-littéraire. Crantor ne se soucie pas d'être crédible : il se plaît même à révéler l'artifice verbal qui l'entoure, comme lorsqu'il a insisté opiniâtrement sur les mots eidétiques. (N.d.T.)

s'excusa à cet instant, se leva et déplaça le jeu d'os de son corps vers les ombres. Diagoras regretta l'absence d'Antise, qui était l'échanson principal. Où pouvait-il se trouver ? Héraclès n'était pas revenu non plus.

Après une pause, Platon objecta :

— Ce livre dont tu parles, Philotexte, ne peut être écrit.

— Pourquoi ?

— Parce que c'est impossible, répondit tranquillement Platon.

— Explique-toi, s'il te plaît, demanda Philotexte.

Lissant lentement sa barbe grisâtre, Platon dit :

— Depuis un certain temps, nous les membres de cette Académie, nous savons que la connaissance de n'importe quel objet contient cinq niveaux ou éléments : le nom de l'objet, la définition, l'image, la discussion intellectuelle et l'Objet en soi, qui est le véritable but de la connaissance. Mais l'écriture ne parvient qu'aux deux premiers : le nom et la définition. Le mot écrit n'est pas une image, il est donc incapable d'atteindre le troisième élément. Et le mot écrit ne pense pas, il ne peut pas non plus accéder à l'élément de la discussion intellectuelle. Il serait bien sûr encore moins possible d'atteindre avec lui le dernier de tous, l'Idée en soi. De la sorte, un livre qui décrirait notre connaissance des choses serait impossible à écrire.

Philotexte resta songeur un instant avant de dire :

— Si tu veux bien, donne-moi un exemple de chacun de ces éléments, afin que je puisse les comprendre.

Speusippe intervint immédiatement, comme si la tâche de donner des exemples n'était pas la charge de Platon.

— C'est très simple, Philotexte. Le premier élément est le nom, et cela pourrait être n'importe lequel. Par exemple : "livre", "maison", "cénacle"… Le deuxième élément est la définition, et ce sont les phrases qui parlent de ces noms. Dans l'exemple de "livre", une définition possible serait : "Le livre est un papyrus écrit qui constitue un texte complet." La littérature, c'est une évidence, ne peut qu'embrasser des noms et des définitions. Le troisième élément est l'image, la vision que chacun d'entre nous se fait dans sa tête lorsque nous pensons à quelque chose. Par exemple, en pensant à un livre, je vois un rouleau de papyrus étalé sur la table... Le quatrième élément, l'intellect, est précisément ce que nous sommes en train de faire : discuter, en utilisant notre intelligence, sur un thème quelconque. Dans notre exemple, cela consisterait à parler du livre : son origine, son propos... Et le cinquième et dernier élément est l'Idée en soi, c'est-à-dire, le véritable objet de la connaissance. Dans l'exemple du livre, ce serait le Livre en soi, le livre idéal, supérieur à tous les livres du monde...

— C'est pour cela que nous considérons le mot écrit comme une chose très imparfaite, Philotexte, dit Platon, et nous ne voulons pas par là mépriser les écrivains... On entendit des rires discrets. Platon ajouta : De toute façon, je crois que tu comprends maintenant pourquoi un livre présentant ces caractéristiques serait impossible à créer...

Philotexte semblait toujours songeur. Après une pause, il dit, de sa petite voix tremblante :

— On parie ?

Les rires devinrent alors unanimes.

Diagoras, qui commençait à trouver la discussion stupide, s'agita sur le divan avec inquiétude. Où Héraclès et Antise avaient-ils bien pu passer ? Enfin, avec un grand soulagement, il aperçut la silhouette obèse du Déchiffreur qui revenait de l'obscurité de la cuisine. Son visage, comme d'habitude, était inexpressif. Qu'avait-il pu se passer ?

Héraclès ne regagna même pas son divan. Il remercia pour le dîner, mais allégua que des affaires le réclamaient à Athènes. Les mentors lui dirent un au revoir rapide et cordial, et Diagoras le raccompagna.

— Où étais-tu ? lui demanda-t-il quand il se fut assuré que personne ne pouvait les entendre.

— Je suis sur le point de conclure mon enquête. Il ne manque que l'étape définitive. Mais nous le tenons.

— Ménechme ? Diagoras, nerveux, s'aperçut qu'il avait encore sa coupe de vin à la main. C'est Ménechme ? Je peux porter une accusation publique contre lui ?

— Pas encore. Tout se décidera demain.

— Et Antise ?

— Il est parti. Mais ne t'inquiète pas : il sera surveillé cette nuit, sourit Héraclès. Maintenant je dois m'en aller. Et sois tranquille, mon bon Diagoras : tu connaîtras la vérité demain*.

---

* Je viens de me rendre compte que je n'ai pas encore raconté comment je m'étais retrouvé dans cette cellule. S'il est vrai que ces notes doivent me servir à ne pas devenir fou, il est peut-être bon de raconter tout ce que je me rappelle sur ce qui est arrivé comme si je m'adressais à un lecteur futur et improbable. Permets-moi, lecteur, cette nouvelle interruption. Je sais que tu es beaucoup plus désireux de poursuivre ta lecture que d'écouter le récit de mes vicissitudes, mais rappelle-toi que, si marginal que tu me voies là, en bas, tu me dois un peu d'attention en remerciement de mon fructueux labeur, sans lequel tu ne pourrais apprécier l'œuvre mentionnée qui te plaît tant. Ainsi donc, lis-moi avec patience.

On se rappellera que la nuit où j'ai achevé de traduire le chapitre précédent, je me suis proposé d'attraper mon visiteur inconnu, le mystérieux falsificateur du texte sur lequel je travaille. Dans ce but, j'ai éteint les lumières de la maison et feint de me coucher, mais je suis en fait resté aux aguets dans le séjour, caché derrière une porte, attendant sa "visite". Au moment où j'étais presque sûr qu'il ne viendrait plus, j'ai entendu un bruit. J'ai penché la tête par la porte entrouverte, et j'ai eu juste le temps de distinguer une ombre qui se jetait sur moi. Je me suis réveillé avec un fort mal de tête, et je me suis vu enfermé entre ces quatre murs. Quant à la cellule, je l'ai déjà décrite, et je renvoie le lecteur intéressé à une note précédente. Sur la table, se trouvaient le texte de Montalo et ma propre traduction, qui s'arrête au chapitre VI. Sur ma traduction, une note écrite sur une feuille volante revêtue d'une fine calligraphie : "TU N'AS PAS BESOIN DE SAVOIR QUI JE SUIS. APPELLE-MOI «ANONYME». MAIS SI TU VEUX VRAIMENT SORTIR D'ICI, CONTINUE TA TRADUCTION. QUAND TU L'AURAS TERMINÉE, TU SERAS LIBRE." C'est pour l'instant le seul contact que j'aie eu avec mon ravisseur anonyme. Enfin, celui-ci et sa voix asexuée, que j'écoute de temps en temps à travers la porte de la cellule, m'ordonner : "Traduis !" C'est ce que je fais. *(N.d.T.)*

VIII

Je m'étais endormi sur la table – ce n'est pas la première fois que cela m'arrive depuis que je suis là –,
mais je me suis réveillé immédiatement en entendant ce bruit. Je me suis relevé avec une lenteur
compacte et me suis palpé la joue gauche, qui avait
supporté tout le poids de la tête aplatie sur les bras.
J'ai actionné les muscles de mon visage. J'ai nettoyé
une légère trace de salive. En soulevant le coude,
j'ai entraîné quelques feuilles contenant la fin de la
traduction du chapitre VII. Je me suis frotté les yeux
et j'ai regardé autour de moi : rien ne semblait avoir
changé. Je me trouvais dans la même pièce rectan-
gulaire, assis devant le bureau, isolé dans le halo de
lumière de la lampe. J'avais faim, mais ce n'était
pas une nouveauté non plus. J'ai alors examiné les
ombres et compris qu'en fait *quelque chose* avait
changé.

Héraclès Pontor, debout dans l'obscurité, me contemplait de ses yeux gris impassibles. Je murmurai :

— Que fais-tu ici ?

— Te voilà dans de beaux draps, dit-il. Sa voix
était celle que j'avais imaginée en le lisant. Mais je
n'y ai pensé que par la suite.

— Tu es un personnage de l'œuvre, protestai-je.

— Et ceci *est* l'œuvre, répliqua le Déchiffreur
d'Enigmes. Il est évident que tu en fais partie. Mais
tu as besoin d'aide, c'est pour cette raison que je
suis venu. Réfléchissons : tu as été séquestré pour la
traduire, bien que personne ne te garantisse que tu

vas recouvrer la liberté quand tu auras fini. Maintenant, la traduction intéresse beaucoup ton geôlier, ne l'oublie pas. Tu dois simplement en découvrir la raison. Il est important que tu découvres pourquoi il veut que tu traduises *La Caverne des idées*. Quand tu le sauras, tu pourras procéder à un échange : tu souhaites la liberté, il souhaite *quelque chose*. Vous pouvez tous deux obtenir ce que vous souhaitez, tu ne crois pas ?

— L'homme qui m'a enlevé ne souhaite rien, il est fou ! ai-je gémi.

Héraclès a agité sa robuste tête.

— Et alors ? Ne t'occupe pas pour l'instant de son bon sens mais de ses intérêts. Pourquoi est-il *si* important pour lui que tu traduises cette œuvre ?

Je méditai un instant.

— Parce qu'elle contient un secret.

A l'expression de son visage, je déduisis que ce n'était pas la réponse qu'il attendait.

— Très bien ! dit-il pourtant. C'est une raison évidente. Toute question évidente doit avoir une réponse évidente. *Parce qu'elle contient un secret.* Par conséquent, si tu pouvais vérifier *quel* est ce secret, tu serais en position de lui proposer un marché, n'est-ce pas ? "Je connais le secret, mais je ne parlerai pas, à moins que tu ne me laisses sortir d'ici", lui dirais-tu. C'est une bonne idée.

Il avait dit ces derniers mots sur un ton réconfortant, comme s'il n'avait pas été sûr que ce fût une si bonne idée mais souhaitait m'encourager.

— J'ai vraiment découvert quelque chose, dis-je : les travaux d'Hercule, une jeune fille avec un lys qui…

— Cela ne veut rien dire, m'interrompit-il d'un geste d'impatience. Ce sont de simples images ! Pour toi, il peut s'agir des travaux d'Hercule ou d'une jeune fille avec un lys, mais pour un autre lecteur cela peut être autre chose, tu ne comprends pas ? Les images changent, sont imparfaites ! Il faut que tu trouves une idée finale qui soit *la même* pour tous les lecteurs ! Tu dois te demander : quelle est la *clé* ? Il y a certainement un sens caché !...

J'ai balbutié des mots maladroits. Héraclès m'a observé avec une curieuse froideur. Puis il m'a dit :

— Bah, pourquoi pleures-tu ? Ce n'est pas le moment de se décourager mais de travailler ! Cherche l'idée principale. Sers-toi de ma logique : tu me connais et tu sais comment je raisonne. Cherche dans les mots ! Il doit y avoir quelque chose !... *Quelque chose !*

Je me penchai sur les papiers, les yeux encore humides. Mais il me sembla beaucoup plus important de lui demander comment il avait fait pour sortir du livre et apparaître dans ma cellule. Il m'interrompit d'un geste impérieux.

— Fin du chapitre, dit-il*.

---

* J'ai résisté à la tentation impérieuse de détruire ce faux chapitre VIII que mon ravisseur a sans doute glissé dans l'œuvre. Le seul point sur lequel ce fils de chienne a vu juste est que ces derniers temps je pleure très fréquemment. C'est un des moyens dont je dispose pour mesurer le temps. Mais si Anonyme croit qu'il va me rendre fou avec ces feuilles intercalées, il se trompe lourdement. Je sais maintenant pourquoi il les utilise : ce sont des messages, des instructions, des ordres, des menaces... Il ne se soucie même plus de dissimuler leur origine apocryphe. La sensation de *me lire* à la première personne a été nauséabonde. Pour m'en libérer, j'ai tenté de penser aux choses que *j'aurais dites* réellement. Je ne crois pas que j'aurais "gémi", comme l'affirme le texte. Je soupçonne que j'aurais posé beaucoup plus de questions que cette pathétique création par laquelle il tente de m'imiter. Maintenant, en ce qui concerne les pleurs, il ne s'est pas trompé du tout. Je commence la traduction de ce que j'imagine être le véritable chapitre VIII. *(N.d.T.)*

VIII*

Les derniers jours des Lénéennes engourdissaient le rythme normal de la ville.

Par ce matin ensoleillé, une longue file de charrettes de marchands bloquait la porte de Dipylon ; on entendait des insultes et des ordres, mais les mouvements n'en étaient pas moins lourds pour autant. A la porte du Pirée, l'allure était encore plus lente et un tour complet de roue de char pouvait durer un quart de clepsydre. Les esclaves, transportant des amphores, des messages, des fagots ou des sacs de blé, s'apostrophaient dans les rues, exigeant le passage. Les gens se levaient tard, et l'Assemblée au temple de Dionysos Eleuthère prenait du retard. Comme tous les prytanes n'étaient pas venus, on ne pouvait pas procéder au vote ; les discours languissaient, et l'assistance peu nombreuse somnolait sur les gradins. Ecoutons maintenant Janocratès. Et Janocratès, propriétaire d'importantes fermes aux abords de la ville, déplaçait son anatomie magnifique d'un pas sinueux jusqu'au podium des orateurs et commençait une lente déclamation à laquelle personne ne prêtait attention. Dans les temples, les sacrifices étaient interrompus en raison de l'absence des prêtres, occupés à préparer les dernières processions. Au monument aux Héros

---

* Je vais très lentement ! Très lentement ! Très LENTEMENT ! Je dois traduire plus vite si je veux sortir d'ici. *(N.d.T.)*

Eponymes, les têtes se penchaient sans enthousiasme pour lire les édits et les nouvelles dispositions. La situation à Thèbes n'évoluait pas. On attendait le retour de Pélopidas, le général cadméen exilé. Agésilas, le roi de Sparte, était rejeté par presque toute la Grèce. Citoyens : notre appui politique à Thèbes est crucial pour la stabilité de… Mais, à en juger par l'expression de lassitude de ceux qui lisaient, personne n'avait l'air de penser qu'il se passât quelque chose de "crucial" en ce moment.

Deux hommes, qui contemplaient l'une des tablettes d'un air absorbé, échangeaient lentement quelques mots :

— Regarde, Amphikos, ils disent que la patrouille destinée à exterminer les loups du Lycabette n'est pas encore complète : ils ont toujours besoin de volontaires…

— Nous sommes plus lents et maladroits que les Spartiates…

— C'est la mollesse de la paix : nous ne voulons plus nous enrôler, même pour tuer des loups…

Un autre homme observait les tablettes avec le même intérêt abruti que les autres. A l'expression neutre de son visage, posé sur une tête sphérique et chauve, on aurait dit que ses pensées étaient maladroites ou lentes. Ce qui lui arrivait sans doute était qu'il ne s'était pratiquement pas reposé de toute la nuit. "Il est l'heure d'aller voir le Déchiffreur", pensa-t-il. Il s'éloigna du monument et dirigea lentement ses pas vers le quartier de l'Escambonide.

Que se passait-il ce jour-là ? se demanda Diagoras. Pourquoi semblait-il que tout se traînât autour de lui avec une lenteur maladroite et mellifère* ? Le chariot du Soleil était paralysé dans le sillon du ciel ; le temps ressemblait à de l'hydromel épais ; c'était

---

* C'est l'eidesis, imbécile, l'eidesis, l'EIDESIS ! L'eidesis modifie tout, s'introduit partout, influe sur tout : maintenant c'est l'idée de "lenteur", qui cache, à son tour, une autre idée… (N.d.T.)

comme si les déesses de la Nuit, l'Aurore et le Matin, s'étaient refusées à partir et étaient restées tranquilles et unies, fondant l'obscurité et la lumière en une couleur grisâtre stagnante. Diagoras se sentait lent et confus, mais l'anxiété lui permettait de rester énergique. L'anxiété était comme un poids sur son estomac, ressortait dans la lente sueur de ses mains, l'aiguillonnait comme le taon avec le bétail, l'obligeant à avancer sans réfléchir.

Le trajet jusqu'à la maison d'Héraclès Pontor lui sembla aussi interminable que le parcours de Marathon. Le jardin s'était tu : seule la lente cantilène d'un coucou ornait le silence. Il frappa fort à la porte, attendit, entendit quelques pas et, quand la porte s'ouvrit, dit :

— Je veux voir Héraclès Po…

La jeune fille n'était pas Ponsica. Ses cheveux, frisés et broussailleux, flottaient librement sur sa tête anguleuse. Elle n'était pas belle, pas vraiment belle, mais étrange, mystérieuse, un défi, comme un hiéroglyphe gravé dans la pierre : des yeux clairs comme le quartz, qui ne cillaient pas ; des lèvres épaisses ; un cou gracile. Le péplum ne formait que quelques *kolpoï* sur son buste proéminent et… Par Zeus, maintenant il se souvenait d'elle !

— Entre donc, dit Héraclès Pontor en penchant la tête derrière l'épaule de la jeune fille. J'attendais quelqu'un d'autre, c'est pour cela…

— Je ne voudrais pas te déranger… si tu es occupé – les yeux de Diagoras se portaient alternativement sur Héraclès et la jeune fille, comme s'ils avaient attendu une réponse des deux côtés.

— Tu ne me déranges pas. Allons, entre. Il y eut un instant de lenteur maladroite : la jeune fille s'écarta silencieusement ; Héraclès la désigna. Tu connais Yasintra… Viens. Nous serons mieux pour parler sur la terrasse du jardin.

Diagoras suivit le Déchiffreur le long des couloirs obscurs ; il *sentit* – il ne voulut pas tourner la tête – qu'*elle* n'était pas derrière eux, et respira avec soulagement. Au-dehors, la lumière du jour revint avec une force aveuglante. Il faisait chaud, mais ce n'était pas gênant. Au milieu des pommiers, penchée sur la margelle d'un puits en pierre, se trouvait Ponsica, occupée à tirer de l'eau avec un seau pesant ; ses gémissements liés à l'effort résonnaient comme de faibles échos à travers le masque. Héraclès conduisit Diagoras au bord du mur du porche, et l'invita à s'asseoir. Le Déchiffreur était content, voire enthousiasmé : il frottait ses grosses mains, souriait, ses joues rebondies rougissaient – rougissaient ! –, son regard possédait un nouvel éclat malicieux qui étonnait le philosophe.

— Ah, cette jeune fille m'a été d'une aide précieuse, même si tu ne le crois pas !

— Mais si, je le crois.

Héraclès sembla surpris de comprendre les soupçons de Diagoras.

— Ce n'est pas ce que tu imagines, mon bon Diagoras, s'il te plaît… Permets-moi de te raconter ce qui est arrivé hier soir, quand je suis rentré chez moi après avoir poursuivi mon travail de façon satisfaisante…

Les sandales étincelantes de Séléné avaient déjà emporté la déesse au-delà de la moitié du sillon céleste qu'elle labourait toutes les nuits, quand Héraclès arriva chez lui et pénétra dans l'obscurité familière de son jardin, sous l'épaisseur des feuilles d'arbre qui, argentées par les froids effluves de la lune, s'agitaient en silence sans perturber le faible repos des oiselets transis qui somnolaient sur les lourdes branches, blottis dans les nids denses*…

---

* Je regrette, mais je ne supporte pas ça. L'eidesis s'est infiltrée dans les descriptions également, et la rencontre d'Héraclès et de Yasintra est narrée avec une lenteur exaspérante. Abusant de mon privilège de traducteur, je vais tenter de la condenser pour aller plus vite, en me bornant à narrer l'essentiel. (N.d.T.)

Alors il la vit : une ombre dressée au milieu des arbres, dessinée en relief par la lune. Il s'arrêta brusquement. Il regretta de ne pas avoir l'habitude – dans son métier, c'était parfois nécessaire – de porter une dague sous son manteau.

Mais la silhouette ne bougeait pas : c'était un volume pyramidal sombre, à la base large et tranquille et au sommet rond fleuri de cheveux encadrés d'un gris brillant.

— Qui es-tu ? demanda-t-il.

— Moi.

Une voix d'homme jeune, peut-être d'éphèbe. Mais les nuances… Il l'avait déjà entendue, il en était sûr. La silhouette fit un pas vers lui.

— Qui est-ce, "moi" ?

— Moi.

— Qui cherches-tu ?

— Toi.

— Approche-toi, pour que je puisse te voir.

— Non.

Il se sentit mal à l'aise : il lui sembla que l'inconnu avait et n'avait pas peur tout à la fois, qu'il était dangereux et à la fois inoffensif. Il conclut immédiatement qu'un tel contraste de qualités était le propre d'une femme. Mais… qui ? Il remarqua, du coin de l'œil, qu'un groupe de gens munis de torches s'approchait dans la rue ; ils chantaient faux. C'étaient peut-être les survivants de l'une des dernières processions des Lénéennes, car ils rentraient parfois chez eux obsédés par les chansons qu'ils avaient entendues ou entonnées pendant le rituel, poussés par la volonté anarchique du vin.

— Je te connais ?

— Oui. Non, dit la silhouette.

Cette réponse énigmatique fut paradoxalement ce qui lui révéla enfin son identité.

— Yasintra ?

La silhouette tarda à répondre. Les torches s'approchaient, effectivement, mais elles n'eurent pas l'air de bouger pendant ce laps de temps.

— Oui.

— Que veux-tu ?

— De l'aide.

Héraclès décida de s'approcher, et son pied droit avança d'un pas. Le chant des grillons sembla faiblir. Les flammes des torches bougèrent avec l'inertie de lourds rideaux agités par la main tremblante d'un vieillard. Le pied gauche d'Héraclès parcourut un autre segment éléatique. Les grillons reprirent leur chant. Les flammes des torches bougèrent de façon imperceptible, comme des nuages. Héraclès leva le pied droit. Les grillons se turent. Les flammes rampaient, pétrifiées. Le pied descendit. Il n'y avait plus de sons. Les flammes se tenaient tranquilles. Le pied était arrêté sur l'herbe*...

Diagoras avait l'impression d'avoir écouté Héraclès pendant longtemps.

— Je lui ai offert mon hospitalité et je lui ai promis de l'aide, expliquait Héraclès. Elle est effrayée, car on l'a menacée récemment, et elle ne savait à qui s'adresser : nos lois ne sont pas bienveillantes envers les femmes de sa profession, tu le sais.

— Mais qui l'a menacée ?

---

* Je m'arrête ici. Le reste de ce très long paragraphe est une description accablante de chacun des pas d'Héraclès s'approchant de Yasintra, mais, paradoxalement, le Déchiffreur ne parvient jamais à la rejoindre, ce qui rappelle le "Achille ne rejoindra jamais la tortue" de Zénon d'Elée (d'où l'expression segment éléatique). Tout cela suggère, en sus de la fréquence avec laquelle sont répétés des termes comme "lent", "lourd" ou "maladroit" et les métaphores sur le labour, le travail des bœufs de Géryon, le bétail lent qu'Hercule doit voler au monstre du même nom. "Le pas tortueux" parfois mentionné est homérique, car les bœufs, pour l'auteur de *L'Iliade*, sont des animaux au "pas tortueux"... Et en parlant de lourdeur et de lenteur, je dois noter ici que j'ai enfin pu faire entièrement mes besoins, ce qui m'a mis de bonne humeur. La fin de ma constipation est peut-être un signe de bon augure, de rapidité et d'atteinte du but. (*N.d.T.*)

— Les mêmes que ceux qui l'ont menacée avant que nous ne lui parlions, c'est pour cela qu'elle a fui en nous voyant. Mais ne t'impatiente pas, je vais tout t'expliquer. Je crois que nous disposons d'un peu de temps, car maintenant nous n'avons plus qu'à attendre les nouvelles... ah, ces derniers instants avant la résolution de l'énigme me procurent un plaisir particulier ! Tu veux une coupe de vin non mélangé ?

— Cette fois-ci, oui, murmura Diagoras.

Quand Ponsica s'en alla après avoir posé sur le mur du porche un lourd plateau avec deux coupes et un cratère de vin non mélangé, Héraclès dit :

— Ecoute sans m'interrompre, Diagoras : les explications seront plus longues si je me disperse.

Et il commença son récit en se déplaçant d'un point à l'autre du porche d'un pas lent et tortueux, en se dirigeant tantôt vers les murs, tantôt vers le jardin resplendissant, comme s'il répétait un discours destiné à l'Assemblée. Ses mains obèses enveloppaient ses paroles de gestes nonchalants*.

Tramaque, Antise et Eunio rencontrent Ménechme. Quand ? Où ? On l'ignore, mais cela n'est pas très important. Ce qui est certain, c'est que Ménechme leur propose de poser comme modèles pour ses sculptures et de participer à ses pièces de théâtre. Mais il tombe amoureux d'eux de surcroît et les invite à participer à ses fêtes licencieuses avec d'autres éphèbes**. Il accorde cependant plus d'attention à Antise qu'aux

---

* La dense explication qu'Héraclès Pontor offre du mystère constitue un renforcement supplémentaire de l'eidesis, car le Déchiffreur, d'ordinaire si parcimonieux, s'étend ici en de longues et étranges digressions qui avancent avec la lenteur des bœufs de Géryon. J'ai décidé d'en élaborer une version résumée. Je noterai, lorsque cela me semblera opportun, quelques commentaires originaux. *(N.d.T.)*

** "Nous pouvons imaginer leurs rires nocturnes, les subtiles contorsions devant le lent ciseau de Ménechme, les lentes espiègleries de l'amour, les corps nubiles rougis par les torches..." *(N.d.T.)*

deux autres. Ceux-ci commencent à éprouver de la jalousie, et Tramaque menace Ménechme de tout raconter si le sculpteur ne répartit pas son affection de façon plus équitable*. Ménechme prend peur, et arrange un rendez-vous avec Tramaque dans le bois. Tramaque feint de partir à la chasse, mais se rend en réalité à l'endroit convenu et se dispute avec le sculpteur. Celui-ci, soit par préméditation, soit sous le coup de la colère, le frappe jusqu'à ce qu'il tombe mort ou sombre dans l'inconscience et abandonne son corps pour que les bêtes féroces le dévorent. Antise et Eunio prennent peur en apprenant la nouvelle, et, une nuit, affrontent Ménechme et lui demandent des explications. Ménechme avoue froidement le crime, peut-être pour les menacer, et Antise décide de fuir Athènes sous prétexte d'enrôlement. Eunio, qui ne peut échapper à la domination de Ménechme, prend peur et veut le dénoncer, mais le sculpteur le fait également disparaître. Antise est témoin de tout. Ménechme décide alors de poignarder sauvagement le cadavre d'Eunio, puis l'asperge de vin et l'habille en femme, afin de faire croire à un acte de folie de l'adolescent ivre**. Voilà tout***.

---

* "Et, après l'ensorcelant vin du plaisir, l'aigre sédiment des discussions", dit Héraclès. *(N.d.T.)*

** "Observe l'astuce de Ménechme ! Ce n'est pas un artiste pour rien : il sait que l'aspect, l'apparence, est un cordial à l'effet puissant. Quand nous avons vu Eunio empestant le vin et habillé en femme, notre première pensée a été : «Un jeune homme qui se saoule et se déguise de la sorte est capable de tout», remarque Héraclès. Voilà le piège : les habitudes de notre jugement moral nient entièrement les évidences de notre jugement rationnel !" *(N.d.T.)*

*** "Et le lys ?" objecte alors Diagoras. Héraclès s'irrite de l'interruption et affirme : "Un détail poétique, simplement. Ménechme est un artiste." Mais ce qu'Héraclès ignore est que le lys n'est pas un détail "poétique" mais eidétique, et donc inaccessible à son raisonnement en tant que personnage. Le lys est une piste pour le lecteur, non pour Héraclès. Je reprends maintenant le dialogue normal. *(N.d.T.)*

— Tout ce que je t'ai raconté, mon bon Diagoras, ce sont les déductions que j'ai faites immédiatement après notre entrevue avec Ménechme. J'étais presque convaincu de sa culpabilité, mais comment m'en assurer ? J'ai alors pensé à Antise : c'était le point faible de cette branche, encline à se briser à la plus légère pression... J'ai élaboré un plan simple : au cours du dîner à l'Académie, pendant que vous perdiez tous votre temps à parler de philosophie poétique, j'épiais notre bel échanson. Comme tu le sais, les échansons servent chaque invité dans un ordre déterminé. Lorsque j'ai été sûr qu'Antise allait s'approcher de mon divan pour me servir, j'ai sorti un petit morceau de papyrus de mon manteau et je le lui ai remis sans rien lui dire, mais avec un geste plus que significatif. J'avais écrit : "Je sais tout sur la mort d'Eunio. Si tu ne veux pas que je parle, ne reviens pas servir le commensal suivant : attends un instant dans la cuisine, seul."

— Comment étais-tu aussi sûr qu'Antise avait assisté à la mort d'Eunio ?

Héraclès sembla soudain très content, comme s'il avait attendu cette question. Il ferma les yeux en souriant et dit :

— Je n'en étais pas sûr ! Mon message était un appât, mais Antise y a mordu. Quand j'ai vu qu'il tardait à servir le convive suivant... ton ami qui bouge comme si ses os étaient des joncs dans une rivière...

— Calliclès, acquiesça Diagoras. Oui : maintenant je me souviens qu'il s'est absenté un instant...

— C'est exact. Il est allé à la cuisine, intrigué qu'Antise ne le servît pas. Il a failli nous surprendre, mais heureusement nous avions fini de parler. Eh bien, comme je te le disais, quand j'ai vu qu'Antise ne revenait pas, je me suis levé et je suis allé dans la cuisine...

Héraclès se frotta les mains avec un lent plaisir. Il haussa l'un de ses sourcils grisâtres.

— Ah, Diagoras ! Que te dire sur cette astucieuse et belle créature ! Je t'assure que ton disciple pourrait nous donner à tous deux des leçons sur bien des points ! Il m'attendait dans un coin, tremblant, avec ses grands yeux brillants. Sur sa poitrine la guirlande de fleurs se soulevait au rythme de sa respiration. Il me fit signe de le suivre par des gestes rapides, et me conduisit dans un petit garde-manger où nous pûmes parler seul à seul. La première chose qu'il me dit fut : "Ce n'est pas moi, je vous le jure sur les dieux du foyer ! Je n'ai pas tué Eunio ! C'est lui !" J'ai réussi à lui faire raconter ce qu'il savait en lui laissant croire que je le savais déjà, ce qui était vraiment le cas, mais ses réponses ont confirmé point par point mes théories. A la fin, il me demanda, me supplia, les larmes aux yeux, de n'en rien révéler. Peu lui importait ce qui pourrait arriver à Ménechme, mais il ne voulait pas être impliqué dans l'affaire : il devait penser à sa famille… à l'Académie… Bref, ce serait terrible. Je lui dis que j'ignorais dans quelle mesure je pourrais lui obéir sur ce point. Il s'approcha alors de moi, haletant, provocant. Ses paroles, ses phrases, se firent délibérément lentes. Il me promit de nombreuses faveurs, car, me dit-il, il savait se montrer gentil avec les hommes. Je souris calmement et lui dis : "Antise, il n'est pas nécessaire d'en arriver là." Pour toute réponse, il arracha en deux mouvements rapides les fibules de son *chiton* et laissa tomber le vêtement sur ses chevilles… J'ai dit "rapides", mais ils me semblèrent très lents… Je compris soudain comment ce jeune homme pouvait déchaîner des passions et faire perdre le jugement aux plus raisonnables. Je sentis son haleine parfumée sur mon visage et m'écartai. "Antise, lui dis-je, je vois ici deux problèmes bien distincts : d'une part, ton incroyable beauté ; d'autre part, mon devoir de rendre justice. La raison nous dicte d'admirer la première et d'accomplir le second. Ne mélange donc pas ton admirable beauté à l'accomplissement de mon devoir." Il ne dit ni ne fit rien, il se contenta de me regarder. J'ignore combien de temps il me regarda ainsi, debout, ne portant que la couronne de lierre et la guirlande de fleurs sur les épaules, immobile, silencieux. La lumière du garde-manger était très faible, mais je pus voir une expression moqueuse sur son beau visage. Je crois qu'il voulait me montrer à quel point il était conscient du pouvoir qu'il exerçait sur moi, malgré mon refus… Ce garçon est un terrible tyran des hommes, et il le sait. Nous avons alors tous deux entendu quelqu'un l'appeler : c'était ton ami. Antise se rhabilla sans se presser, comme s'il s'était délecté de la possibilité d'être surpris dans cette attitude, et il quitta le garde-manger. Je regagnai la salle peu après.

Héraclès but une gorgée de vin. Son visage avait légèrement rougi. Celui de Diagoras, au contraire, était tout pâle. Le Déchiffreur fit un geste ambigu et dit :

— Ne te culpabilise pas. C'est certainement Ménechme qui les a corrompus.

Diagoras répliqua, sur un ton neutre :

— Je trouve bon qu'Antise s'en remette à toi de la sorte, et pas même à Ménechme ou à n'importe quel autre homme. En fin de compte, y a-t-il chose plus délicieuse que l'amour d'un éphèbe ? Ce qui est terrible, ce n'est jamais l'amour, mais les raisons de l'amour. Aimer pour le simple plaisir physique est détestable ; aimer pour acheter ton silence, également.

Ses yeux se mouillèrent de larmes. Sa voix se fit languide comme une fin d'après-midi :

— Le véritable amant n'a même pas besoin de toucher l'être aimé : le regarder lui suffit pour se sentir heureux et atteindre la sagesse et la perfection de son âme. Je plains Antise et Ménechme, parce qu'ils ignorent l'incomparable beauté du véritable amour – il eut un soupir et ajouta : Mais changeons de sujet. Qu'allons-nous faire maintenant ?

Héraclès, qui avait observé le philosophe avec curiosité, tarda à répondre.

— Comme disent les joueurs d'osselets : "A partir de maintenant, il faut jouer gagnant." Nous connaissons les coupables, Diagoras, mais ce serait une erreur de nous précipiter, parce que, comment savons-nous qu'Antise nous a dit toute la vérité ? Je t'assure que ce jeune homme ensorceleur est aussi astucieux que Ménechme lui-même, sinon plus. D'autre part, nous avons toujours besoin d'une confession publique ou d'une preuve pour accuser directement Ménechme, ou les deux. Mais nous avons franchi une étape importante : Antise a très peur, cela est bon pour nous. Que va-t-il faire ? Certainement ce qui est le plus logique : prévenir son ami pour qu'il s'enfuie. Si Ménechme quitte la ville, il ne nous servira à rien d'accuser publiquement Antise. Et je suis sûr que Ménechme lui-même préfère l'exil à la sentence de mort...

— Mais alors... Ménechme va s'échapper !

Héraclès agita lentement la tête tout en souriant avec astuce.

— Non, mon bon Diagoras : Antise est surveillé. Eumarque, son ancien pédagogue, le suit toutes les nuits sur mon ordre. Hier soir, en sortant de l'Académie, je suis allé voir Eumarque et lui ai donné des instructions. Si Antise va voir Ménechme, nous le saurons. Et si nécessaire, je prendrai mes dispositions pour qu'un autre esclave surveille l'atelier. Ni Ménechme ni Antise ne pourront faire le moindre mouvement sans que nous le sachions. Je veux qu'ils aient le temps de se décourager, de se sentir traqués. Si l'un des deux décide d'accuser l'autre publiquement pour tenter de se sauver, le problème sera résolu de la façon la plus commode. Sinon...

Il leva l'un de ses gros index pour désigner les murs de sa maison avec des gestes lents.

— S'ils ne se trahissent pas, nous utiliserons l'hétaïre.

— Yasintra ? Comment ?

Héraclès dirigea le même index vers le haut, précisant ses paroles.

— L'hétaïre a été l'autre *grande erreur* de Ménechme ! Tramaque, qui était tombé amoureux d'elle, lui avait raconté en détail les relations qu'il entretenait avec le sculpteur, admettant que sa personne lui inspirait à la fois des sentiments d'amour et de peur. Et les jours précédant sa mort, ton disciple lui a révélé qu'il était prêt à tout, même à parler à sa famille et à ses mentors de ses divertissements nocturnes, à condition de se voir libéré de l'influence néfaste de Ménechme. Mais il ajouta qu'il craignait la vengeance du sculpteur, car ce dernier l'avait assuré qu'il le tuerait s'il parlait. Nous ne savons pas comment Ménechme a appris l'existence de Yasintra, mais nous pouvons supposer que Tramaque lui a parlé d'elle à un moment de dépit. Le sculpteur a tout de suite compris qu'elle pouvait constituer un problème et lui a envoyé deux esclaves au Pirée pour la menacer, au cas où elle aurait eu dans l'idée de parler. Mais après notre conversation avec Ménechme, celui-ci, nerveux, a cru que l'hétaïre l'avait trahi, et l'a à nouveau menacée de mort. Ce fut alors que Yasintra a su qui j'étais, et hier soir, effrayée, elle est venue me demander de l'aide.

— Elle est donc maintenant notre unique preuve…

Héraclès acquiesça en ouvrant de grands yeux, comme si Diagoras avait dit quelque chose d'extraordinairement étonnant.

— C'est exact. Si nos deux astucieux criminels ne veulent pas parler, nous les accuserons publiquement en nous appuyant sur les témoignages de Yasintra. Je sais bien que la parole d'une courtisane ne vaut rien face à celle d'un citoyen libre, mais l'accusation déliera la langue d'Antise, probablement, ou peut-être de Ménechme lui-même.

Diagoras cligna des yeux en dirigeant le regard sur le jardin scintillant de lumière. Près du puits, avec une indolence soumise, paissait une énorme vache blanche*.

---

* Un renforcement de l'eidesis, comme dans les chapitres précédents, pour accentuer l'image des bœufs de Géryon. (N.d.T.)

— Eumarque va arriver d'un moment à l'autre avec des nouvelles, dit Héraclès, très animé. Alors nous saurons ce que comptent faire ces aigrefins, et nous agirons en conséquence...

Il but une autre gorgée de vin et la savoura avec une lente satisfaction. Il se sentit peut-être mal à l'aise en devinant que Diagoras ne partageait pas son optimisme, car il changea subitement de ton pour dire, avec une certaine brusquerie :

— Eh bien, qu'en penses-tu ? Ton Déchiffreur a résolu l'énigme !

Diagoras, qui continuait à observer le jardin au-delà de la mastication pacifique de la vache, dit :

— Non.

— Quoi ?

Diagoras agitait la tête en direction du jardin, de sorte qu'il avait l'air de s'adresser à la vache.

— Non, Déchiffreur, non. Je m'en souviens bien ; je l'ai vu dans ses yeux : Tramaque n'était pas simplement soucieux, il était *terrifié*. Tu prétends me faire croire qu'il allait me raconter ses jeux licencieux avec Ménechme, mais... Non. Son secret était beaucoup plus effroyable.

Héraclès agita la tête avec des mouvements paresseux, comme s'il avait rassemblé de la patience pour parler à un jeune enfant.

— Tramaque avait peur de Ménechme ! dit-il. Il pensait que le sculpteur allait le tuer s'il le dénonçait ! C'est de la peur, que tu as vue dans ses yeux !...

— Non, répliqua Diagoras avec un calme infini, comme si le vin ou l'heure languide de midi l'avaient assoupi.

Alors, en parlant très lentement, comme si chaque mot avait appartenu à une autre langue et devait être prononcé soigneusement pour pouvoir être traduit, il ajouta :

— Tramaque était *terrifié*... Mais sa terreur allait au-delà de ce qui est compréhensible... C'était la terreur en soi, l'Idée de terreur : quelque chose que ta raison, Héraclès, ne peut même pas apercevoir, parce que tu ne t'es pas penché sur ses yeux comme je l'ai fait. Tramaque n'avait pas peur de ce que Ménechme pourrait lui faire mais de… de quelque chose de beaucoup plus effroyable. Je le sais, et il ajouta : Je ne sais pas très bien pourquoi. Mais je le sais.

Héraclès demanda avec mépris :

— Tu essaies de me dire que mon explication n'est pas correcte ?

— L'explication que tu m'as offerte est raisonnable. Très raisonnable. Diagoras regardait toujours le jardin dans lequel paissait la vache. Il prit une profonde inspiration. Mais je ne crois pas que ce soit la vérité.

— C'est raisonnable et ce n'est pas vrai ? Que me contes-tu là, Diagoras de Medonte ?

— Je ne sais pas. Ma logique me dit : "Héraclès a raison", mais… Ton ami Crantor saurait peut-être l'expliquer mieux que moi. Hier soir, à l'Académie, nous en avons beaucoup parlé. Il est possible que la Vérité ne puisse être raisonnée… Je veux dire… Si je te disais maintenant quelque chose d'absurde, comme par exemple : "Il y a une vache qui paît dans ton jardin, Héraclès", tu me prendrais pour un fou. Mais ne pourrait-il arriver que, pour quelqu'un que nous ne sommes ni toi ni moi, cette affirmation soit la *vérité* ? Diagoras interrompit la réplique d'Héraclès : Je sais qu'il n'est pas *rationnel* de dire qu'il y a une vache dans ton jardin parce qu'il n'y en a pas, et il ne peut pas y en avoir. Mais pourquoi la *vérité* doit-elle être *rationnelle*, Héraclès ? Ne peut-on envisager la possibilité de l'existence… de vérités irrationnelles* ?

---

* Il est clair que la "vache du jardin" comme la "bête" du chapitre IV ou les "serpents" du deuxième relèvent d'une présence exclusivement eidétique, et par conséquent invisible pour les protagonistes. Mais l'auteur l'utilise comme argument pour étayer les doutes de Diagoras : en effet, pour le lecteur, l'affirmation est *vraie*. Mon poignet tremble. Peut-être de fatigue. (*N.d.T.*)

— C'est ce que Crantor vous a raconté hier ? Héraclès réprimait sa colère à grand-peine. La philosophie finira par te rendre fou, Diagoras ! Je te parle de choses cohérentes et logiques, et toi... L'énigme de ton disciple n'est pas une théorie philosophique : c'est une chaîne d'événements rationnels qui... !

Il s'interrompit en remarquant que Diagoras agitait à nouveau la tête, sans le regarder, contemplant encore le jardin vide*.

— Je me rappelle une de tes phrases, dit Diagoras : "Il y a des lieux étranges dans cette vie que ni toi ni moi n'avons jamais visités." C'est vrai... Nous vivons dans un monde étrange, Héraclès. Un monde dans lequel rien ne peut être entièrement raisonné ni compris. Un monde qui n'obéit parfois pas aux lois de la logique mais à celles du rêve ou de la littérature... Socrate, qui était un grand raisonneur, affirmait qu'un *daïmôn*, un esprit, lui inspirait les vérités les plus profondes. Et Platon pense que la folie est en quelque sorte une façon mystérieuse d'accéder à la connaissance. C'est ce qui m'arrive aujourd'hui : mon *daïmôn*, ou ma folie, me dit que ton explication est fausse.

— Mon explication est logique !

— Mais fausse.

— Si mon explication est fausse, alors *tout est faux* !

— C'est possible, admit Diagoras avec amertume. Oui, qui sait.

— Très bien ! grogna Héraclès. En ce qui me concerne, tu peux t'enfoncer lentement dans le bourbier de ton pessimisme philosophique, Diagoras ! Je vais te démontrer que... Ah, on frappe à la porte.

---

* Après avoir rempli sa fonction eidétique, l'image de la vache disparaît même pour le lecteur, et le jardin reste "vide". Cela n'est pas de la magie : c'est simplement de la littérature. (*N.d.T.*)

C'est certainement Eumarque. Reste là, à contempler le monde des Idées, mon cher Diagoras ! Je te servirai la tête de Ménechme sur un plateau et tu me paieras pour ce travail !... Ponsica, ouvre !

Mais Ponsica avait déjà ouvert, et le visiteur passait le porche à cet instant.

C'était Crantor.

— Oh, Héraclès Pontor, Déchiffreur d'Enigmes, et toi, Diagoras, du *dêmos* de Medonte. Athènes est émue jusque dans ses fondations, et tous les citoyens qui possèdent encore un reste de voix réclament à grands cris votre présence à un certain endroit...

En souriant, il fit un geste pour rassurer Cerbère, qui s'agitait, furibond, entre ses bras. Puis il ajouta, sans cesser de sourire, comme s'il s'était apprêté à annoncer une bonne nouvelle :

— Une chose horrible est arrivée.

Imposante, digne, la silhouette de Praxinoe semblait refléter la lumière qui entrait à gros remous par les fenêtres sans volets de l'atelier. Il écarta d'un geste doux l'un des hommes qui l'accompagnaient, et, en même temps, sollicita l'aide d'un autre avec un nouveau mouvement. Il s'agenouilla. Il resta ainsi pendant toute la durée de l'attente. Les curieux imaginaient des expressions pour son visage : chagrin, douleur, vengeance, fureur. Praxinoe les déçut tous en gardant les traits calmes. Son visage reflétait des souvenirs, presque tous agréables ; les sourcils symétriques noirs contrastaient avec la barbe de neige. Rien ne semblait indiquer qu'il contemplât en cet instant le corps mutilé de son fils. Il y eut un détail : il battit des paupières, mais avec une lenteur incroyable ; il garda le regard fixé sur un point entre les deux cadavres, et ses yeux commencèrent à plonger à la renverse, dans un très long déclin sous les cils, jusqu'à ce que ses orbites se transforment en deux quartiers de lune. Ensuite, les paupières se rouvrirent. Ce fut tout. Il se redressa, aidé par ceux qui l'entouraient, et dit :

— Les dieux t'ont appelé avant moi, mon fils. Envieux de ta beauté, ils ont voulu te retenir, en te rendant immortel.

Un murmure d'admiration salua ses paroles nobles et vertueuses. D'autres hommes arrivèrent : quelques soldats, et un homme qui avait l'air d'être un médecin. Praxinoe releva la tête, et le Temps, qui s'était respectueusement arrêté, reprit son cours.

— Qui a fait ça ? demanda-t-il. Sa voix n'était plus aussi ferme. Bientôt, quand personne ne le regarderait, il pleurerait, peut-être. L'émotion tardait à envahir son visage.

Il y eut une pause, mais ce fut cette sorte de moment pendant lequel les regards se consultent pour décider qui interviendra le premier.

L'un des hommes qui l'accompagnaient dit :

— Les voisins ont entendu des cris dans l'atelier ce matin à l'aube, mais ils ont pensé qu'il s'agissait d'une des fêtes du dénommé Ménechme…

— Nous avons vu Ménechme partir en courant ! intervint quelqu'un. Sa voix et son aspect négligé contrastaient avec la respectable dignité des hommes de Praxinoe.

— Tu l'as vu ? demanda Praxinoe.

— Oui ! Et d'autres, aussi ! Alors nous avons appelé les serviteurs des astynomes !

L'homme semblait attendre une récompense pour ses déclarations. Mais Praxinoe l'ignora. Il éleva la voix une fois de plus pour demander :

— Quelqu'un peut-il me dire qui a fait ça ?

Et il prononça "ça" comme s'il s'était agi d'une action impie, digne de la poursuite des Furies, sacrilège, inconcevable. Tous les gens présents baissèrent la tête. A l'atelier, on n'entendait même pas voler une mouche, bien qu'il y en eût deux ou trois qui traçaient de lents cercles près de la lumière éclatante des fenêtres ouvertes. Les statues, presque toutes inachevées, semblaient contempler Praxinoe avec une compassion rigide.

Le médecin, une silhouette maigre et dégingandée, beaucoup plus pâle que les cadavres eux-mêmes, agenouillé, tournait la tête en observant alternativement les deux corps ; il touchait le vieil homme, puis tout de suite après le jeune homme, comme s'il avait voulu les comparer entre eux, et murmurait ses découvertes avec la lenteur persévérante d'un enfant qui réciterait les lettres de l'alphabet avant l'examen. Un astynome penché sur le côté écoutait et acquiesçait avec respect.

Les cadavres étaient placés face à face, allongés de profil sur le sol de l'atelier sur un majestueux lac de sang. On aurait dit des statues de danseuses peintes sur un récipient : le vieil homme, portant un misérable manteau gris, pliait le bras droit et tendait le gauche au-dessus de sa tête. Le jeune homme était une réplique symétrique de la position du vieil homme, mais il était complètement nu. Au demeurant, vieil homme et jeune homme, esclave et homme libre, étaient à égalité dans l'horreur sociale des blessures : ils n'avaient plus d'yeux, leur visage était défiguré et leur corps couvert de profondes coupures ; entre les jambes, la même amputation. Il y avait une autre différence : le vieil homme tenait, dans sa main droite crispée, deux globes oculaires.

— Ils sont bleus, déclara le médecin comme s'il avait fait un inventaire.

Et, après avoir prononcé ces mots, il éternua avant de dire :

— Ce sont ceux du jeune homme.

— Le serviteur des Onze ! annonça quelqu'un, brisant le terrible silence.

Mais tous les regards eurent beau chercher dans le groupe de curieux qui se pressaient dans l'entrée, personne ne parvint à repérer qui était le nouveau venu. Alors une voix fit irruption, la sincérité à fleur de mot, et accapara immédiatement l'attention.

— Oh, Praxinoe, noble parmi les nobles !

C'était Diagoras de Medonte. Lui et un gros homme de petite stature étaient arrivés à l'atelier un peu avant Praxinoe, accompagnés d'un autre homme énorme à l'aspect étrange qui tenait un petit chien dans ses bras. Le gros homme semblait s'être volatilisé, mais Diagoras s'était fait remarquer pendant un certain temps, car tous l'avaient vu pleurer amèrement, prostré à côté des cadavres. Mais il se montrait maintenant énergique et décidé. Ses forces semblaient se concentrer sur le point fixe de la gorge, sans doute dans le but de doter ses paroles de la cuirasse nécessaire. Il avait les yeux rougis et le visage d'une pâleur mortelle.

— Je suis Diagoras de Medonte, dit-il, mentor d'Antise à…

— Je sais qui tu es, l'interrompit Praxinoe sans ménagement. Parle.

Diagoras se passa la langue sur ses lèvres desséchées et prit son inspiration.

— Je veux jouer le rôle du sycophante et accuser publiquement le sculpteur Ménechme de ces crimes.

On entendit des murmures indolents. L'émotion, après un long combat, avait vaincu le visage de Praxinoe : rougissant, il levait un de ses sourcils noirs, tirant lentement sur les fils de l'œil et des paupières ; sa respiration était audible.

— Tu sembles sûr de ce que tu affirmes, Diagoras, dit-il.

— Je le suis, noble Praxinoe.

Une autre voix s'exclama, avec un accent étranger :

— Que s'est-il passé ici ?

C'était, enfin – il ne pouvait s'agir de quelqu'un d'autre –, le serviteur des Onze, l'assistant des onze juges qui constituaient l'autorité suprême en matière de crimes : un homme de haute taille vêtu de peaux de bêtes comme les barbares. Un fouet en nerf de bœuf s'enroulait autour de sa taille. Il avait un aspect menaçant, mais la sottise était peinte sur son visage. Il haletait lourdement, comme s'il était venu en courant, et, à en juger par l'expression de son visage, il semblait frustré de constater que le plus intéressant avait eu lieu en son absence. Quelques hommes – il y en a toujours en de telles occasions – s'approchèrent pour lui expliquer ce qu'ils savaient, ou ce qu'ils croyaient savoir. Mais la majorité était rivée aux paroles de Praxinoe :

— Pourquoi crois-tu, Diagoras, que Ménechme ait fait ça... à mon fils et à son vieux pédagogue Eumarque ?

Diagoras se passa à nouveau la langue sur les lèvres.

— Il nous le dira lui-même, noble Praxinoe, sous la torture s'il le faut. Mais ne doute pas de sa culpabilité : ce serait comme de douter de la lumière du soleil.

Le nom de Ménechme apparut sur toutes les lèvres : différentes façons de le prononcer, différents tons. Son visage, son aspect furent évoqués en pensée. Quelqu'un cria quelque chose, mais on lui ordonna de se taire immédiatement. Finalement, il lâcha les rênes du silence respectueux et dit :

— Allez chercher Ménechme.

Comme s'il s'était agi du signal attendu, la Colère leva la tête et les bras. Les uns réclamaient vengeance ; d'autres jurèrent sur les dieux. Certains, sans connaître Ménechme même de vue, voulaient déjà qu'il endure d'atroces tortures ; ceux qui le connaissaient secouaient la tête et se lissaient la barbe en pensant, peut-être : "Qui l'eût dit !" Le serviteur des Onze semblait être le seul à ne pas bien comprendre ce qui arrivait, et demandait aux uns et aux autres de quoi ils parlaient, qui était le vieillard mutilé qui gisait à côté du jeune Antise, qui avait accusé Ménechme le sculpteur, et ce qu'ils criaient tous, et qui, quoi.

— Où est Héraclès ? demanda Diagoras à Crantor, en même temps qu'il tirait sur son manteau. La confusion était énorme.

— Je ne sais pas, Crantor haussa ses énormes épaules. Il y a un moment, il reniflait comme un chien près des cadavres. Mais maintenant...

Pour Diagoras il y avait deux sortes de statues dans l'atelier : les unes ne bougeaient pas, d'autres, à peine. Il les esquiva toutes maladroitement ; il se fit bousculer, entendit quelqu'un l'appeler dans le brouhaha ; son manteau l'entraînait dans une autre direction ; il tourna la tête : le visage de l'un des hommes de Praxinoe s'approchait en remuant les lèvres.

— Tu dois parler à l'archonte si tu veux commencer l'accusation…

— Oui, je vais lui parler, dit Diagoras sans très bien comprendre ce que l'homme lui disait.

Il se libéra de tous les obstacles, s'arracha à la foule, se fraya un passage jusqu'à la sortie. Plus loin, c'était une belle journée. Des esclaves et des hommes libres étaient pétrifiés devant le porche d'entrée, envieux, semblait-il, des sculptures de l'intérieur. La présence des gens était une dalle sur la poitrine de Diagoras : il put respirer librement lorsqu'il eut laissé le bâtiment derrière lui. Il s'arrêta ; il regarda des deux côtés. Désespéré, il choisit une rue qui montait. Enfin, avec un immense soulagement, il aperçut au loin les pas tortueux et la marche maladroite, lente et méditative du Déchiffreur. Il le héla.

— Je voulais te remercier, dit-il en arrivant à sa hauteur. Dans sa voix, on percevait une hâte étrange. Son ton ressemblait à celui d'un charretier qui, sans crier, veut aiguillonner les bœufs pour les faire avancer plus vite. Tu as bien fait ton travail. Je n'ai plus besoin de toi. Je te paierai ce qui était convenu ce soir même, et comme il avait l'air incapable de supporter le silence, il ajouta : Tout était finalement tel que tu me l'avais expliqué. Tu avais raison, et je me trompais.

Héraclès grommelait. Diagoras dut presque se pencher pour entendre ce qu'il disait, bien qu'il parlât très lentement :

— Pourquoi ce sot a-t-il agi ainsi ? Il s'est laissé emporter par la peur ou la folie, c'est clair… Mais… les deux corps massacrés !… C'est absurde !

Diagoras répliqua, avec une joie étrange et féroce :

— Il nous donnera lui-même ses raisons, mon bon Héraclès. La torture lui déliera la langue !

Ils marchèrent en silence dans la rue baignée de soleil. Héraclès se gratta la tête.

— Je regrette, Diagoras. Je me suis trompé sur Ménechme. J'étais sûr qu'il tenterait de fuir, et je ne...

— Ça n'a plus d'importance – Diagoras parlait comme l'homme qui se repose après être parvenu à destination au bout d'un long et lent chemin dans un lieu désert. C'est moi qui me suis trompé, je le comprends maintenant. Je plaçais l'honneur de l'Académie avant la vie de ces pauvres garçons. Ça n'a plus d'importance. Je parlerai et j'accuserai !... Je m'accuserai moi aussi comme mentor, parce que... il se frotta les tempes, comme plongé dans un complexe problème mathématique. Il poursuivit : ... Parce que si quelque chose les a obligés à rechercher la tutelle de ce criminel, je dois en répondre.

Héraclès voulut l'interrompre, mais il réfléchit et attendit.

— Je dois en répondre... répéta Diagoras, comme s'il avait voulu apprendre ses paroles par cœur. Je dois en répondre !... Ménechme n'est qu'un fou furieux, mais moi... Que suis-je ?

Il se passa quelque chose d'étrange, bien qu'aucun des deux ne semblât s'en apercevoir au début ; ils se mirent à parler en même temps, comme s'ils avaient discouru sans s'écouter, traînant lentement les phrases, l'un sur un ton passionné, l'autre avec froideur :

— C'est moi le responsable, le véritable responsable... !

— Ménechme surprend Eumarque, il prend peur et...

— Parce que, voyons, que signifie être maître ? dis-moi... !

— ... Eumarque le menace. Très bien. Alors...

— ... Cela signifie enseigner, et enseigner est un devoir sacré... !

— ... ils se battent, et Eumarque tombe, c'est sûr...

— ... enseigner signifie modeler les âmes... !

— ... Antise veut protéger Eumarque...

— ... un bon mentor connaît ses disciples... !

— ... d'accord, mais alors, pourquoi les détruire de la sorte ?...

— ... si ce n'est pas le cas, pourquoi enseigner ?...

— Je me suis trompé.

— Je me suis trompé !

Ils s'arrêtèrent. L'espace d'un instant, ils se regardèrent, déconcertés et anxieux, comme si chacun était ce dont l'autre avait le plus grand besoin en cet instant. Le visage d'Héraclès semblait avoir vieilli.

— Diagoras, dit-il avec une lenteur incroyable... je reconnais que dans toute cette affaire j'ai agi avec la maladresse d'une vache. Mes pensées n'avaient jamais été aussi lourdes et maladroites. Ce qui me surprend le plus est que les événements possèdent une certaine logique, et mon explication est satisfaisante dans l'ensemble, mais... il y a des détails... très peu, en effet, mais... J'aimerais disposer d'un peu de temps pour méditer. Je ne te ferai pas payer ce temps supplémentaire.

Diagoras s'arrêta et plaça les deux mains sur les épaules robustes du Déchiffreur. Il le regarda alors droit dans les yeux et dit :

— Héraclès, nous sommes arrivés à la fin.

Il fit une pause et répéta lentement, comme s'il parlait à un enfant :

— Nous sommes arrivés à la fin. Le chemin a été long et difficile. Mais c'est fait. Accorde un peu de repos à ton cerveau. De mon côté, je vais essayer de faire en sorte que mon âme se repose également.

Soudain le Déchiffreur s'écarta avec brusquerie de Diagoras et continua à gravir la côte. Il parut alors se rappeler quelque chose, et se retourna vers le philosophe.

— Je vais m'enfermer chez moi pour méditer, dit-il. S'il y a des nouvelles, tu seras tenu au courant.

Et, avant que Diagoras ait pu l'en empêcher, il s'introduisit entre les sillons de la foule lente et pesante qui descendait la rue en cet instant, attirée par la tragédie.

Certains dirent que cela s'était produit rapidement. Mais la majorité pensa que tout avait été très long. C'était peut-être la lenteur de la rapidité, qui se produit quand les choses sont ardemment attendues, mais cela personne ne le dit.

Ce qui se produisit se produisit avant que ne surgissent les ombres du soir, bien avant que les commerçants métèques ne ferment leurs boutiques et que les prêtres des temples ne lèvent leurs couteaux pour les derniers sacrifices : personne ne compta le temps, mais l'opinion générale affirmait que ce fut lors des heures qui suivent midi, quand le soleil, lourd de lumière, commence à descendre. Les soldats montaient la garde devant les portes, mais cela ne se produisit pas devant les portes. Ni devant les appentis où certains s'aventurèrent à entrer en pensant qu'ils le trouveraient accroupi et tremblant dans un coin, comme un rat affamé. En réalité, les choses se déroulèrent avec ordre, dans l'une des rues populaires des nouveaux potiers.

En cet instant une question progressait dans la rue de bouche en bouche, maladroite mais inexorable, lente mais décidée :

— Tu as vu Ménechme, le sculpteur du Céramique ?

La question recrutait des hommes, comme une religion éphémère. Les hommes, convertis, se transformaient en resplendissants porteurs de la question. Certains restaient en chemin : c'étaient ceux qui se doutaient de l'endroit où pouvait se trouver la réponse… Un instant, nous n'avons pas regardé dans cette maison ! Attendez, demandons à ce vieil homme ! Je ne serai pas long, je vais vérifier si ma théorie est exacte !… D'autres, incrédules, ne rejoignaient pas la nouvelle foi, car ils pensaient que la question pouvait être mieux formulée de la sorte : tu as vu celui que tu n'as jamais vu et que tu ne verras jamais, car pendant que je t'interroge il est déjà loin ?... De sorte qu'ils agitaient lentement la tête et souriaient en réfléchissant : tu es stupide si tu crois que Ménechme va attendre...

La question progressait cependant.

A cet instant, son pas tortueux et irrésistible parvint à la minuscule boutique d'un potier métèque.

— Bien sûr, que j'ai vu Ménechme, dit-il à l'un des hommes qui contemplaient distraitement ses marchandises.

Celui qui avait posé la question allait passer son chemin, l'oreille habituée à la réponse habituelle, mais il sembla se cogner contre un mur invisible. Il se retourna pour observer un visage tanné par des sillons tranquilles, une barbe négligée et clairsemée et des mèches de cheveux gris.

— Tu dis que tu as vu Ménechme ? demanda-t-il, anxieux. Où ?

— Je suis Ménechme, répondit l'homme.

On dit qu'il souriait. – Non, il ne souriait pas. – Il souriait, Harpale, je le jure sur les yeux de chouette d'Athéna ! – Et moi sur le noir fleuve Styx : il ne souriait pas ! – Tu étais près de lui ? – Aussi près que je le suis maintenant de toi, et il ne souriait pas : il faisait une grimace, mais ce n'était pas un sourire ! – Il souriait, moi aussi je l'ai vu : quand tu l'as pris par les bras au milieu des autres, il souriait, je le jure par... ! – C'était une grimace, sot : comme si je faisais ça avec la bouche ! Tu trouves que je souris, maintenant ? – Tu as l'air d'un idiot. – Mais comment, par le dieu de la vérité, comment aurait-il souri, en sachant ce qui l'attend ? Et s'il sait ce qui l'attend, pourquoi s'est-il livré au lieu de fuir la ville ?

La question avait fait naître de multiples rejetons, tous difformes, agonisants, morts à la tombée de la nuit...

Le Déchiffreur d'Enigmes était assis à son bureau, une main appuyée sur sa grosse joue, il réfléchissait*.

Yasintra pénétra dans la pièce sans faire de bruit, de sorte que lorsqu'il leva la tête il la vit debout sur le seuil, son image dessinée par les ombres. Elle portait un long péplum retenu par une fibule sur l'épaule droite. Le sein gauche, retenu par un bout de tissu, était presque nu**.

— Continue à travailler, je ne veux pas te déranger, dit Yasintra de sa voix d'homme.

Héraclès n'avait pas l'air d'être dérangé.

— Que veux-tu ? lui demanda-t-il***.

— N'interromps pas ton travail. Il a l'air si important…

Héraclès ne savait pas si elle se moquait – il était difficile de le savoir parce que, croyait-il, toutes les femmes étaient des masques. Il la vit avancer lentement, à l'aise dans l'obscurité.

— Que veux-tu ? répéta-t-il****.

-----

* C'est ma posture préférée. Je viens de l'abandonner, précisément, pour reprendre ma traduction. Je crois le parallélisme adéquat, parce que dans ce chapitre tout semble arriver en double : aux uns en même temps qu'aux autres. Il s'agit sans doute d'un renforcement subtil de l'eidesis : les bœufs avancent ensemble, attachés au même joug. (N.d.T.)
** Maintenant je sais que l'individu qui m'a enfermé ici est complètement fou. Je m'apprêtais à traduire ce paragraphe quand j'ai levé la tête et l'ai vu devant moi, comme Héraclès avec Yasintra. Il était entré dans ma cellule sans faire de bruit. Il avait un aspect ridicule : il était enveloppé dans un long manteau noir et portait un masque et une perruque en mauvais état. Le masque imitait le visage d'une femme, mais son ton et ses mains étaient ceux d'un vieil homme. Ses paroles et ses mouvements – je le sais maintenant, en continuant la traduction – étaient *identiques* à ceux de Yasintra dans ce dialogue – il a parlé dans ma langue, mais la traduction était exacte. Je noterai donc uniquement mes propres réponses après celles d'Héraclès. (N.d.T.)
*** — Qui es-tu ? demandai-je. (N.d.T.)
**** Je crois que là je n'ai rien dit. (N.d.T.)

Elle haussa les épaules. Lentement, presque avec répugnance, elle approcha son corps de lui.

— Comment peux-tu rester ici aussi longtemps, assis dans l'obscurité ? demanda-t-elle avec curiosité.

— Je réfléchissais, dit Héraclès. L'obscurité m'aide à réfléchir*.

— Cela te plairait, que je te fasse un massage ? murmura-t-elle.

Héraclès la regarda sans répondre**.

Elle tendit les mains vers lui.

— Laisse-moi, dit Héraclès***.

— Je veux juste te faire un massage, murmura-t-elle, folâtre.

— Non. Laisse-moi****.

Yasintra s'arrêta.

— J'aimerais te faire plaisir, murmura-t-elle.

— Pourquoi ? demanda Héraclès*****.

— Je te dois une faveur, dit-elle. Je veux te la payer.

— Ce n'est pas nécessaire******.

— Je suis aussi seule que toi. Mais je peux te rendre heureux, je te l'assure.

Héraclès l'observa. Le visage de la jeune femme ne reflétait aucune expression.

— Si tu veux me rendre heureux, laisse-moi seul un instant, dit-il*******.

Elle soupira. Elle haussa à nouveau les épaules.

---

* — Dans l'obscurité ? Je ne veux pas être dans l'obscurité ! m'exclamai-je. C'est toi qui m'as enfermé ici ! *(N.d.T.)*

** — Un… *massage* ? Tu es fou ? *(N.d.T.)*

*** — Ecarte-toi ! hurlai-je, et je me levai d'un bond. *(N.d.T.)*

**** — Ne me touche pas !! dis-je à ce moment, je crois, je n'en suis pas sûr. *(N.d.T.)*

***** — Tu es… tu es complètement fou… je pris peur. *(N.d.T.)*

****** — Une faveur… ? Quelle faveur ?… Traduire l'œuvre ?… *(N.d.T.)*

******* — Laisse-moi sortir d'ici, et je serai heureux ! *(N.d.T.)*

— Tu as envie de manger quelque chose ? Ou de boire ? demanda-t-elle.

— Je ne veux rien*.

Yasintra fit demi-tour et s'arrêta sur le seuil.

— Appelle-moi si tu en as besoin, lui dit-elle.

— Je n'y manquerai pas. Maintenant va-t'en**.

— Tu n'as qu'à m'appeler, et je viendrai.

— Va-t'en, maintenant*** !

La porte se referma. L'habitation se trouva à nouveau plongée dans l'obscurité****.

---

* — Si !! J'ai faim ! Et soif !… (*N.d.T.*)

** — Attends, s'il te plaît, ne t'en va pas !… je fus soudain angoissé. (*N.d.T.*)

*** — NE T'EN VA PAS !! (*N.d.T.*)

**** — Non !! criai-je, et je me mis à pleurer. Maintenant que j'ai retrouvé mon calme, je me demande quel était le but de mon ravisseur avec cette pantomime absurde ? Me prouver qu'il connaît parfaitement l'œuvre ? Me laisser entendre qu'il sait à tout moment où en est ma traduction ?… Ce dont je suis vraiment sûr – ô dieux des Grecs, protégez-moi – c'est que je suis tombé dans les mains d'un vieux *fou* ! (*N.d.T.*)

IX

Comme les délits imputés à Ménechme, fils de Lacos, du *dêmos* de Carisie, étaient de sang – de "chair", comme le prétendaient certains – le jugement eut lieu à l'Aréopage, le tribunal de la colline d'Arès, l'une des plus vénérables institutions de la ville. Sur ses marbres avaient été prises les fastueuses décisions du gouvernement à une autre époque, mais, après les réformes apportées par Solon et Clisthène, son pouvoir avait été réduit à une simple magistrature chargée de juger les homicides volontaires, qui n'offrait à ses clients que des condamnations à mort, des destitutions de leurs droits et des ostracismes. Il n'y avait donc pas un Athénien qui ne se délectât à observer les gradins blancs, les colonnes sévères et le podium élevé des archontes situé face à un brûle-parfum rond comme une assiette sur lequel moussaient des herbes odorantes en l'honneur d'Athéna, dont l'arôme, affirmaient les connaisseurs, rappelait vaguement celui de la chair humaine grillée. Mais parfois, s'y tenait un petit banquet aux frais d'un notable accusé.

Le procès de Ménechme, fils de Lacos, du *dêmos* de Carisie, avait suscité une grande attente, davantage en raison de la noblesse des victimes et de l'aspect sordide des crimes que de sa personne, car Ménechme n'était que l'un des nombreux héritiers de Phidias et de Praxitèle qui gagnaient leur vie en vendant leurs œuvres, comme on vend de la viande, à des mécènes aristocrates.

Bientôt, après l'annonce stridente du héraut, il ne resta pas un espace libre sur les gradins historiques : des métèques et des Athéniens appartenant à la corporation de sculpteurs et des céramistes, de même que des poètes et des militaires, composaient l'essentiel du public avide, mais les simples citoyens curieux ne manquaient pas.

Les yeux s'écarquillèrent et il y eut des murmures d'approbation quand les soldats présentèrent l'accusé, les poignets entravés, maigre mais vigoureux. Ménechme, fils de Lacos, du *dêmos* de Carisie, dressait le torse et portait la tête haute, ornée de mèches grises, comme si au lieu d'une condamnation il venait recevoir un honneur militaire. Il écouta calmement la substantielle liste d'accusation, et, s'en tenant à la loi, garda le silence quand l'archonte orateur requit sa participation pour rectifier ce qui lui semblerait opportun dans les charges qu'on lui imputait. Vas-tu parler, Ménechme ? Rien : ni oui, ni non. Il continuait à bomber le torse avec l'orgueil opiniâtre d'un faisan. Allait-il se déclarer innocent ? Coupable ? Cachait-il un terrible secret qu'il pensait révéler à la fin ?

Les témoins défilèrent : ses voisins épicèrent le préambule en parlant des jeunes, généralement des vagabonds ou des esclaves, qui fréquentaient son atelier sous prétexte de poser comme modèles pour ses œuvres. On parla de ses activités nocturnes : les cris piquants, les grognements gourmands, l'odeur aigre-douce des orgies, la demi-douzaine quotidienne d'éphèbes nus et blancs comme des gâteaux à la crème. De nombreux estomacs se contractèrent en écoutant de telles déclarations. Plusieurs poètes affirmèrent ensuite que Ménechme était bon citoyen et meilleur auteur encore, et qu'il s'efforçait avec acharnement de retrouver l'ancienne veine du théâtre athénien, mais comme ces artistes étaient aussi insipides que celui qu'ils prétendaient glorifier, les archontes ne tinrent pas compte de leurs témoignages.

Puis ce fut le tour de la triperie des crimes : on accentua les détails sanglants, la chair découpée, la déliquescence des viscères, la crudité inutile des corps. Le capitaine de la garde-frontière qui avait découvert Tramaque s'exprima ; les astynomes qui avaient découvert Eunio et Antise donnèrent leur avis ; les questions apprêtèrent une garniture d'abats ; la fantaisie prépara un cadavre avec des lamelles de jambes, de visages, de mains, de langues, de dos et de ventres. Enfin, à midi, sous l'empire brunissant des coursiers du Soleil, la sombre silhouette de Diagoras, fils de Jampsacos, du *dêmos* de Medonte, gravit les marches qui conduisaient au podium. Le silence était sincère : tous attendaient avec une impatience dévorante celui qu'ils supposaient être le principal témoin de l'accusation. Diagoras, fils de Jampsacos, du *dêmos* de Medonte, ne les déçut pas : il fut ferme dans ses réponses, impeccable dans la prononciation claire de ses paroles, honnête dans l'exposition des faits, prudent à l'heure de les juger, avec un certain arrière-goût amer à la fin, un peu dur parfois, mais satisfaisant en général. En parlant, il ne regarda pas en direction des gradins, où Platon et certains de ses collègues étaient assis, mais vers le podium des archontes, bien que ceux-ci n'eussent pas l'air de prêter la moindre attention à ses paroles, comme s'ils connaissaient déjà la sentence et ne considéraient sa déclaration que comme un simple apéritif.

A l'heure où la faim commence à tourmenter la chair, l'archonte roi décida que le tribunal avait maintenant entendu suffisamment de témoignages. Ses yeux bleus limpides se tournèrent vers l'accusé avec l'indifférence courtoise d'un cheval.

— Ménechme, fils de Lacos, du *dêmos* de Carisie : ce tribunal te concède le droit de te défendre, si tu le souhaites.

Et soudain, le cercle solennel de l'Aréopage, avec ses colonnes, son brûle-parfum et son podium, s'unit en un seul point vers lequel convergèrent les regards gloutons du public : le visage peu défini du sculpteur, sa chair sombre sillonnée par les coupures de la maturité tranchante, ses yeux ornés de battements de paupières et sa tête saupoudrée de cheveux gris.

Dans un silence anxieux, comme de libation précédant un banquet, Ménechme, fils de Lacos, du *dêmos* de Carisie, ouvrit lentement la bouche et passa le bout de sa langue sur ses lèvres desséchées.

Et il sourit*.

C'était la bouche d'une femme : ses dents, la chaleur de son haleine. Il savait que la bouche pouvait mordre, ou dévorer, mais ce n'était pas ce qui lui importait le plus en cet instant, c'était le cœur palpitant qu'étreignait la main inconnue. Ce n'était pas le lent balayage des lèvres de la femelle – car c'était une femelle, beaucoup plus qu'une femme –, le tiède parcours de la dentition sur sa peau, puisque ce genre de caresses lui plaisait en partie – seulement en partie. C'était le cœur… la chair battante et humide qu'opprimaient les doigts forts… Il fallait vérifier ce qui s'étendait au-delà, à qui appartenait l'ombre épaisse qui guettait le contour de sa vision. Parce que le bras ne flottait pas en l'air, il le savait maintenant : le bras était le prolongement d'une silhouette qui se dévoilait et se cachait comme le corps de la lune la nuit, chaque mois. Maintenant… un peu… il pouvait presque distinguer l'homme en entier, le… Un soldat, lointain, ordonnait, disait ou précisait tout. Sa voix lui était familière, mais il ne distinguait pas bien les paroles. Et elles étaient si importantes ! Un autre détail le gênait : voler

---

* Et le public le dévora. La description du jugement de Ménechme adopte le revêtement eidétique d'un festin dont le sculpteur est le plat principal. Je ne sais pas encore auquel des travaux il fait allusion, mais je le soupçonne. Ce qui est sûr, c'est que l'eidesis m'a mis l'eau à la bouche. (*N.d.T.*)

produisait une certaine pression dans la poitrine ; il était nécessaire de se rappeler une telle découverte en vue de recherches futures. Une pression, oui, également un sédiment de plaisir dans les zones les plus sensibles. Voler était agréable, malgré la bouche, les faibles morsures, la distension de la chair...

Il se réveilla, vit l'ombre à califourchon sur lui et l'écarta brusquement, avec un geste furieux des bras. Il se rappela que dans certaines traditions le cauchemar est un monstre à tête de jument et à corps de femme qui appuie ses fesses sur la poitrine du dormeur et lui murmure des paroles amères avant de le dévorer. Il y eut une confusion de manteaux et de chair tendue, de jambes entrelacées et de gémissements. Cette obscurité ! Oh, cette obscurité !...

— Non, non, calme-toi.

— Quoi ?... Qui ?...

— Calme-toi. C'était un rêve.

— Hagesikora ?

— Non, non...

Il trembla et reconnut son propre corps allongé sur ce qui était son lit dans ce qui était sa propre chambre – il s'en rendait compte maintenant. Tout était donc en ordre, excepté cette chair chaude et nue qui s'agitait à côté de lui tel un poulain vigoureux et nerveux. De sorte que le raisonnement prit possession de son esprit et, en bâillant, il commença le nouveau jour, non sans sursauter.

— Yasintra ? déduisit-il.

— Oui.

Héraclès se redressa en tendant avec effort les ressorts de son ventre, comme s'il venait de manger, et se frotta les yeux.

— Que fais-tu ici ?

Il n'obtint pas de réponse. Il la sentit s'agiter à ses côtés, chaude et humide comme si sa chair avait exsudé des sucs. Le lit s'affaissa en plusieurs endroits ; il perçut le mouvement et en fut ébranlé. On entendit soudain des coups amortis et le bruit caractéristique des pieds nus sur le sol.

— Où vas-tu ? demanda-t-il.

— Tu ne veux pas que j'allume une lampe ?

Il entendit les frottements du silex. "Elle sait déjà où je laisse la lampe tous les soirs et où elle peut trouver de l'amadou", pensa-t-il, classant cette donnée quelque part dans son abondante bibliothèque mentale. Le corps de la jeune femme apparut peu après devant ses yeux, la moitié de la chair ointe de miel par la lumière de la lampe. Héraclès hésita avant de définir son état comme celui de "nudité". En réalité, il n'avait jamais vu de femme *aussi* nue : sans maquillage, sans bijoux, sans la protection d'une coiffure, même dépouillée de la fragile – mais efficace – tunique de la pudeur. Complètement nue. Crue, lui vint-il à l'idée, comme un simple morceau de viande jeté par terre.

— Pardonne-moi, je t'en supplie, dit Yasintra. Dans sa voix de jeune homme, il ne put sentir la moindre once de préoccupation devant la possibilité qu'il ne la pardonnât pas. Je t'ai entendu gémir depuis ma chambre. Tu avais l'air de souffrir. J'ai voulu te réveiller.

— C'était un rêve, dit Héraclès. Un cauchemar que je fais depuis quelque temps.

— Les dieux nous parlent souvent à travers des rêves récurrents.

— Je n'y crois pas. C'est illogique. Les rêves n'ont pas d'explication : ce sont des images que nous fabriquons au hasard. Elle ne répondit pas.

Héraclès pensa appeler Ponsica, mais il se souvint que son esclave lui avait demandé la veille la permission d'aller assister à une réunion fraternelle de dévots des Mystères sacrés à Eleusis. Ainsi donc, il se trouvait seul dans la maison avec l'hétaïre.

— Tu veux faire ta toilette ? demanda-t-elle. Je t'apporte un bol ?

— Non.

Alors, presque sans transition, Yasintra demanda :

— Qui est Hagesikora ?

Soudain Héraclès la regarda sans comprendre. Puis il dit :

— J'ai mentionné ce nom dans mes rêves ?

— Oui. Et une certaine Etis. Tu m'as prise pour les deux.

— Hagesikora était mon épouse, dit Héraclès. Elle est morte de maladie il y a longtemps. Nous n'avons pas eu d'enfants.

Il fit une pause et ajouta, sur le même ton didactique, comme s'il avait expliqué une leçon ennuyeuse à la jeune fille :

— Etis est une vieille amie. Il est étrange que j'aie mentionné les deux. Mais je t'ai dit que, à mon avis, les rêves ne signifient rien.

Il y eut une pause. La lampe, illuminant la jeune fille d'en bas, travestissait sa nudité : un harnais noir tressautant lui entourait les seins et le pubis ; de fines courroies lui ceignaient les lèvres, les sourcils et les paupières. L'espace d'un instant, Héraclès l'étudia attentivement, souhaitant découvrir ce que pouvaient dissimuler ses formes au-delà du sang et des muscles. Comme cette hétaïre était différente de sa regrettée Hagesikora !

— Si tu ne souhaites rien d'autre, je m'en vais, dit Yasintra.

— L'aube est-elle encore lointaine ?

— Non. La couleur de la nuit est grise.

"La couleur de la nuit est grise. Une observation digne de cette créature", pensa Héraclès.

— Alors laisse la lampe allumée, lui indiqua-t-il.

— Bien. Que les dieux t'accordent le repos.

"Hier elle m'a dit : *Je te dois une faveur*, pensa-t-il. Mais pourquoi veut-elle m'obliger à accepter cette sorte de paiement ? Ai-je vraiment senti sa *bouche* sur… ? Peut-être cela faisait-il partie du rêve ?"

— Yasintra.

— Quoi ?

Il ne remarqua pas même la plus légère ombre d'impatience ou d'espoir dans cette voix, et cela – oh, orgueil qui dévore les hommes – lui fit du mal. Et cela lui fit du mal que cela lui fît du mal. Quant à elle, elle s'était simplement arrêtée et avait tourné le cou, faisant pivoter son visage vers lui pour lui montrer son regard nu tandis que résonnait le : "Quoi ?"

— Ménechme a été arrêté pour l'assassinat d'un autre éphèbe. Le procès a lieu aujourd'hui à l'Aréopage. Tu n'as plus rien à craindre de lui : j'ai pensé que tu aimerais le savoir, ajouta-t-il après une pause.

— Oui, dit-elle.

Et la porte, en se refermant sur son passage, grinça en émettant le même son : "Oui."

Il resta toute la matinée au lit. L'après-midi il se leva, dévora un saladier entier de figues douces et décida d'aller faire un tour. Il ne chercha même pas à savoir si Yasintra était restée dans la petite chambre d'invités qu'il lui avait dévolue, ou si, au contraire, elle était déjà partie sans lui dire au revoir : la porte était fermée, et, d'une certaine façon, cela ne dérangeait pas Héraclès de la laisser seule à la maison, car il ne la considérait pas comme une voleuse, ni, en fait, comme une mauvaise femme. Il dirigea tranquillement ses pas vers l'agora, et, sur la place, rencontra plusieurs hommes qu'il connaissait et beaucoup d'autres, inconnus. Il préféra interroger ces derniers.

— Le jugement contre le sculpteur ? dit un individu à la peau bronzée et au visage de satyre épiant les nymphes. Par Zeus, tu ne le sais pas ? On ne parle pas d'autre chose dans toute la ville !

Héraclès haussa les épaules, comme s'il s'était excusé pour son ignorance. L'homme ajouta, montrant des dents énormes :

— Il a été condamné à l'enfer.

— Il s'est reconnu coupable ? répéta Héraclès.

— Oui.

— De tous les crimes ?

— Oui. Exactement comme l'en accusait le noble Diagoras : de l'assassinat des trois adolescents et du vieux pédagogue. Et il l'a dit devant tout le monde, en souriant : "Je suis coupable !", ou quelque chose dans le genre. Les gens étaient surpris de son impudence, et il y avait de quoi !... Le visage de faune s'assombrit tandis que l'homme ajoutait : Par Apollon, l'enfer n'est pas grand-chose pour cet être infâme ! Pour une fois je suis d'accord avec les femmes !

— Que veulent-elles ?

— Une délégation d'épouses des prytanes a demandé à l'archonte de le torturer avant de le tuer...

— De la chair. Elles veulent de la chair, dit l'homme avec lequel parlait le faune avant qu'Héraclès ne les interrompe : robuste, les épaules larges et de petite stature, légèrement condimenté par des cheveux blonds sur la tête et des poils blonds dans la barbe*.

Le faune acquiesça et découvrit à nouveau ses dents chevalines.

— Moi, je les exaucerais, même si ce n'était que pour cette fois !... Ces éphèbes innocents !... Tu ne crois pas que... ? Héraclès se retourna, mais trouva un espace vide.

Le Déchiffreur s'éloignait, esquivant maladroitement les gens qui bavardaient sur la place. Il était étourdi, au bord de la nausée, comme s'il avait rêvé pendant longtemps et s'était réveillé dans une ville inconnue. Mais l'aurige de son cerveau tenait encore les rênes dans la course rapide de ses pensées. Que se passait-il ? Quelque chose commençait à être illogique. Ou quelque chose n'avait jamais été logique, et c'était maintenant que l'erreur devenait évidente...

---

* Les fréquentes métaphores culinaires, de même que celles qui ont un rapport avec les "chevaux", décrivent de façon eidétique le travail des juments de Diomède qui, comme chacun sait, mangeaient de la chair humaine et finirent par dévorer leur propre maître. J'ignore jusqu'à quel point la "délégation d'épouses des prytanes" qui "veulent de la chair" est identifiée aux juments. S'il en est ainsi, il s'agirait d'une moquerie irrespectueuse. (N.d.T.)

Il pensa à Ménechme. Il le vit frapper Tramaque dans la forêt au point de le tuer ou de le faire sombrer dans l'inconscience, l'abandonnant ensuite aux bêtes sauvages affamées. Il le vit assassiner Eunio et, par prudence ou par peur, détruire et déguiser son cadavre pour dissimuler le crime. Il le vit mutiler sauvagement Antise et, non content de cela, l'esclave Eumarque qu'il avait certainement surpris en train de les épier. Il le vit au procès, souriant, se déclarant coupable de tous les assassinats : me voici, c'est moi, Ménechme de Carisie, et je dois vous dire que j'ai fait l'impossible pour vous échapper, mais maintenant… quelle importance ! Je suis coupable. J'ai tué Tramaque, Eunio, Antise et Eumarque, j'ai fui puis je me suis livré. Condamnez-moi. Je suis coupable.

Antise et Yasintra accusaient Ménechme… Mais Ménechme lui-même remettait Ménechme à la mort ! Il était devenu fou, certainement… Mais s'il en était ainsi, c'était récent. Il n'avait pas agi en fou quand il avait pris la précaution de donner rendez-vous à Tramaque dans la forêt, loin de la ville. Il n'avait pas agi en fou quand il avait improvisé un apparent "suicide" pour Eunio. Dans les deux cas, il s'était conduit avec la plus grande astuce, comme un adversaire digne de l'intelligence d'un Déchiffreur, mais maintenant… Maintenant il semblait que plus rien n'avait d'importance pour lui ! Pourquoi ?

Quelque chose ne marchait pas dans sa minutieuse théorie. Et ce quelque chose était… tout. Le prodigieux édifice de raisonnement, la structure de ses déductions, l'harmonieuse armature de causes et d'effets… Il s'était trompé, depuis le début, et ce qui le tourmentait le plus, c'était l'assurance d'avoir *bien* mené les déductions, de n'avoir négligé aucun détail important, d'avoir étudié absolument tous les indices de l'énigme… Et là résidait l'origine de l'angoisse qui le dévorait ! S'il avait bien raisonné, pourquoi s'était-il trompé ? Serait-il vrai que, comme l'affirmait son client Diagoras, il existât des vérités *irrationnelles* ?

Cette ultime pensée l'intrigua beaucoup plus que les précédentes. Il s'arrêta et leva les yeux vers la géométrique scène de l'Acropole, brillante et blanche dans la lumière du soir. Il observa le prodige du Parthénon, l'anatomie svelte et précise du marbre, la belle exactitude des formes, l'hommage de tout un peuple aux lois de la logique. L'existence de vérités opposées à cette beauté concise et définitive ? Des vérités obscures comme des cavernes, subites comme des éclairs, irréductibles comme des chevaux sauvages ? Des vérités que les yeux ne pouvaient déchiffrer, qui n'étaient pas des mots écrits ni des images, incapables d'être compris, exprimés, traduits et même devinés autrement que par le biais du rêve ou de la folie. Un vertige froid s'empara de lui ; il chancela au milieu de la place, envahi par une incroyable sensation d'étrangeté, comme l'homme qui découvre soudain qu'il a cessé de comprendre le langage vernaculaire. L'espace d'un terrible instant, il se sentit condamné à un exil intime. Il reprit alors les rênes de son esprit, la sueur sécha sur sa peau, les battements de son cœur ralentirent et toute son intégrité de Grec rentra dans le moule de sa personne : il était à nouveau Héraclès Pontor, le Déchiffreur d'Enigmes.

Du tumulte sur la place attira son attention. Plusieurs hommes criaient à l'unisson, mais ils se refrénèrent quand l'un d'eux, grimpé sur des pierres, proclama :

— L'archonte aidera les paysans si l'Assemblée ne le fait pas !

— Que se passe-t-il ? demanda Héraclès à l'individu qui se trouvait le plus près de lui, un vieil homme portant des vêtements gris avec des peaux qui sentait le cheval et dont l'aspect négligé était parachevé par des yeux blanchâtres et l'absence irrégulière de plusieurs dents.

— Que se passe-t-il ? le questionna le vieil homme. Si l'archonte ne protège pas les paysans de l'Attique, personne ne le fera !

— Le peuple d'Athènes, certainement pas ! intervint un autre qui lui ressemblait, bien que plus jeune.

— Des paysans tués par des loups ! ajouta le premier, fixant sur Héraclès son unique œil valide. Cela en fait déjà quatre au cours de cette lune !... Et les soldats ne bougent pas !... Nous sommes venus à la ville pour parler à l'archonte et lui demander sa protection !

— L'un d'eux était mon ami... dit un troisième sujet maigre, dévoré par la gale. Il s'appelait Mopsis. J'ai trouvé son corps !... Les loups lui avaient mangé le cœur !

Les trois hommes continuèrent à crier comme s'ils avaient considéré Héraclès comme responsable de leurs malheurs, mais il avait déjà cessé de les entendre.

Quelque chose de très léger, une idée, avait commencé à prendre forme en lui.

Soudain la Vérité sembla se révéler enfin à lui. Et l'horreur l'envahit*.

Un peu avant le crépuscule, Diagoras décida de partir pour l'Académie. Bien que les cours aient été

---

* La Vérité ? Et quelle est la Vérité ? Oh, Héraclès Pontor, Déchiffreur d'Enigmes dis-la-moi ! Je me dessille les yeux pour déchiffrer tes pensées, pour essayer de trouver une vérité, si infime soit-elle, et je ne trouve que des images eidétiques, des chevaux qui dévorent de la chair humaine, des bœufs au pas tortueux, une pauvre jeune fille avec un lys qui a disparu il y a quelques pages et un traducteur qui va et vient, incompréhensible et énigmatique comme le fou qui m'a enfermé ici. Toi, au moins, Héraclès, tu as découvert quelque chose, mais moi... Qu'ai-je découvert, moi ? Pourquoi Montalo est-il mort ? Pourquoi m'a-t-on enlevé ? Quel secret cette œuvre cache-t-elle ? Je n'ai rien trouvé ! La seule chose que je fasse, hormis traduire, c'est pleurer, regretter ma liberté, penser à la nourriture... et déféquer. Je dois dire que de ce côté tout va bien. Cela me rend optimiste. *(N.d.T.)*

suspendus, il éprouvait le besoin de se réfugier dans la tranquillité exacte de sa chère école afin d'apaiser son esprit, également parce qu'il savait que, s'il restait dans la ville, il allait devenir la cible de nombreuses questions et d'autant de commentaires oiseux, ce qui était la dernière chose qu'il souhaitât en ce moment. Dès qu'il se fut mis en chemin il se réjouit de sa décision, parce que le simple fait de sortir d'Athènes lui procura un bienfait immédiat. Il faisait un après-midi délicieux, la chaleur baissait au coucher du soleil d'hiver et les oiseaux lui offraient leurs chansons sans exiger qu'il s'arrête pour les écouter. En parvenant au bois, il remplit sa poitrine d'air et parvint à sourire… malgré tout.

Il ne pouvait détourner ses pensées de la dure épreuve à laquelle il venait d'être soumis. Le public s'était montré clément envers sa déposition, mais que pouvaient bien en penser Platon et ses compagnons ? Il ne leur avait pas posé la question. En fait, il leur avait à peine parlé à la fin du procès : il s'était retiré rapidement, sans même oser les interroger du regard. Pourquoi l'aurait-il fait ? Dans le fond, il savait déjà ce qu'ils pensaient. Il avait mal tenu son rôle de maître. Il avait laissé trois jeunes poulains s'affranchir de leurs rênes et s'emballer. Comme si cela ne suffisait pas, il avait engagé de son propre chef un Déchiffreur et soigneusement dissimulé les progrès de l'enquête. Qui plus est, il avait menti ! Il avait osé nuire gravement à l'honneur d'une famille afin de protéger l'Académie. Oh, par Zeus ! Comment cela avait-il pu arriver ? Que lui avait apporté, en réalité, d'affirmer impunément que le pauvre Eunio s'était mutilé lui-même ? Le souvenir de cette brûlante calomnie dévorait sa tranquillité.

Il s'arrêta en parvenant au portique blanc avec la double niche et les visages inconnus. "Que personne n'entre qui ne connaisse la Géométrie", disait la légende gravée dans la pierre. "Que personne n'entre qui n'aime la Vérité", pensa Diagoras, tourmenté.

"Que personne n'entre qui soit capable de mentir de vile façon et de nuire aux autres par ses mensonges." Oserait-il entrer, ou allait-il reculer ? Etait-il digne de franchir ce seuil ? Une tiédeur liquide commença à envahir sa joue rougie. Il ferma les yeux et serra les dents avec furie, comme le cheval mord le frein dominé par l'aurige. "Non, je n'en suis pas digne", pensa-t-il.

Il entendit soudain quelqu'un l'appeler :

— Diagoras, attends !

C'était Platon, qui s'approchait du portique. Il semblait l'avoir suivi tout au long du chemin. Le directeur de l'école avança à grandes enjambées et entoura les épaules de Diagoras de l'un de ses bras robustes. Ils passèrent ensemble le portique et se rendirent au jardin. Entre les oliviers, une jument couleur jais et deux douzaines de mouches émeraude se disputaient de répugnants morceaux de viande*.

---

* L'eidesis est renforcée par cette image absurde : une jument mangeant de la viande avariée, et dans le jardin de l'Académie ! J'ai été saisi d'un tel fou rire que j'ai fini par prendre peur, et la peur m'a à nouveau donné envie de rire. J'ai jeté les papiers à terre, me suis pris le ventre à deux mains et ai commencé à lâcher des éclats de rire de plus en plus forts, tandis que mon miroir mental me renvoyait l'image d'un homme mûr aux cheveux noirs et aux tempes dégarnies qui hurlait de rire dans la solitude d'une chambre fermée à double tour et presque entièrement plongée dans l'obscurité. Cette image ne m'a pas fait rire mais *pleurer* : mais il existe un curieux final dans lequel les deux émotions se rejoignent. Une jument carnivore à l'Académie de Platon ! N'est-ce pas amusant ? Et, bien sûr, ni Platon ni Diagoras ne la *voient* ! Il y a une certaine perversité sacrilège dans cette eidesis... Montalo dit : "La présence d'un animal de ce genre nous déconcerte. Les sources historiques de l'Académie ne mentionnent pas l'existence de juments carnivores dans les jardins. Une erreur, comme les nombreuses erreurs que commet Hérodote ?" Hérodote !... S'il te plaît !... Mais je dois cesser de rire : on dit que la folie commence par des éclats de rire. (N.d.T.)

— Le procès est-il terminé ? demanda immédiatement Platon.

Diagoras crut qu'il se moquait.

— Tu étais dans l'assistance, et tu sais bien que oui, dit-il.

Platon rit sous cape, bien que dans ce corps gigantesque l'éclat de rire résonnât de façon normale.

— Je ne veux pas parler du procès de Ménechme, mais de celui de Diagoras. Il est terminé ?

Diagoras comprit, et salua la perspicacité de la métaphore. Il tenta de sourire et répondit :

— Je crois que oui, Platon, et je soupçonne que les juges sont enclins à condamner l'accusé.

— Les juges ne doivent pas être aussi durs. Tu as fait ce que tu croyais bon de faire, ce à quoi peut prétendre tout homme sage.

— Mais j'ai trop longtemps dissimulé ce que je savais… et Antise en a payé les conséquences. Et la famille d'Eunio ne me pardonnera jamais d'avoir entaché par des calomnies l'*aretê*, la vertu de son fils…

Platon ferma à demi ses grands yeux gris et dit :

— Un mal apporte parfois un bien utile et profitable, Diagoras… Je suis convaincu que Ménechme n'aurait pas été découvert s'il n'avait pas commis ce dernier crime effroyable… D'autre part, Eunio et sa famille ont retrouvé toute l'*aretê*, et même plus, aux yeux des gens, car nous savons maintenant que notre élève n'a pas été coupable mais simplement victime.

Il fit une pause et gonfla la poitrine comme pour se mettre à crier. En contemplant le ciel doré du soleil couchant, il ajouta :

— Mais il est bon que tu écoutes les plaintes de ton âme, Diagoras, car, en fin de compte, tu as dissimulé des vérités et tu as menti. Les deux actions se sont révélées profitables dans leurs conséquences, mais nous ne devons pas oublier qu'elles sont intrinsèquement mauvaises en soi.

— Je le sais, Platon. C'est pour cette raison que je ne me considère pas comme apte à continuer à chercher la vertu dans ce lieu sacré.

— Au contraire : maintenant tu peux mieux la chercher que n'importe lequel d'entre nous, car tu connais de nouveaux chemins pour y parvenir. L'erreur est une forme de sagesse, Diagoras. Les décisions erronées sont des maîtres sérieux qui montrent celles que nous n'avons pas encore prises. Avertir sur ce qu'on ne doit pas faire est plus important que de conseiller parcimonieusement sur ce qui est correct : qui peut mieux apprendre ce qu'il ne faut pas faire sinon celui qui, l'ayant fait, a déjà dégusté les fruits amers des conséquences ?

Diagoras s'arrêta et emmagasina dans ses poumons l'air parfumé du jardin. Il se sentait plus tranquille, moins coupable, car les paroles du fondateur de l'Académie œuvraient comme des onguents qui soulageaient ses douloureuses blessures. La jument, à deux pas, sembla lui sourire de sa dentition ferme tout en déchirant de façon carnassière les morceaux.

Sans savoir pourquoi, il se rappela le sourire poignant qui avait recourbé les lèvres de Ménechme lorsqu'il avait avoué sa culpabilité au procès*.

Par pure curiosité, et aussi par désir de changer de sujet, il demanda :

— Qu'est-ce qui peut pousser les hommes à agir comme Ménechme, Platon ? Qu'est-ce qui nous rabaisse au niveau des bêtes ?

La jument souffla tandis qu'elle attaquait les derniers morceaux sanguinolents.

— Les passions nous étourdissent, dit Platon après avoir médité un instant. La vertu est un effort

---

* Sans savoir pourquoi ? J'ai à nouveau envie de rire ! Il est évident que les images eidétiques s'infiltrent régulièrement dans la conscience de Diagoras – curieusement, jamais dans celle d'Héraclès, qui ne voit que ce que voient ses yeux. Le "sourire de la jument" est devenu le souvenir du sourire de Ménechme. (N.d.T.)

qui se révèle à la longue utile et agréable, mais les passions sont le désir immédiat : elles nous aveuglent, nous empêchent de raisonner... Ceux qui, comme Ménechme, se laissent entraîner par les plaisirs instantanés ne comprennent pas que la vertu est une jouissance beaucoup plus durable et profitable. Le mal est l'ignorance : pure et simple ignorance. Si nous connaissions tous les avantages de la vertu et savions raisonner à temps, personne ne choisirait volontairement le mal.

La jument souffla à nouveau bruyamment, du sang coulant de ses dents. Elle semblait rire à gorge déployée de ses lèvres rougies.

Diagoras remarqua, songeur :

— Parfois je pense, Platon, que le mal se moque de nous. Parfois je perds l'espoir, et je finis par croire que nous serons vaincus par le mal, qu'il se rit de nos désirs, qu'il nous attendra à la fin et prononcera le dernier mot...

— Houiii, houiii, dit la jument.

— Quel est ce bruit ? demanda Platon.

— Là-bas, lui indiqua Diagoras. Un merle.

— Houiii, houiii, dit à nouveau le merle, et il reprit son vol*.

Diagoras échangea encore quelques mots avec Platon. Puis ils se quittèrent en amis. Platon se dirigea vers sa modeste maison près du gymnase et Diagoras vers le bâtiment de l'école. Il se sentait satisfait et inquiet, comme toujours lorsqu'il parlait avec Platon. Il brûlait du désir de mettre en pratique tout ce qu'il croyait avoir appris. Il pensait que, le lendemain, la vie allait recommencer. Cette expérience lui apprendrait à ne pas négliger l'éducation d'un élève, à ne pas se taire quand il fallait

---

* La métamorphose de la jument eidétique en merle royal – c'est-à-dire, en un merle qui appartient à la réalité de la fiction – accentue le mystérieux message de cette scène : le mal se moque-t-il des philosophes ? Faut-il rappeler que la couleur du merle est le noir... *(N.d.T.)*

parler, à servir de confident, oui, mais aussi de maître et de conseiller... Tramaque, Eunio et Antise : trois erreurs graves qu'il ne commettrait plus !

En pénétrant dans la fraîche obscurité du vestibule, il entendit un bruit provenant de la bibliothèque. Il fronça les sourcils.

La bibliothèque de l'Académie était une pièce aux larges fenêtres à laquelle on accédait par un petit couloir situé à droite de l'entrée principale. La porte était ouverte, ce qui était étrange, car en principe les cours avaient été suspendus et les élèves n'avaient pas pour habitude de venir consulter des textes les jours de fête. Mais peut-être un mentor...

Confiant, il s'approcha et franchit le seuil.

Par les fenêtres dépourvues de volets pénétraient les restes de lumière du banquet du couchant. Les premières tables étaient vides, les suivantes également, et au fond... Au fond il découvrit une table couverte de papyrus, mais personne n'occupait la chaise. Et les étagères sur lesquelles étaient soigneusement conservés les textes philosophiques – parmi lesquels de nombreux exemplaires des *Dialogues* de Platon –, de même que des œuvres poétiques et dramatiques, ne semblaient pas avoir été touchées. "Voyons celles du coin gauche..."

Il y avait un homme de dos dans ce coin. Il était accroupi, cherchant quelque chose sur le rayon du bas, aussi Diagoras ne l'avait-il pas vu avant. L'homme se redressa brusquement, un papyrus entre les mains, et Diagoras n'eut pas besoin de voir son visage pour le reconnaître.

— Héraclès ! Le Déchiffreur se retourna avec une rapidité inhabituelle, comme un cheval fustigé par le fouet.

— Ah, c'est toi, Diagoras !... Le jour où tu m'as invité à l'Académie, j'ai fait la connaissance d'esclaves qui m'ont facilité l'entrée de la bibliothèque.

Ne sois pas fâché contre eux, ni contre moi, bien entendu…

Le philosophe pensa tout d'abord qu'il était malade, à cause de la pâleur extrême qui rendait son visage exsangue.

— Mais que… ?

— Par l'égide sacrée de Zeus, l'interrompit Héraclès, tremblant, nous affrontons un mal puissant et étrange, Diagoras ; un mal qui, comme les abîmes marins, semble ne pas avoir de fond et s'assombrit au fur et à mesure que nous nous y enfonçons. On nous a trompés !

Il parlait très vite, sans cesser de faire des choses, comme, dit-on, les auriges parlent à leurs chevaux pendant les courses : il déroulait des papyrus, les roulait à nouveau, les replaçait sur l'étagère… Ses grosses mains et sa voix tremblaient en même temps. Il poursuivit sur un ton irrité :

— On nous a utilisés, Diagoras, toi et moi, pour jouer une farce horrible. Une comédie bachique, mais avec une fin tragique !

— De quoi parles-tu ?

— De Ménechme, de la mort de Tramaque et des loups du Lycabette… Voilà de quoi je parle !

— Que veux-tu dire ? Ménechme est innocent ?

— Oh non, non : il est coupable, plus coupable qu'un désir pernicieux ! Mais… mais…

Il s'arrêta, portant le poing à sa bouche.

— Je t'expliquerai tout en temps voulu, ajouta-t-il. Cette nuit je dois me rendre quelque part… J'aimerais que tu m'accompagnes, mais je te préviens : ce que nous y verrons ne sera pas très agréable !

— Je viendrai, répliqua Diagoras, même s'il s'agit de traverser le Styx, si tu crois que cela me permettra de découvrir l'origine de cette tromperie dont tu parles. Dis-moi juste cela : il s'agit de Ménechme, n'est-ce pas ?… Il souriait quand il a avoué sa faute… et cela signifie sans doute qu'il cherche à s'échapper !

— Non, répondit Héraclès. Ménechme souriait quand il a avoué sa faute parce qu'il *ne* cherche *pas* à s'échapper.

Et, devant l'expression étonnée de Diagoras, il ajouta :

— C'est pour cela que nous avons été trompés* !

---

* Il arriva, se cachant à nouveau sous un masque – cette fois, un visage d'homme souriant. Je me levai de mon bureau.

— Tu as découvert la clé de l'énigme ? sa voix était amortie par la moquerie peinte sur ses traits.

— Qui es-tu ?

— Je suis la question, répondit mon geôlier. Et il répéta : Tu as découvert la clé de l'énigme ?

— Laisse-moi sortir d'ici…

— Quand tu l'auras découverte. Tu as découvert la clé de l'énigme ?

— Non ! m'exclamai-je, perdant le contrôle, les rênes eidétiques de ma sérénité. L'œuvre mentionne en eidesis les travaux d'Hercule… et une jeune fille avec un lys, et un traducteur… mais j'ignore quel peut être le sens de tout cela ! Je… !

Il m'interrompit avec un sérieux moqueur.

— Les images eidétiques ne sont peut-être qu'une partie de la clé. Quel est le thème de l'ouvrage ?

— L'enquête sur des assassinats… bégayai-je. Le protagoniste semblait avoir trouvé le coupable, mais aujourd'hui… aujourd'hui de nouveaux problèmes ont surgi… j'ignore encore lesquels.

Mon geôlier sembla émettre un petit rire. Je dis "sembla" parce que son masque était un reflet de ses émotions.

— Il se peut également qu'il n'y ait pas de clé de l'énigme, n'est-ce pas, dit-il alors.

— Je ne crois pas, répondis-je immédiatement.

— Pourquoi ?

— Parce que si c'était le cas je ne serais pas enfermé ici.

— Oh, très bien, il semblait amusé. Je suis donc pour toi *une preuve* de l'existence d'une clé de l'énigme !… Ou plutôt : la preuve *la plus importante*.

Je frappai sur la table.

— Ça suffit, criai-je ! Tu connais l'œuvre ! Tu l'as même modifiée : tu as rédigé de fausses pages et tu les as mêlées aux originales ! Tu domines bien la langue et le style ! Pourquoi as-tu besoin de moi ?

Bien que le masque continuât à rire, il sembla songeur l'espace d'un instant.

— Je n'ai absolument pas modifié l'œuvre, dit-il. Il n'y a pas de fausses pages. Ce qui se passe, c'est que tu as mordu à un appât eidétique.

— Que veux-tu dire ?

— Quand un texte possède une eidesis très forte, comme c'est le cas, les images en viennent à obséder à tel point le lecteur qu'elles l'impliquent d'une certaine façon dans l'œuvre. Nous ne pouvons pas être obsédés par quelque chose sans ressentir en même temps que nous faisons partie de ce quelque chose. Dans le regard de ton amante tu crois remarquer son amour pour toi, et dans les mots d'un livre eidétique tu crois découvrir ta présence…

Je cherchai dans mes papiers, irrité.

— Là aussi, lui demandai-je en lui montrant une feuille. Quand Héraclès Pontor parle à un traducteur qui est censé être séquestré, dans le faux chapitre VIII ? Là aussi, j'ai mordu à un "hameçon eidétique" ?

— Oui, répondit-il calmement. Tout au long de l'œuvre, on mentionne un traducteur auquel Crantor s'adresse parfois à la deuxième personne, et avec lequel Héraclès s'entretient dans ce "faux" chapitre… Mais cela ne signifie pas que *ce soit toi* !…

Je ne sus que répondre : sa logique était écrasante. J'entendis soudain son petit rire à travers le masque.

— Ah, la littérature !… dit-il. Lire n'est pas réfléchir seul, mon ami : lire, c'est dialoguer ! Mais le dialogue de la lecture est un dialogue platonique : ton interlocuteur est une idée. Cependant, ce n'est pas une idée figée : en dialoguant avec elle, tu la modifies, tu la fais tienne, tu en viens à croire en son existence indépendante… Les livres eidétiques profitent de cette caractéristique pour tendre des pièges habiles… qui peuvent… te rendre fou, et il ajouta, après un silence : Il est arrivé la même chose à Montalo, ton prédécesseur…

— Montalo ? je sentis un grand froid dans les entrailles. Montalo était ici ?

Il y eut une pause. Le masque éclata alors d'un rire bruyant et lui dit :

— Bien sûr… Plus longtemps que tu ne le crois ! En fait, j'ai découvert cette œuvre grâce à son édition, comme toi.

Mais je *savais* que *La Caverne* dissimulait une clé, et je l'ai obligé à la trouver. Il a échoué.

Il avait prononcé ces derniers mots comme si "échouer" était exactement ce qu'il attendait de ses victimes. Il fit une pause et le sourire de son masque sembla s'étendre.

— Je me suis lassé, poursuivit-il, et mes chiens se sont repus de lui… Puis j'ai jeté son cadavre dans la forêt. Les autorités ont cru qu'il avait été dévoré par les loups.

Puis, après une pause, il ajouta :

— Mais ne t'inquiète pas : je ne me lasserai pas de toi avant longtemps.

La peur se transforma en rage.

— Tu es… tu es un horrible et impitoyable… je fis une pause, essayant de trouver le mot adéquat. "Assassin" ? "Criminel" ? "Bourreau" ? Enfin, désespéré, comprenant que mon aversion était intraduisible, je m'exclamai : … Galimatias ! et je poursuivis, en le défiant : Tu crois que tu m'effraies ?… C'est toi, qui as peur, c'est pour cela que tu te couvres le visage !

— Tu veux m'ôter mon masque ? m'interrompit-il.

Il y eut un profond silence.

— Non, répondis-je.

— Pourquoi ?

— Parce que, si je vois ton visage, je sais que je ne sortirai jamais vivant d'ici…

J'entendis son odieux petit rire à nouveau.

— De sorte que tu as besoin de mon masque pour ta *sécurité*, et moi de ta présence pour *la mienne* ! Cela signifie que nous ne pouvons pas nous séparer ! Il se dirigea vers la porte et la referma avant que j'aie pu le rattraper. Sa voix me parvint à travers les fentes du bois : Continue à traduire. Et réfléchis à ceci : s'il y a une clé, et que tu la découvres, tu sortiras d'ici. Mais s'il n'y en a pas, tu ne sortiras jamais. Tu es donc le *principal* intéressé à ce qu'il y en ait une, non ? *(N.d.T.)*

X*

— Tu veux m'ôter mon masque ?

— Non, car je ne pourrais pas sortir vivant d'ici**.

Le lieu était une bouche sombre creusée dans la pierre. La frise et le sol de l'entrée, légèrement incurvés, simulaient dans l'ensemble de gigantesques lèvres de femme. Un sculpteur anonyme avait cependant gravé sur la première une moustache androgyne en marbre décoré de silhouettes de mâles nus et belligérants. Il s'agissait d'un petit temple dédié à Aphrodite sur le versant nord de la colline de la Pnyx, mais quand on y pénétrait on ne pouvait éviter la sensation de descendre dans un profond abîme, une caverne du royaume d'Héphaïstos.

— Certaines nuits de chaque lune, avait expliqué Héraclès à Diagoras avant d'arriver, des portes dissimulées à l'intérieur s'ouvrent vers des galeries complexes qui transpercent le flanc de la colline. Un vigile est placé à l'entrée : il porte un masque et

---

* "Un pénétrant parfum de femme. Et au contact... oh, une fermeté lustrée ! Quelque chose comme la douceur d'un sein de jeune fille et la vigueur d'un bras d'athlète." Telle est l'absurde description que fait Montalo de la texture du papyrus au dixième chapitre. *(N.d.T.)*

** Ce signe de reconnaissance – nous allons tout de suite savoir qu'il s'agit d'un signe de reconnaissance – reproduit avec une étrange exactitude un passage de la conversation que j'ai eue avec mon geôlier il y a quelques heures à peine. Un nouvel "appât eidétique" ? *(N.d.T.)*

un manteau sombre, ce peut être un homme ou une femme. Mais il importe de répondre correctement à sa question, sinon il ne nous laissera pas entrer. Par chance, je sais quel est le signe de reconnaissance de cette nuit…

Les paliers étaient vastes. Et la descente était facilitée par la lumière des torches disposées à intervalles réguliers. Une forte odeur de fumée et d'épices s'intensifiait à chaque marche. On entendait, modifiée par l'écho, la question douce d'un hautbois et la réponse virile de la cymbale, de même que la voix d'un rhapsode au sexe inconnu. En bas de l'escalier, après un tournant, il y avait une petite pièce avec deux sorties apparentes : un tunnel étroit et ténébreux sur la gauche et des rideaux fixés dans la pierre sur la droite. L'air était presque irrespirable. Devant les rideaux, un individu debout. Sur son masque, une grimace de terreur. Il portait un *chiton* insignifiant, presque indécent, mais une grande partie de sa nudité se couvrait d'ombres, et on ne pouvait savoir s'il s'agissait d'un jeune homme particulièrement mince ou d'une jeune fille qui aurait eu peu de poitrine. En voyant les nouveaux venus, il prit quelque chose sur une console adossée au mur, et le montra comme une offrande.

— Voici vos masques, dit-il d'une voix à l'adolescence ambiguë. Sacré soit Dionysos Bromios. Sacré soit Dionysos Bromios.

Diagoras n'eut guère le temps de contempler celui qu'on lui remit. Il ressemblait beaucoup à celui des choreutes des tragédies : un manche dans la partie inférieure, élaboré dans la même argile que le reste, et une expression qui simulait la joie ou la folie. Il ne comprit pas si le visage était celui d'un homme ou d'une femme. Il pesait lourd. Il le soutint par le manche, le souleva et observa tout à travers les mystérieux orifices des yeux. Quand il respira, son souffle lui brouilla la vue.

Cela — la créature qui leur avait remis les masques et dont le genre, pour Diagoras, hésitait à chaque geste et à chaque mot dans un inquiétant va-et-vient sexuel – écarta les rideaux et les laissa passer.

— Attention. Une autre marche, dit Héraclès.

L'antre était un souterrain aussi clos que la première chambre de la vie. Les murs ruisselaient de perles rouges et l'odeur âcre de fumée et d'épices bouchait le nez. Au fond se dressait une scène en bois, pas très grande, sur laquelle se trouvaient le rhapsode et les musiciens. Le public s'entassait dans un misérable recoin : c'étaient des ombres indéfinies qui balançaient leurs têtes et touchaient de leur main libre – celle qui ne soutenait pas le masque – l'épaule de leur compagnon. Une écuelle dorée posée sur un trépied se détachait dans l'espace central. Héraclès et Diagoras occupèrent le dernier rang et attendirent. Le philosophe supposa que les chiffons des torches et la cendre des brûle-parfums suspendus au plafond contenaient des herbes odorantes, car ils produisaient des langues insolites d'un ton rouge vif ardent.

— Qu'est-ce que c'est ? demanda-t-il. Un autre théâtre clandestin ?

— Non. Ce sont des rituels, répondit Héraclès à travers son masque. Il ne s'agit pas des Mystères sacrés mais d'autres. Athènes en regorge.

Une main apparut soudain dans l'espace qu'embrassaient les yeux de Diagoras : elle lui offrait un petit cratère rempli d'un liquide sombre. Il fit tourner son masque et découvrit un autre masque devant lui. La tonalité rouge de l'air empêchait d'en définir la couleur, mais il avait un aspect horrible, avec un très long nez de sorcière ; sur les côtés s'échappaient de magnifiques exemples de chevelure. La silhouette, homme ou femme, portait une tunique très légère, de celles qu'utilisent les courtisanes dans les banquets licencieux quand elles souhaitent exciter les invités, mais, à nouveau, son sexe se tapissait dans son anatomie avec une adresse remarquable.

Diagoras sentit Héraclès lui donner un coup de coude :

— Accepte ce qu'on t'offre.

Diagoras prit le cratère et la silhouette disparut dans l'entrée, non sans avoir auparavant montré comme un éclair de sa véritable nature, car la tunique n'était pas fermée sur les côtés. Mais la qualité sanglante de la lumière ne lui permit pas de répondre entièrement à la question : qu'était ce qui pendait ? Un ventre proéminent ? Une poitrine affaissée ? Le Déchiffreur avait pris un autre cratère.

— Le moment venu, fais semblant de boire, mais ne bois surtout pas, lui expliqua-t-il.

La musique s'arrêta brusquement et le public commença à se diviser en deux groupes, se disposant le long des parois latérales et dégageant un couloir central. On entendit des toux, des éclats de rire rauques et des bribes de mots prononcés à voix basse. Sur la scène, ne restait que la silhouette rougie du rhapsode, car les musiciens s'étaient retirés. En même temps, une bouffée fétide se dressa comme un cadavre ressuscité par la magie noire, et Diagoras dut réfréner son désir soudain de fuir cette cave pour respirer l'air pur à l'extérieur : il devina confusément que la mauvaise odeur provenait de l'écuelle, précisément de la matière irrégulière que cette dernière contenait, la pourriture avait commencé à disperser librement son arôme.

Alors, par les rideaux de l'entrée, pénétra une foule de silhouettes impossibles.

On remarquait d'abord leur nudité totale. Ensuite, les silhouettes incurvées faisaient penser à des femmes. Elles avançaient à quatre pattes, et des masques exotiques leur dissimulaient la tête. Certaines poitrines dansaient plus souplement que d'autres. Certains corps répondaient davantage que d'autres aux canons des éphèbes. Certaines silhouettes étaient habiles pour avancer à quatre pattes, gracieuses et sveltes, et d'autres obèses et maladroites. Des dos et des croupes, qui constituaient les portions les plus visibles,

révélaient divers degrés de beauté, d'âge et d'exubé-
rance. Mais elles étaient toutes nues, à quatre pattes,
émettant des grognements fouailleurs de guenons
en chaleur. Le public les encourageait par des cris
vigoureux. D'où sortaient-elles ? se demanda Diagoras. Il se rappela alors le tunnel qui partait sur la
gauche, dans le petit vestibule.

La formation suivait un ordre croissant : une en
tête, deux derrière, et ainsi jusqu'à quatre, le nombre
maximum de corps en file que permettait le couloir,
de sorte que le troupeau insolite, à ses débuts, ressemblait à la pointe d'une lance vivante. A la hauteur
du tripode, le torrent nu s'apaisa pour l'entourer.

Les premières abordèrent la scène, s'élançant de
façon vertigineuse sur le rhapsode. Comme il en
arrivait encore par l'entrée, les dernières durent s'arrêter. Pendant qu'elles attendaient, elles se tâtaient
les unes les autres en pressant leurs masques contre
la croupe et les cuisses de celles qui se trouvaient
devant. Au fur et à mesure qu'elles atteignaient leur
but, elles se laissaient tomber dans un désordre
absolu, avec des gémissement hydrophobes, s'en-
tassant en une collection molle de corps agités, une
débauche d'anatomies de chairs pubères.

Stupéfait, partagé entre l'étonnement et le dégoût,
Diagoras sentit à nouveau Héraclès lui toucher le
coude :

— Fais semblant de boire !

Il observa le public qui l'entourait : les têtes
se renversaient en arrière et des fluides sombres
tachaient les tuniques. Il écarta son masque et souleva le cratère. L'odeur du liquide ne ressemblait à
rien que Diagoras eût senti auparavant : un mélange
dense d'encre et d'épices.

Le couloir commençait à se dégager, mais la scène
crissait sous le poids des corps. Que se passait-il
là-bas ? Que faisaient-ils ? La montagne sonore et
changeante de nudités empêchait de le savoir.

Un objet fut alors lancé de la scène et tomba
près de l'écuelle. C'était le bras droit du rhapsode,

facilement reconnaissable grâce au morceau de toile noire de sa tunique encore collée à l'épaule. Son apparition fut accueillie par des exclamations joyeuses. Il arriva la même chose au bras gauche, qui rebondit par terre avec un bruit de branche sèche et tomba aux pieds de Diagoras, la main ouverte comme une fleur à cinq pétales blancs. Le philosophe poussa un cri que, par chance, personne n'entendit. Comme si ce démembrement avait été le signal convenu, le public courut vers l'écuelle centrale avec une allégresse de jeunes filles folâtrant au soleil*.

— C'est une marionnette, dit Héraclès devant l'horreur paralysante de son compagnon.

Une jambe frappa un spectateur avant de s'arrêter sur le sol ; l'autre, lancée trop fort, rebondit sur le mur opposé. Les femmes se battaient maintenant pour arracher la tête du tronc mutilé du mannequin : les unes tiraient d'un côté, les autres du côté opposé, les unes avec la bouche, les autres avec les mains. La gagnante se plaça au centre de la scène, et, avec un hurlement, brandit le trophée tout en écartant les jambes de façon impudique, faisant ressortir ses jambes d'athlète, qui ne correspondaient pas à celles d'une jeune Athénienne, et en redressant ostensiblement la poitrine. Ses côtes étaient striées de rouge par les lumières. Elle commença à piétiner le plancher de son pied nu, invoquant les fantômes de poussière. Ses compagnes, hors d'haleine, plus tranquilles, la contemplaient avec révérence.

Le Chaos s'était emparé de l'assistance. Que se passait-il ? Les gens se rassemblaient autour de l'écuelle. Etourdi, frappé par le désordre, Diagoras s'approcha. Devant lui, un vieil homme agitait ses épais cheveux blancs, comme plongé dans l'extase d'une danse

---

* "Jeunes filles" et "pétales blancs" me font penser à nouveau à l'image de ma jeune fille au lys : je la vois courir sous l'intense soleil de Grèce, un lys à la main, joyeuse, confiante… Et tout cela dans cet horrible paragraphe ! Oh, maudit livre eidétique ! (N.d.T.)

privée, tout en soutenant quelque chose avec sa bouche : on aurait dit qu'on l'avait giflé à lui en déchirer les lèvres, mais les lambeaux de chair qui glissaient le long de ses commissures ne lui appartenaient pas.

— Il faut que je sorte, gémit Diagoras.

Les femmes avaient commencé à chanter en chœur en s'époumonant :

— *Ia, ia, Bromios, évohé, évohé !*

— Par les dieux de l'amitié, Héraclès, qu'était-ce ? Pas Athènes, c'est sûr !

Ils se trouvaient dans la froideur pacifique d'une rue solitaire, assis par terre et adossés au mur d'une maison, essoufflés, l'estomac de Diagoras en meilleur état depuis la violente purge à laquelle l'avait soumis son propriétaire. Héraclès répliqua d'un air sévère :

— Je crains que cela ne soit beaucoup plus Athènes que ton Académie, Diagoras. Il s'agit d'un rituel dionysiaque. Des dizaines d'entre eux sont célébrés à chaque lune dans la ville et aux alentours, tous différents par des détails infimes, mais semblables dans l'ensemble. Je connaissais l'existence de tels rites, bien sûr, mais je n'avais jusqu'à présent jamais assisté à aucun. Je souhaitais le faire.

— Pourquoi ?

Le Déchiffreur gratta un instant sa barbichette argentée.

— D'après la légende, le corps de Dionysos a été déchiré par les Titans, de même que celui d'Orphée l'a été par les femmes thraces, et Zeus lui a rendu la vie à partir de son cœur. Arracher le cœur et le dévorer constitue l'un des événements les plus importants du rite dionysiaque…

— L'écuelle… murmura Diagoras.

Héraclès acquiesça.

— Elle contenait certainement des morceaux putréfiés de cœurs arrachés aux animaux…

— Et ces femmes…

— Femmes et hommes, esclaves et libres, Athéniens et métèques... Les rituels ne font pas de différences. La folie et le dérèglement unissent ces gens. L'une des femmes nues que tu as vues marcher à quatre pattes pouvait être la fille d'un archonte, et à ses côtés, peut-être y avait-il, accroupie, une esclave de Corinthe ou une hétaïre d'Argos. C'est la caractéristique de la folie, Diagoras : nous ne pouvons pas l'expliquer par la raison.

Diagoras agita la tête, étourdi.

— Mais quel rapport tout cela a-t-il avec... ? Soudain il ouvrit grands les yeux et s'exclama : Le cœur arraché !... Tramaque !

Héraclès acquiesça à nouveau.

— La secte de cette nuit est relativement légale, connue et acceptée par les archontes, mais il en existe d'autres qui, en raison de la nature de leurs rites, agissent dans la clandestinité... Tu as posé correctement le problème chez moi, tu te souviens ? Nous ne pouvions parvenir à la Vérité par la raison. Je ne t'ai pas cru alors, mais je dois maintenant admettre que tu étais dans le vrai : ce que j'ai éprouvé aujourd'hui à midi sur l'agora, en écoutant le récit de paysans de l'Attique qui déploraient la mort des leurs attaqués par les loups ne fut pas la conséquence logique d'un... disons, discours raisonnable... mais... quelque chose que je ne peux même pas définir... Peut-être un éclair de mon *daïmôn* socratique, ou l'intuition qui est dit-on le propre des femmes. Cela s'est produit quand l'un d'eux a mentionné le cœur dévoré de son ami. Alors, simplement, j'ai pensé : "C'était un rituel, et nous ne nous en doutions pas." Ses victimes sont avant tout des paysans, aussi sont-ils passé inaperçus jusqu'à présent. Mais je suis sûr qu'ils agissent depuis des années en Attique...

Le Déchiffreur se leva, fatigué, et Diagoras l'imita tout en murmurant, sur le ton pressant de l'anxiété :

— Attends un instant : Eunio et Antise ne sont pas morts ainsi ! Ils... ils avaient conservé leur cœur !

— Tu n'as pas encore compris ? Eunio et Antise ont été assassinés pour nous *égarer*. La mort qu'ils veulent dissimuler, c'est celle de Tramaque. Quand ils ont appris que tu avais engagé un Déchiffreur d'Enigmes pour enquêter sur Tramaque, ils ont eu si peur qu'ils ont monté cette terrifiante comédie…

Diagoras se passa une main sur le visage, comme s'il avait voulu en arracher l'expression d'incrédulité qu'il affichait.

— Ce n'est pas possible… Ils ont dévoré le cœur… de Tramaque… ? Quand ?… Avant, ou après que les loups… ?

Il s'interrompit en observant le Déchiffreur, qui lui rendit son regard avec une fermeté impassible.

— *Il n'y en a jamais eu*, Diagoras. C'était ce qu'ils essayaient de nous cacher par tous les moyens. Ces déchirures, les morsures… *Ce n'étaient pas* les loups… Il y a des sectes qui…

L'ombre et le bruit furent simultanés : l'ombre ne fut qu'un polygone irrégulier, allongé, qui se détacha du tournant le plus proche du lieu où ils se trouvaient et, projetée par la lune, elle s'éloigna rapidement d'eux. Le bruit fut d'abord un halètement, puis des pas pressés.

— Qui… ? demanda Diagoras.

Héraclès fut le premier à réagir.

— Quelqu'un nous surveillait ! cria-t-il.

Il propulsa son corps obèse vers l'avant, en s'obligeant à courir. Diagoras le dépassa rapidement. La silhouette – homme ou femme – sembla rouler au bas de la rue avant de se perdre dans l'obscurité. En s'ébrouant, en soufflant, le Déchiffreur s'arrêta.

— Bah, c'est inutile !

Ils se retrouvèrent. Les joues de Diagoras étaient écarlates et ses lèvres de jeune fille semblaient maquillées ; d'un geste délicat il s'arrangea les cheveux, dressa son buste proéminent pour respirer une bouffée d'air et dit, d'une douce voix de nymphe* :

— Il s'est échappé. Qui cela pouvait-il être ?

Héraclès répliqua gravement :

— Si c'était l'un d'eux, et c'est ce que je crois, nos vies ne vaudront pas une obole dès l'aube. Les membres de la secte n'ont pas le moindre scrupule et sont terriblement astucieux : je t'ai déjà dit qu'ils n'avaient pas hésité à se servir d'Antise et d'Eunio pour nous distraire dans notre réflexion... Ils étaient certainement tous deux membres d'une secte, comme Tramaque. Maintenant tout est clair : la peur que j'ai remarquée chez Antise ne lui était pas inspirée par Ménechme mais par *nous*. Ses supérieurs avaient dû lui conseiller de demander à être transféré hors d'Athènes pour que nous ne l'interrogions pas. Mais comme nous avons poursuivi notre enquête, la secte a décidé de le sacrifier lui aussi, dans le but de détourner notre attention sur Ménechme... Je me rappelle encore son regard, nu dans la réserve, l'autre nuit... Comme ce maudit garçon m'a trompé !... Quant à Eumarque, je ne crois pas que l'idée vienne d'eux : il a peut-être été témoin de la mort d'Antise et, en voulant l'empêcher, il a été assassiné lui aussi.

— Mais alors, Ménechme...

----

* Je demande au lecteur de ne pas tenir compte de ce soudain hermaphrodisme de Diagoras, car il est eidétique. L'ambiguïté sexuelle qui préside à la description des personnages secondaires dans ce chapitre contamine maintenant l'un des protagonistes. Elle semble signaler la présence du neuvième des travaux : la ceinture d'Hippolyte, dans lequel le héros doit affronter les Amazones – les jeunes filles guerrières, c'est-à-dire, les femmes hommes – pour voler la ceinture de la reine Hippolyte. Mais je crois que l'auteur se permet une plaisanterie venimeuse aux dépens de l'un des personnages les plus "sérieux" de toute l'œuvre – imaginer Diagoras de la sorte m'a fait rire à nouveau. Ce grotesque sens de l'humour n'est à mon avis pas très différent de celui qu'affiche mon geôlier masqué... (*N.d.T.*)

— Un membre relativement important de la secte : il a très bien joué son rôle ambigu de coupable quand nous sommes venus lui rendre visite… Héraclès fit une grimace. Et c'est probablement lui qui a recruté tes élèves.

— Mais Ménechme a été condamné à mort ! Il va être jeté dans le précipice de l'enfer !

Héraclès acquiesça d'un air lugubre.

— Je sais, et c'est ce qu'il *désirait*. Oh, ne me demande pas de le comprendre, Diagoras ! Tu devrais lire les textes que j'ai trouvés dans ta bibliothèque… Les membres de certaines sectes dionysiaques souhaitent mourir dépecés ou être torturés ; ils accourent avec empressement au sacrifice comme une jeune fille dans les bras de son époux lors de sa nuit de noces… Tu te rappelles ce que je t'ai dit sur Tramaque ? Il avait les bras intacts ! Il ne s'est pas défendu ! C'était probablement ce qu'il y avait dans son regard ce soir-là : tu as cru y voir de la terreur, mais c'était du *plaisir* pur ! La terreur n'était que dans *tes yeux*, Diagoras !

— Non ! cria Diagoras, hurlant presque. Le plaisir n'a pas cet aspect !

— Il est possible que *cette sorte* de plaisir si. Qu'en sais-tu ? L'as-tu déjà ressenti ?… Ne fais pas cette tête, moi non plus, je ne parviens pas à me l'expliquer ! Pourquoi les participants au rituel de cette nuit mangent-ils des morceaux de viscères pourris ? Je l'ignore, Diagoras, et ne me demande pas de le comprendre ! La ville entière est peut-être devenue folle sans que nous le sachions !

Héraclès sursauta presque devant l'expression du visage de son compagnon : c'était comme un effort grotesque des muscles pour mêler l'horreur à la colère et à la honte. Le Déchiffreur ne l'avait jamais vu ainsi. Quand il parla, sa voix s'ajusta parfaitement à ce masque.

— Héraclès Pontor : tu parles d'un élève de l'Académie ! Tu parles de *mes* élèves ! Je connaissais leurs âmes de l'intérieur… ! Moi… !

269

Héraclès, qui parvenait d'ordinaire à conserver son calme, se sentit brusquement envahi par la colère.

— Quelle importance a maintenant ta maudite Académie ! Quelle importance a-t-elle jamais eue !...

Il adoucit le ton en voyant le regard amer que lui adressait le philosophe. Il poursuivit, avec sa sérénité habituelle :

— Force nous est de reconnaître que les gens considèrent ton Académie comme un lieu très ennuyeux, Diagoras. Ils viennent là, assistent à tes cours et ensuite... ensuite, ils se dévorent les uns les autres. Voilà tout.

"Il finira par l'accepter", pensa-t-il, ému par la grimace qu'il distinguait, à la lumière de la lune, sur le visage émacié du mentor. Après un instant de silence incommode, Diagoras dit :

— Il doit y avoir une explication. Une clé. Si ce que tu affirmes est vrai, il doit exister une clé de l'énigme que nous n'avons pas encore découverte...

— Il existe peut-être une clé dans cet étrange texte, convint Héraclès, mais je ne suis pas le traducteur approprié... Il est possible qu'il faille voir les choses de loin afin de les mieux comprendre*. De toute façon, agissons avec prudence. S'ils nous surveillaient, et je soupçonne que c'était le cas, ils savent maintenant que nous les avons découverts. Nous devons agir rapidement...

— De quelle façon ?

— Nous avons besoin d'une preuve. Tous les membres connus de la secte sont morts ou sur le point de mourir : Tramaque, Eunio, Antise, Ménechme... Leur plan était très habile. Mais peut-être aurons-nous une possibilité... Si nous pouvions faire avouer Ménechme !...

— Je peux essayer de lui parler, se proposa Diagoras.

Héraclès réfléchit un instant.

_____

* A quelle distance ? De là où je travaille ? *(N.d.T.)*

270

— Bien, tu lui parleras demain. Je tenterai ma chance avec une autre personne…

— Qui ?

— Celle qui constitue peut-être leur seule erreur ! Je te verrai demain, mon bon Diagoras. Sois prudent !

La lune était un sein de femme ; le doigt d'un nuage s'approchait de son aréole. La lune était une vulve ; le nuage, effilé, voulait la pénétrer*. Héraclès Pontor, complètement étranger à une aussi céleste activité, sans la scruter, traversa son jardin, sous la surveillance de Séléné, et ouvrit la porte d'entrée. Le trou obscur et silencieux du couloir semblait un œil aux aguets. Héraclès pensa que son esclave Ponsica aurait peut-être pris la précaution de laisser une veilleuse sur une console la plus proche du seuil, mais Ponsica n'avait manifestement pas prévu une telle éventualité**. De sorte qu'il pénétra dans les

---

* Je suis enfermé depuis trop longtemps. L'espace d'un instant, j'ai pensé que ces deux phrases pouvaient être traduites de façon moins grossière ; peut-être par : "La lune était une cavité dans laquelle le nuage aux contours effilés voulait s'enfermer", ou quelque chose dans le genre. De toute façon, quelque chose de plus poétique que la version que j'ai choisie. Mais c'est parce que… Oh, Helena, comme je pense à toi et comme j'ai besoin de toi ! J'ai toujours cru que les désirs physiques étaient de simples serviteurs de la noble activité mentale… et aujourd'hui… Que ne donnerais-je pas pour me rouler par terre avec toi ! Je le dis ainsi, sans ambages, parce que, soyons sincères : *qui va lire tout cela ?* Oh, traduire, traduire : un sot travail d'Hercule ordonné par un Eurysthée absurde ! Soit, donc ! Ne suis-je pas, dans ce réduit obscur, maître de ce que j'écris ? Eh bien voilà ma traduction, si choquante soit-elle ! *(N.d.T.)*

** Qu'est-ce que cela ? Il est évident qu'il s'agit d'une soudaine floraison eidétique du mot "surveiller" ! Mais… qu'est-ce que cela signifie ? Quelqu'un "surveille"-t-il Héraclès ? *(N.d.T.)*

271

ténèbres de la maison comme un couteau dans la chair, et ferma la porte.

— Yasintra ? demanda-t-il. Il n'obtint pas de réponse.

Il transperça l'obscurité du regard, mais en vain. Il se dirigea lentement vers les pièces intérieures. Ses pieds semblaient se déplacer sur des pointes de couteaux. Le froid de la maison plongée dans l'obscurité transperçait son manteau comme un couteau.

— Yasintra ? demanda-t-il à nouveau.

— Ici, entendit-il. Le mot avait transpercé le silence*.

Il s'approcha de la chambre. Elle était de dos, dans l'obscurité. Elle se tourna vers lui.

— Que fais-tu ici, sans lumière ? demanda Héraclès.

— Je t'attends.

Yasintra s'était empressée d'allumer la lampe de chevet. Il observa son dos pendant ce temps. La lueur naquit, hésitante, devant elle, et s'étendit sur le dos du plafond. Yasintra attendit un instant pour se retourner et Héraclès continua à observer les lignes de force de son dos : elle portait un péplum long et souple jusqu'aux pieds, attaché sur chaque épaule par une fibule. Le vêtement formait des plis dans son dos.

— Et mon esclave ?

— Elle n'est pas encore rentrée d'Eleusis, dit-elle, toujours de dos**.

Puis elle se retourna. Elle était maquillée avec soin : les paupières allongées par des traits noirs, les pommettes nivéennes passées au blanc de céruse

---

* Des couteaux ! L'eidesis croît soudain comme du lierre empoisonné ! Quelle est l'image ? "Surveillance"… "Couteau"… Oh, Héraclès, Héraclès, attention : tu es en *danger* ! *(N.d.T.)*
** Et maintenant, "dos" ! C'est un avertissement ! Peut-être : "*Surveille* ton *dos*, parce que… il y a un *couteau*." Oh, Héraclès, Héraclès ! Comment puis-je te prévenir ? Comment ? Ne t'approche pas d'elle ! *(N.d.T.)*

et la tache symétrique des lèvres très rouge ; sa poitrine tressaillait librement sous le péplum azuré ; une ceinture à boucles d'or soulignait la ligne assez étroite du ventre ; les ongles de ses pieds nus montraient deux couleurs, comme ceux des Egyptiennes. En se retournant, elle répandit dans l'air un léger parfum.

— Pourquoi t'es-tu habillée ainsi ? demanda Héraclès.

— J'ai pensé que cela te plairait, répondit-elle, avec un regard vigilant. Aux lobes de ses petites oreilles, les boucles montraient une femme nue en métal, tranchante comme un couteau, de dos*.

Le Déchiffreur ne répondit pas. Yasintra restait immobile, auréolée par la lumière de la lampe qui se trouvait derrière elle ; les ombres lui dessinaient une colonne torve qui s'étendait de son front à la confluence pubienne des plis du péplum, en divisant son corps en deux moitiés parfaites.

— Je t'ai préparé à manger, dit-elle.

— Je n'ai pas faim.

— Tu vas te coucher ?

— Oui, Héraclès se frotta les yeux. Je suis épuisé.

Elle se dirigea vers la porte. Ses nombreux bracelets tintèrent avec ses mouvements.

— Yasintra, dit Héraclès, qui l'observait – elle s'arrêta et se retourna. Je veux te parler – elle acquiesça silencieusement et revint sur ses pas pour se placer devant lui, immobile. Tu m'as dit que des esclaves, qui ont affirmé avoir été envoyés par Ménechme, t'avaient menacée de mort, elle acquiesça à nouveau, cette fois plus rapidement. Tu les as revus ?

— Non.

— Comment étaient-ils ?

---

* La répétition, dans ce paragraphe, des trois mots eidétiques, renforce l'image ! Surveille ton dos, Héraclès : elle a un couteau ! *(N.d.T.)*

Yasintra hésita un instant.

— Très grands. Avec un accent athénien.

— Que t'ont-ils dit exactement ?

— Ce que je t'ai raconté.

— Rappelle-le-moi.

Yasintra battit des paupières. Ses yeux aqueux, presque transparents, évitèrent le regard d'Héraclès. La pointe rosée de sa langue rafraîchit lentement ses lèvres rouges.

— De ne parler à personne de ma relation avec Tramaque, ou je le regretterais. Et ils ont juré par le Styx et par les dieux.

— Je comprends…

Héraclès lissait sa barbe argentée. Il fit quelques pas devant Yasintra : gauche, droite, gauche, droite*… Puis il murmura, pensant à voix haute :

— Il n'y a pas de doute : ils devaient être membres de…

Il fit soudain demi-tour et tourna le dos à la jeune fille**. L'ombre de Yasintra, projetée sur le mur en face de lui, sembla s'étendre. Avec une idée soudaine, Héraclès se retourna vers l'hétaïre. Il lui sembla qu'elle s'était rapprochée, mais il n'y accorda pas d'importance.

— Un moment, tu te souviens s'ils avaient un signe distinctif ? Je veux dire, des tatouages, des bracelets…

Yasintra fronça les sourcils et détourna à nouveau le regard.

— Non.

— Mais ce n'étaient pas des adolescents, mais des hommes adultes. Cela, tu en es sûre…

Elle acquiesça avant de dire :

— Que se passe-t-il, Héraclès ? Tu m'as assuré que Ménechme ne pourrait plus me faire de mal…

---

* Ne lui tourne pas le dos ! *(N.d.T.)*

** NON, SOIS MAUDIT !! *(N.d.T.)*

— Et c'est le cas, la rassura-t-il. Mais j'aimerais attraper ces deux hommes. Tu les reconnaîtrais, si tu les revoyais ?

— Je crois que oui.

— Bien, soudain, Héraclès se sentit fatigué. Il contempla l'aspect tentateur de son lit et poussa un soupir. Maintenant je vais me reposer. La journée a été très difficile. Si tu peux, préviens-moi dès que le jour se lèvera.

— Je le ferai.

Il la renvoya d'un geste indifférent et appuya son dos volumineux sur le lit. Peu à peu, sa raison vigilante ferma les yeux. Le sommeil se fraya un passage comme un couteau, fendant sa conscience*.

Le cœur battait emprisonné entre les doigts. Il y avait des ombres autour de lui, et l'on entendait une voix. Héraclès détourna le regard vers le soldat : il était en train de parler. Que disait-il ? Il importait de le savoir ! Le soldat bougeait la bouche, enfermé dans une lagune grise tremblante, les forts grondements du viscère empêchaient pourtant Héraclès d'entendre ses paroles. Mais il distinguait parfaitement son équipement : cuirasse, jupe courte, jambières et un heaume pourvu d'un panache voyant. Il reconnut son rang. Il crut comprendre quelque chose. Soudain, les battements s'intensifièrent : on aurait dit des pas qui se rapprochaient. Ménechme souriait naturellement au fond du tunnel, d'où émergeaient les femmes nues à quatre pattes. Mais le plus important était de se rappeler ce qu'il venait d'oublier. Alors seulement…

— Non ! gémit-il.

— Etait-ce le même rêve ? demanda l'ombre penchée sur lui.

---

* Le danger n'est pas écarté : les trois mots subsistent comme des signes eidétiques d'avertissement ! *(N.d.T.)*

La chambre restait faiblement éclairée. Yasintra, maquillée et habillée, était allongée à côté d'Héraclès, l'observant avec une expression tendue.

— Oui, dit Héraclès. Il passa une main sur son front humide. Que fais-tu ici ?

— Je t'ai entendu, comme l'autre fois : tu parlais à voix haute, tu gémissais... Je n'ai pas pu le supporter et je suis venue te réveiller. C'est un rêve que t'envoient les dieux, j'en suis sûre.

— Je ne sais pas... Héraclès passa sa langue sur ses lèvres desséchées. Je crois que c'est un message.

— Une prophétie.

— Non : un message du passé. Quelque chose que je dois me rappeler.

Elle répliqua, adoucissant soudain sa voix masculine :

— Tu n'as pas trouvé la paix. Tu fais beaucoup d'efforts avec tes pensées. Tu ne t'abandonnes pas aux sensations. Ma mère, en m'apprenant à danser, m'a dit : "Yasintra, ne pense pas. N'utilise pas ton corps : que ce soit lui qui t'utilise. Ton corps ne t'appartient pas à toi, mais aux dieux. Ils se manifestent dans tes mouvements. Laisse-toi gouverner par ton corps : sa voix est le désir et sa langue le geste. Ne traduis pas sa langue. Ecoute-le. Ne traduis pas. Ne traduis pas*..."

— Ta mère avait peut-être raison, admit Héraclès. Mais je me sens incapable d'arrêter de penser, et il ajouta avec orgueil : Je suis un Déchiffreur à l'état pur.

— Je pourrais peut-être t'aider.

Et, sans réfléchir, elle écarta les draps, pencha doucement la tête et posa la bouche sur la région de la tunique qui recouvrait le membre flasque d'Héraclès.

La surprise le rendit muet. Il se redressa brusquement. Desserrant à peine ses lèvres épaisses, Yasintra dit :

— Laisse-moi faire.

---

* Mes yeux se ferment devant ces paroles hypnotiques. (N.d.T.)

Elle embrassa et pétrit la protubérance molle et allongée à laquelle Héraclès n'avait pratiquement pas prêté attention depuis la mort d'Hagesikora, la chose ductile et docile sous sa tunique. Pendant sa minutieuse recherche, elle surprit avec sa bouche un espace réduit. Il le sentit comme un cri, une perception stridente et soudaine de la chair. Il gémit de plaisir, se laissant retomber sur le lit, et ferma les yeux.

La sensation se propagea jusqu'à former un espace fragmentaire de peau sous son ventre. Il acquit de la largeur, du volume, de la force. Ce n'était plus un lieu : c'était une rébellion. Héraclès ne parvenait même pas à le localiser dans le mystère complaisant de son membre. La rébellion était maintenant une désobéissance tacite à soi-même qui s'isolait et prenait forme et volonté. Et elle n'avait utilisé que sa bouche ! Il gémit à nouveau.

Soudain, la sensation disparut. Sur son corps demeura une brûlure vive semblable à celle que provoque une gifle. Il comprit que la jeune fille avait interrompu ses caresses. Il ouvrit les yeux, la vit soulever l'extrémité inférieure du péplum et se placer à califourchon sur ses jambes. Son ventre ferme de danseuse s'appuya sur la sculpture rigide qu'elle avait contribué à sculpter et qui se dressait maintenant avec urgence. Il l'interrogea avec des gémissements. Elle avait commencé à se mouvoir… Non, ce n'était pas exactement ça, mais une danse, une danse limitée au tronc : les cuisses s'accrochaient fermement aux grosses jambes d'Héraclès, et les mains s'appuyaient sur le lit, mais le tronc bougeait, parfait, au rythme d'une musique épidermique.

Une épaule s'insinua et, avec une lenteur calculée, la toile qui tenait le péplum de ce côté commença à glisser sur le bord façonné et descendit le long du bras. Yasintra tourna la tête en direction de l'autre épaule et exécuta un exercice similaire. La bande de toile de cette zone résista un peu plus sur le point froid, mais Héraclès crut même que la difficulté était volontaire. Ensuite, dans un mouvement surprenant, l'hétaïre replia les bras et, sans une ombre de maladresse, les libéra des attaches en toile. Le vêtement glissa avant de se retrouver suspendu aux seins dressés.

Il était difficile de se déshabiller sans l'aide des mains, pensa Héraclès, et dans cette lente difficulté résidait l'un des plaisirs qu'elle offrait ; l'autre, le moins obéissant, le plus lent, consistait en la pression continue et croissante de son pubis contre la verge rougie qu'il lui montrait.

Avec un balancement précis du torse, Yasintra parvint à faire glisser la toile comme de l'huile sur la surface convexe de l'un des seins et, après avoir échappé à son entrave, à la faire flotter dans une descente de plume vers son ventre. Héraclès observa le sein qui venait d'être découvert : c'était un objet à la chair brune, ronde, à portée de sa main. Il éprouva des désirs de presser l'ornement sombre et durci qui tremblait sur cet hémisphère, mais il se retint. Le péplum commença à glisser le long de l'autre sein.

Le corps mince d'Héraclès se tendit ; son front, aux tempes profondément dégagées, était humide de sueur ; ses yeux noirs battirent des paupières ; sa bouche, ourlée par la belle barbe noire, émit un gémissement ; son visage tout entier était devenu rouge ; même la petite cicatrice de sa joue gauche anguleuse – souvenir d'un coup reçu dans l'enfance – avait l'air plus sombre*.

Retenu à la taille par les boucles de métal, le péplum renonçait à prolonger l'extase. Yasintra utilisa ses doigts pour la première fois, et la ceinture céda avec un doux claquement. Son corps se fraya un passage jusqu'à la nudité. Enfin dégagée, sa chair

---

* C'est moi. Ce n'est pas la description du corps d'Héraclès mais du mien. C'est moi, qui suis allongé auprès de Yasintra ! (N.d.T.)

278

était, aux yeux d'Héraclès, bellement musculaire ; chaque parcelle de peau révélait le souvenir d'un mouvement ; son anatomie regorgeait de propositions. En grognant, Héraclès se redressa avec difficulté. Elle accepta son initiative, et se laissa pousser au point de tomber sur le côté. Il ne désirait pas regarder son visage et, en tournant, s'élança sur elle. Il se sentit capable de faire mal : il lui écarta les jambes et plongea en elle avec une douce âpreté. Il voulut croire qu'il l'avait fait gémir. Il tâta son visage de la main gauche, et Yasintra se plaignit en recevant la morsure de l'anneau qu'il portait au majeur. Leurs gestes se transformèrent en questions et réponses, en ordres et en obéissances, en un rituel inné*.

Yasintra caressa son large dos de ses ongles effilés comme des couteaux, et il ferma ses yeux vigilants**. Il continua à l'embrasser dans les courbes douces du cou et de l'épaule, la mordant doucement, déposant ici et là ses petits cris, jusqu'au moment où il sentit <u>venir un plaisir étrange, asservissant</u>***. Il cria pour la dernière fois, sentant que la voix résonnait en elle, dense et torrentielle.

---

* C'est terrible de me voir là, décrit dans ma propre sexualité. Le lecteur s'imagine peut-être dans une scène de ce genre : il croit être l'homme et, elle, la femme. J'ai beau me retenir, je suis excité : je lis et j'écris en même temps que je sens <u>venir un plaisir étrange, asservissant</u>… *(N.d.T.)*
** Les trois mots eidétiques d'avertissement : "Dos", "couteau", "vigilants" ! C'est un PIÈGE ! Je dois… je veux dire, Héraclès doit… *(N.d.T.)*
*** Mes propres mots ! Ceux que je viens d'écrire dans une note précédente ! (Je les ai soulignés dans le texte pour que le lecteur le vérifie.) Je les ai bien sûr écrits *avant* de traduire cette phrase. N'est-ce pas presque une fusion ? N'est-ce pas un acte d'amour ? Qu'est-ce que faire l'amour, sinon unir fantaisie et réalité ? Oh, merveilleux plaisir textuel : caresser le texte, jouir du texte, frotter ma plume contre le texte ! Peu importe que ma découverte soit fortuite : il n'y a plus de doute, je *suis lui* ; je suis *là, avec elle*… *(N.d.T.)*

En même temps, l'hétaïre écarta la main droite avec une lenteur qui démentait son extase apparente, souleva l'objet qu'elle avait saisi auparavant, il la vit, mais ne put se déplacer, pas à *cet* instant, et le planta dans le dos d'Héraclès*.

Il sentit une piqûre à l'épine dorsale.

Un instant plus tard, il s'écarta d'un saut, leva la main et la déchargea comme le pommeau d'une épée sur la joue de la jeune fille. Il la vit tourner, mais remarqua que le poids de son corps l'empêchait de tomber du lit. Il se redressa alors davantage et la poussa : la jeune fille tourna comme une bête écorchée et heurta le sol en produisant un bruit particulier, d'une douceur mystérieuse. Mais le couteau long et aiguisé qu'elle brandissait rebondit avec un petit bruit métallique, absurde au milieu de tous ces sons polis. Fatigué et maladroit, Héraclès sortit du lit, souleva Yasintra par les cheveux et la traîna jusqu'au mur le plus proche, en lui cognant la tête dessus.

Ce fut alors qu'il parvint à réfléchir, et la première chose à laquelle il pensa fut : "Elle ne m'a pas fait de mal. Elle aurait pu enfoncer le poignard, mais elle ne l'a pas fait." Sa colère ne diminua pas pour autant. Il manipula à nouveau sa tête en tirant sur ses cheveux bouclés ; l'impact résonna contre le mur en brique séchée.

— Que devais-tu faire d'autre, en plus de me tuer ? demanda-t-il d'une voix rauque.

Quand elle parla, deux ornements rouges descendirent de son nez et esquivèrent ses grosses lèvres.

— Ils ne m'ont pas ordonné de te tuer. J'aurais pu le faire, si j'avais voulu. Ils m'ont simplement dit, au moment où tu prendrais ton plaisir, à ce moment

---

* Héraclès n'a pas pu réagir. Moi non plus. Il a continué. J'ai continué. Et ainsi, jusqu'au bout. Nous avons tous deux décidé de continuer. (*N.d.T.*)

et ni avant ni après, d'appuyer la pointe du poignard sur ta chair, sans te faire de mal.

Héraclès la tenait par les cheveux. Ils avaient tous les deux la respiration haletante, la poitrine nue de la jeune fille s'aplatissait contre sa poitrine à lui. Tremblant de rage, le Déchiffreur changea de main et la prit par les cheveux de la main gauche tout en levant la droite et en lui frappant le visage à deux reprises, avec une extrême dureté. Quand il eut fini, la jeune fille se passa simplement la langue sur ses lèvres fendues et le regarda sans montrer de douleur ou de lâcheté.

— Ces "grands hommes à l'accent athénien" n'ont jamais existé, n'est-ce pas ? dit Héraclès.

— Si, c'étaient eux, répliqua Yasintra. Mais ils portaient des masques. Ils m'ont menacée pour la première fois après la mort de Tramaque. Et le jour où vous m'avez parlé, ils sont revenus. Leurs menaces étaient terribles. Ils m'ont dicté tout ce que je devais faire : je devais te dire que c'était Ménechme qui m'avait menacée. Et je devais aller chez toi et te demander l'hospitalité. Te provoquer, et jouir avec toi. Héraclès leva à nouveau la main droite. Bats-moi à mort si tu veux, dit-elle. Je n'ai pas peur de la mort, Déchiffreur.

— Mais d'eux, si, murmura Héraclès sans la frapper.

— Ils sont très puissants – Yasintra sourit de ses lèvres fendillées. Tu n'imagines pas ce qu'ils m'ont dit qu'ils me feraient si je n'obéissais pas. Certaines morts sont un soulagement, mais, eux, ils ne promettent pas la mort mais une souffrance infinie. Ils convainquent rapidement qui ils veulent. Ni toi ni ton ami n'avez la moindre chance face à eux.

— Tu me dis ça parce qu'ils te l'ont aussi ordonné ?

— Non ; ça, je le sais.

— Comment communiques-tu avec eux ? Où puis-je les trouver ?

— Ce sont eux qui te trouveront.

— Ils sont venus ici ?

— Oui, dit-elle, et Héraclès constata qu'elle chancelait. Il l'obligea à appuyer davantage <u>son dos</u> contre le mur, lui appuyant le coude gauche dans l'épaule comme un <u>couteau</u> tout en <u>surveillant</u> tout mouvement qu'elle aurait pu faire*.

— En fait, *ils sont* ici, ajouta Yasintra.

— Ici ? Que veux-tu dire** ?

Yasintra fit une pause : ses yeux allèrent d'un côté à l'autre, comme pour embrasser toute la pièce. Elle dit, avec une étrange lenteur :

— Ils m'ont également ordonné… après t'avoir fait jouir, d'essayer de te parler… et de te distraire…

Héraclès observa le mouvement rapide des yeux de la jeune fille***.

Soudain il crut entendre quelque chose de semblable à une voix intérieure qui lui criait : "Retourne-toi !" Il en eut juste le temps.

La silhouette, masquée et vêtue d'un lourd manteau noir, achevait de compléter l'arc silencieux et mortifère avec son bras droit, mais l'obstacle imprévu de l'avant-bras d'Héraclès dévia la trajectoire du coup et la lame se ficha dans l'air sans faire de mal. Le Déchiffreur parvint à tourner avant que son agresseur ne décoche un nouveau coup de poignard et, tendant la main, il attrapa sa main droite. Ils luttèrent. Héraclès contempla le visage masqué et ce fut alors qu'il sentit ses forces fléchir, car il reconnut immédiatement ce masque sans expression, les traits artisanaux et factices et l'inquiétude obscure filtrée par les deux ouvertures symétriques des yeux, qui émettaient maintenant des lueurs de haine. Ponsica mit à profit sa confusion momentanée pour approcher davantage la pointe de la dague de la chair souple de son cou. Héraclès trébucha,

---

* Pourquoi les trois mots eidétiques – ceux que j'ai soulignés – ressurgissent-ils quand le danger, pour Héraclès, semble avoir cessé ? Que se passe-t-il ? *(N.d.T.)*

** Je comprends ! Attention, Héraclès : dans ton DOS !! *(N.d.T.)*

*** "RETOURNE-TOI !!" *(N.d.T.)*

recula et se cogna au mur. Il s'obligea à penser – une pensée rapide, comme un regard oblique – que Yasintra, au moins, ne faisait pas mine de l'attaquer, bien qu'il ignorât ce qu'elle pouvait être en train de faire. Ainsi donc, il affrontait un seul ennemi, une femme, mais très forte, comme il venait de le constater à l'instant. Il décida qu'il pouvait se permettre le risque que la lame très affûtée s'approche un peu plus de son objectif afin de réunir de la puissance dans sa main droite : il leva le poing et l'abattit sur le masque. Il entendit un gémissement aussi profond que celui qu'il aurait pu distinguer sur la margelle d'un puits. Il frappa à nouveau. Un deuxième gémissement, mais rien de plus. Pire encore : la concentration sur son bras droit lui avait fait oublier la dague, qui réduisait de plus en plus la brève distance qui la séparait de son cou palpitant, des faibles branches des veines et de la musculature tremblante et docile. Il cessa alors de frapper et fit quelque chose qui, sans doute, surprit son opposant frénétique : ses doigts s'étendirent et commencèrent à caresser affectueusement les contours du masque, le promontoire du nez, le bord des pommettes… comme un aveugle qui voudrait reconnaître un vieil ami en lui touchant le visage.

Ponsica comprit trop tard ses intentions.

Deux gros béliers, deux énormes pistons pénétrèrent par surprise par les ouvertures des yeux et plongèrent sans trouver de résistance dans une curiosité visqueuse protégée par de fines lamelles de peau. Immédiatement, la lame du poignard s'écarta du cou d'Héraclès et quelque chose gémit et vociféra sous l'expression indifférente du masque. Le Déchiffreur retira ses deux doigts, humides jusqu'à la deuxième phalange, et s'éloigna d'elle. Ponsica émit un hurlement. Le masque restait patient et neutre. Il recula et perdit l'équilibre.

Quand il tombait à terre, Héraclès se jeta sur elle.

Il eut beaucoup de mal à réfréner son impulsion quasi irrésistible d'utiliser son propre poignard. Au lieu de cela, après l'avoir désarmée, il se servit de ses pieds nus pour la frapper en divers points faibles que son aveuglement laissait à découvrir. Il utilisa son talon : il lui sembla écraser un énorme insecte.

Quand il eut fini, haletant, confus, il vit que Yasintra restait nue et immobile contre le mur, comme il l'y avait laissée ; elle semblait simplement avoir un peu nettoyé le sang sur son visage. Héraclès fut presque contrarié qu'elle ne l'attaquât pas elle aussi : il aurait voulu réunir une furie à une autre, enchaîner une lutte à l'autre, perpétuer un coup constant. Maintenant il ne disposait que de l'air et des objets autour de lui pour détruire, arracher, anéantir.

— A quel moment l'ont-ils recrutée ? demanda-t-il quand il eut retrouvé la voix.

— Je ne sais pas. Quand ils m'ont envoyée ici, ils m'ont dit de suivre ses instructions. Elle ne parle pas, mais ses gestes sont faciles à comprendre. Et je connaissais déjà les ordres.

— Les Mystères sacrés ! murmura Héraclès avec mépris. Yasintra le regarda sans comprendre. Ponsica m'a dit qu'elle était dévote des Mystères sacrés, comme Ménechme. Ils mentaient tous les deux.

— Peut-être pas, parce qu'ils ne t'ont pas dit *quelle sorte* de Mystères sacrés ils adoraient, sourit la danseuse.

Héraclès haussa un sourcil et l'observa. Il lui dit :

— Va-t'en. File d'ici.

Elle ramassa son péplum et sa ceinture par terre et traversa docilement la pièce. Devant la porte, elle se tourna vers lui.

— Ton esclave était chargée de te tuer, pas moi. Ils font les choses à leur façon, Déchiffreur : ni toi ni personne ne peut les comprendre. C'est pour cela qu'ils sont si dangereux.

— Va-t'en, répéta-t-il, haletant, à bout de souffle.

Elle lui dit encore :

— Fuis la ville, Héraclès. Tu ne vivras pas au-delà de l'aube.

Yasintra partie, Héraclès put enfin montrer toute la fatigue qu'il éprouvait : il s'adossa au mur et se frotta les yeux. Il avait besoin de retrouver la paix de ses pensées, de nettoyer les outils mentaux de son travail et de recommencer, avec calme...

Un bruit le fit sursauter. Ponsica essaya de se redresser à terre. En tournant sur un côté, le masque laissa s'écouler deux épaisses lignes de sang par les ouvertures du regard. L'aspect de ce visage blanc et faux divisé par une double colonne rougeoyante était terrifiant. "C'est impossible, pensa Héraclès. Je lui ai brisé plusieurs côtes. Elle doit être en train d'agoniser. Elle ne peut pas bouger." Il se rappela la fable des automates inexorables conçus par le savant Dédale ; les mouvements de Ponsica le firent penser à un mécanisme grippé : elle s'appuyait sur une main, se redressait, retombait, s'appuyait à nouveau, avec des gestes de pantomime tronquée. Comprenant peut-être enfin que son intention était inutile, elle prit le poignard et se traîna vers Héraclès avec un courageux acharnement. Ses yeux vomissaient deux traînées parallèles d'humeurs.

— Pourquoi me détestes-tu tant, Ponsica ? demanda Héraclès.

Il la vit s'arrêter à ses pieds, sa respiration brûlant dans sa poitrine, et lever la dague, tremblante, le menaçant d'un geste vaincu. Mais ses forces la trahirent et le couteau tomba à terre avec fracas. Elle exhala alors un profond soupir qui sembla se transformer à la fin en un grognement de rage, et resta immobile, mais sa respiration même semblait encore une marque de furie, comme si elle avait refusé de capituler avant d'atteindre son objectif. Héraclès l'observait, émerveillé. Il s'approcha enfin avec la prudence du chasseur qui ne croit pas à l'agonie de la proie qu'il vient de prendre. Il voulait comprendre sa conduite avant de la sacrifier. Il se pencha et la dépouilla de son masque. Il contempla ce visage strié de cicatrices et la toute nouvelle destruction des yeux. Il la vit ouvrir la bouche comme un poisson.

— Quand, Ponsica ? Quand as-tu commencé à me détester ?

Cela revenait à demander quand elle avait décidé de devenir un être humain, une femme libre, parce que soudain il lui sembla que la haine l'avait en quelque sorte affranchie, comme la volonté d'un roi puissant. Il se rappela le jour où il l'avait vue sur le marché, solitaire et peu recherchée par les clients ; les années de service efficace, ses gestes silencieux, la docilité de sa conduite, sa soumission quand il lui avait demandé – ordonné ? – de porter un masque… Il n'avait pu trouver aucune faille pendant tout ce temps, aucun moment de soupçon, d'explication.

— Ponsica, dis-moi pourquoi, lui murmura-t-il à l'oreille. Tu peux encore bouger les mains…

Elle respirait avec difficulté. Son visage dévasté de profil, aux yeux comme les petits de l'oiseau ou du serpent écrasés dans leurs propres coquilles, avait un air atroce. Mais sa réponse intéressait davantage Héraclès que sa beauté. Il s'inquiétait de la voir mourir sans lui avoir répondu. Il observa sa main gauche, qui griffait le sol. Il ne devina pas de mots. Il porta le regard sur la droite, qui ne soutenait plus le poignard. Il ne devina pas de mots.

Devant cet horrible silence, il pensa : "Quand était-ce ? Quand t'a-t-on donné la liberté ou quand l'as-tu trouvée ? Tu te rendais peut-être réellement à Eleusis, comme tant d'autres, et tu les y as rencontrés…" Il se pencha un peu plus et remarqua son odeur, qu'il avait respirée sur les cadavres d'Eumarque et d'Antise. Il ne l'avait pas constatée sur Eunio. "Bien sûr, Eunio empestait le vin."

Il entendit soudain battre un cœur. Le sien ? Celui de Ponsica ? Peut-être celui de l'esclave, parce qu'il s'affaiblissait. "Elle doit souffrir terriblement, mais cela n'a pas l'air de l'affecter." Il s'éloigna de ces battements. Et le souvenir de son cauchemar obsédant revint l'envahir, mais s'accrocha cette fois à sa conscience accablée comme si l'état de veille avait été la lumière dont les ténèbres épaisses avaient besoin pour se dissiper. Il vit le cœur qui venait d'être arraché, la main qui l'étreignait ; il aperçut le soldat et entendit, enfin, ses faibles paroles.

Il se rappela alors ce qu'il avait oublié, ce petit détail que le rêve lui avait crié depuis le début dans un vacarme assourdissant.

Bien que l'agonie de Ponsica se poursuivît, Héraclès ne bougea pas, debout devant son corps, le regard vague. Quand elle mourut, le jour s'était déjà levé au-dehors et les rayons du soleil traversaient la pièce faiblement éclairée.

Mais Héraclès ne bougeait toujours pas*.

----

* Je t'ai sauvé la vie, mon vieil ami, Héraclès Pontor ! C'est incroyable, mais je crois que je t'ai sauvé la vie ! Je pleure en pensant que cela puisse être vrai. En traduisant, j'ai remarqué mon propre cri, et tu l'as entendu. Bien sûr, il convient d'imaginer que j'aie lu le texte auparavant puis, en élaborant ma traduction, que j'aie écrit le mot une ligne avant qu'il apparaisse, mais je jure que ce ne fut pas le cas ; du moins pas de façon consciente… Et maintenant, que t'es-tu rappelé ? Pourquoi est-ce que je ne me le rappelle pas ? J'aurais dû m'en rendre compte, comme toi, mais… !

Des choses importantes se sont produites. Mon geôlier vient de partir. Il est entré, comme toujours, de façon brusque, imprévue, pendant que j'écrivais le paragraphe précédent, avec le même masque d'homme souriant et le manteau noir. Il a traversé ma petite cellule puis est revenu sur ses pas pour me demander :

— Où en es-tu ?

— J'ai fini la traduction du chapitre x. C'est l'eidesis de la ceinture d'Hippolyte, les femmes guerrières, les Amazones. Mais, ajoutai-je, je m'y trouve également.

— Vraiment ?

— Tu le sais mieux que personne, dis-je.

Son masque me contemplait avec un sourire perpétuel.

— Je n'ai ajouté aucun texte à l'œuvre, je te l'ai déjà dit, répliqua-t-il.

J'ai pris une profonde inspiration et revu mes notes.

— Quand Héraclès jouit avec la danseuse Yasintra, son corps est décrit comme "mince". Et Héraclès est très gros, le lecteur le sait.

— Et alors ?

— *Moi*, je suis mince.

Son éclat de rire eut l'air forcé à travers l'obstacle du masque. Quand il s'éteignit, il m'expliqua :

— *Leptos* signifie "mince" en grec, mais aussi "subtil", tu le sais. Et tous les lecteurs, sur ce point, comprendraient qu'il est plutôt question de l'intelligence subtile d'Héraclès Pontor que de sa complexion... Je me rappelle la phrase. Elle dit, littéralement : "Le subtil Héraclès tendit son corps." Il est qualifié de "subtil Héraclès" de la même façon qu'Homère qualifie Ulysse d'"astucieux"... il se remit à rire. Bien sûr, *tu* avais intérêt à traduire *leptos* par "mince", et j'imagine bien pourquoi ! Mais tu n'es pas le seul, ne t'inquiète pas : chacun lit ce qu'il souhaite lire. Les mots ne sont qu'un ensemble de symboles qui s'accommodent toujours à notre goût.

Il se moqua également du reste de mes prétendues preuves : Héraclès pouvait également avoir des tempes "profondément dégarnies", et la mention de la barbe "noire", comme la mienne, au lieu d'"argentée", correspondrait à une erreur du copiste. La cicatrice sur la pommette gauche, souvenir d'un "coup reçu dans l'enfance", tellement similaire à celle que m'avait causée un camarade d'école, était sans doute une coïncidence, et on pouvait en dire de même de l'anneau au majeur de la main gauche.

— Des milliers de personnes ont des cicatrices et portent un anneau, dit-il, ce qu'il y a, c'est que tu admires le protagoniste et que tu veux lui ressembler à tout prix... en particulier lors des moments les plus intéressants. C'est la présomption de tous les lecteurs : vous croyez que le texte a été écrit en pensant à vous, et en le lisant vous vous imaginez la scène à votre façon ! Sa voix résonna soudain de façon très semblable à la grimace de son masque. As-tu... as-tu *retiré du plaisir* en lisant ces paragraphes, hein ? Ne me regarde pas comme ça, cela arrive souvent !

Profitant de mon silence gêné, il s'approcha et lut la note que je rédigeais avant d'être interrompu.

— Quoi ? Tu as "sauvé la vie" au protagoniste ? l'entendis-je demander dans mon dos, sur un ton incrédule. Oh, quelle force possèdent les livres eidétiques !... C'est curieux, une œuvre écrite il y a si longtemps... et elle provoque encore tant de réactions !

Mais son nouvel éclat de rire cessa brusquement quand je répliquai :

— Il n'y a peut-être pas *si longtemps* qu'elle a été écrite.

Je fus content de lui renvoyer le coup ! Ses yeux impénétrables me contemplèrent un instant à travers les ouvertures du masque.

— Que veux-tu dire ? asséna-t-il.

— Montalo affirme que le papyrus de ce chapitre a une odeur de femme, et qu'il possède une texture de "sein" et de "bras d'athlète". A sa façon, cette note ridicule est eidétique : elle représente la "femme homme", ou la "femme guerrière" de la ceinture d'Hippolyte. En remontant plus haut, on peut trouver des exemples semblables à la description du papyrus dans chaque chapitre...

— Et qu'en déduis-tu ?

— Que l'intervention de Montalo est *une partie du texte*, je souris devant son silence. Ses rares notes dans la marge sont eidétiques, non linguistiques, et renforcent les images du livre. J'ai toujours été surpris que Montalo l'érudit n'ait pas remarqué que *La Caverne* était eidétique. Mais aujourd'hui je sais qu'il *le savait*, et qu'il jouait avec l'eidesis de la *même façon* que l'auteur dans l'œuvre...

— Je vois que tu as réfléchi, reconnut-il. Quoi d'autre ?

— *La Caverne des idées*, telle que nous la connaissons, est une œuvre *fausse*. Je comprends pourquoi personne n'en a entendu parler... Nous ne possédons que l'édition de Montalo, pas même l'original. Maintenant, l'œuvre a été écrite en pensant à un éventuel traducteur, et elle est pleine d'artifices et de pièges que seul un autre collègue d'une catégorie similaire ou supérieure pourrait élaborer... La seule explication qui me vient à l'idée est... que c'est Montalo qui l'a *écrite* !

Le masque ne répondit pas. Je poursuivis, implacable :

— L'original de *La Caverne* n'a pas disparu : l'édition de Montalo est l'édition originale !

— Pourquoi Montalo aurait-il écrit quelque chose de ce genre ? demanda mon geôlier sur un ton neutre.

— Parce qu'il est devenu fou, répliquai-je. Montalo était obsédé par les textes eidétiques : il croyait qu'ils pouvaient prouver la théorie platonicienne des Idées, et démontrer de la sorte que le monde, la vie, sont raisonnables et justes. Mais il n'y est pas parvenu. Alors, devenu fou, il a écrit lui-même une œuvre eidétique, mettant à profit sa parfaite connaissance du grec et de l'eidesis. L'ouvrage était destiné à ses collègues.

C'était une façon de leur dire : "Regardez ! Les Idées existent ! Elles sont là ! Allons ! Découvrez la clé de l'énigme !…"

— Mais Montalo ignorait la clé de l'énigme, répliqua mon geôlier. Je l'ai enfermé…

J'observai fixement les ouvertures noires de son masque et dit :

— Assez plaisanté, Montalo…

Héraclès Pontor n'aurait pas fait mieux !

— Malgré tout, ajoutai-je, mettant son silence à profit, tu as joué de façon intelligente : tu t'es probablement arrangé avec un vagabond… Je préfère penser que tu l'as trouvé mort puis que tu lui as mis des vêtements déchirés, simulant la tromperie que tu avais imaginée pour l'assassinat d'Eunio… Alors, officiellement "mort", tu as commencé à agir dans l'ombre… Tu as écrit cette œuvre en pensant à un traducteur potentiel. Puis, quand tu as constaté que j'étais chargé de la traduire, tu m'as surveillé. Tu as ajouté des pages factices pour m'égarer, pour m'obliger à être obsédé par ce texte, car, comme tu l'affirmes toi-même, "nous ne pouvons pas être obsédés par quelque chose sans penser que nous faisons partie de ce quelque chose". Enfin, tu m'as enlevé et tu m'as enfermé ici… Il s'agit peut-être du sous-sol de ta maison… ou de la cachette dans laquelle tu vis depuis que tu feins d'être mort… Que veux-tu de moi ? Ce que tu as toujours voulu : prouver l'existence des Idées ! Si je parviens à découvrir dans *ton* livre les images que *tu* y as dissimulées, cela signifie que les idées existent indépendamment de celui qui les pense, n'est-ce pas ?

Après un très long silence pendant lequel mon visage, comme le sien, fut également un masque souriant, je l'entendis dire, soulignant chaque mot :

— Traducteur : *contente-toi* de rester dans la *caverne* de tes notes de bas de page. Ne prétends pas sortir de cet enfermement et *monter* pour arriver au *texte*. Tu n'es pas un Déchiffreur d'Enigmes, même si tu le souhaites… Tu es un simple traducteur. Alors, *continue à traduire* !

— Pourquoi me contenterais-je d'être un simple traducteur, puisque tu ne te contentes pas d'être un simple *lecteur* ? répliquai-je, le défiant. Puisque tu es l'auteur de cette œuvre, laisse-moi imiter ses personnages !

— Je ne suis pas l'auteur de *La Caverne des idées* ! dit le masque, gémissant presque.

Et il sortit en claquant la porte.

Je me sens mieux. Je crois avoir gagné ce combat. (N.d.T.)

XI*

L'homme descendit l'escalier raide en pierre jus-qu'au lieu où la mort attendait. C'était une chambre souterraine éclairée par des lampes à huile, compo-sée d'un petit vestibule et d'un couloir central troué de cellules. L'odeur qui flottait n'était pas celle de la mort mais celle de l'instant précédent : l'agonie. La différence entre les deux types d'effluves était peut-être très subtile, pensa l'homme, mais n'importe quel chien pourrait la percevoir. Et puis cette odeur nauséabonde lui semblait logique, puisqu'il s'agis-sait de la prison où les condamnés à la peine capi-tale attendaient l'exécution de la sentence.

---

* J'ai été réveillé par de furieux aboiements de chien. Je les entends encore : ils ne semblent pas très éloignés de ma cellule. Je me demande si mon geôlier veut me faire peur ou s'il s'agit, au contraire, d'un simple hasard – au moins, une chose est certaine : il n'a pas menti en me disant qu'il a des chiens, car il en *a* vraiment. Mais il reste une troisième possibilité, assez étrange : il y a encore deux chapitres à traduire, et peu de travaux pour chacun d'eux ; si l'ordre est correct, celui-ci, le onzième, devrait être consacré au chien Cerbère, et le dernier aux pommes des Hespérides. Dans le travail du chien Cerbère, Hercule descend aux enfers pour capturer le dangereux *chien* polycéphale qui en garde férocement les portes. Ainsi donc, mon gardien masqué veut créer une eidesis avec la *réalité* ? D'autre part, Montalo affirme au sujet du papyrus : "Abîmé, sale, avec une odeur de chien mort." *(N.d.T.)*

Elle restait intouchable depuis l'époque de Solon, comme si les autorités successives avaient craint de s'en approcher pour la rajeunir d'une façon quelconque. Dans le vestibule, les gardiens jouaient généralement aux dés lors des gardes de nuit et juraient aux moments les plus importants "Le chien, Eumolpe ! Tu dois payer, par Zeus* !" Plus loin, un court escalier conduisait aux ténèbres épaisses des cellules, dans lesquelles les accusés languissaient en comptant le temps qu'il leur restait avant l'arrivée des ténèbres définitives. Bien que ces habitacles manquent, on s'en doute, des commodités les plus élémentaires, de notables exceptions avaient été faites dans certains cas : Socrate, par exemple, qui avait été enfermé dans l'avant-dernier sur la droite – certains gardiens affirment qu'il s'agissait du dernier sur la gauche – possédait une paillasse, une petite table et plusieurs chaises qui étaient toujours occupées par les nombreux visiteurs qu'il recevait. "Mais cela provenait du fait qu'il s'écoula beaucoup de temps avant que la sentence ne fût exécutée, expliquent les gardiens, car la fin de son procès coïncida avec les Jours sacrés, quand le bateau des pèlerins voyage à Délos et que les exécutions sont interdites, c'est connu… Mais il ne se plaignait pas du retard, oh non !… Il avait une patience, le pauvre… !" De toute façon, des cas semblables étaient peu fréquents. Et l'on n'avait bien sûr fait aucune exception pour le seul condamné à mort qui attendait en cet instant l'heure fatidique : il allait être exécuté le jour même.

Le gardien de service était un jeune esclave mélien appelé Amphion. L'homme pensa, et ce n'était pas la première fois, qu'Amphion aurait pu être avenant, car son corps était svelte et ses manières beaucoup plus raffinées que celles des autres hommes de sa condition, mais qu'un dieu espiègle, ou peut-être une

---

* La "figure du chien" était la plus faible : trois un. Mais l'auteur l'utilise afin d'accentuer l'eidesis. Au fait, les chiens aboient toujours au-dehors. (N.d.T.)

déesse, en tirant sur les ficelles de son œil gauche, avait transformé son visage, sur lequel la barbe naissait par îlots en raison d'une curieuse teigne, en une inquiétante énigme. De quel œil Amphion regardait-il en réalité ? Du droit ? Du gauche ? Cela dérangeait l'homme de s'interroger chaque fois qu'il le regardait.

Ils se saluèrent. L'homme demanda : "Comment va-t-il ?" Amphion répondit : "Il ne se plaint pas ; je crois qu'il s'adresse aux dieux, parce que je l'entends parfois parler tout seul." L'homme, qui était un serviteur des Onze appelé Triptèmes, annonça : "Je viens le voir." "Que portes-tu ici, Triptèmes ?" demanda Amphion. L'homme désigna le petit cratère scellé. "Quand nous l'avons enfermé, il nous a demandé de lui apporter un peu de vin de Lesbos." "Attends, Triptèmes, tu sais bien que les condamnés à mort n'ont pas le droit de recevoir quoi que ce soit de l'extérieur", dit Amphion. L'homme répondit en soupirant : "Allons, Amphion, fais ton travail et laisse-moi faire le mien. De quoi as-tu peur ? Qu'il se saoule le jour de sa mort ?" Ils se mirent à rire. L'homme poursuivit : "S'il se saoule, tant mieux. Il tombera en chancelant dans le précipice de l'enfer, et pensera qu'il revient d'un *symposium* chez un ami et qu'il a trébuché dans la rue… *Oh, par Athéna aux yeux bleus, que les rues de cette ville sont mauvaises !*" Leurs rires redoublèrent. Amphion rougit, comme honteux de s'être montré aussi soupçonneux. "Entre, Triptèmes, et donne-lui le vin, mais que les maîtres ne le sachent pas." "Ils ne le sauront pas."

"Il regarde de l'œil droit, maintenant j'en suis sûr", pensa-t-il en prenant une torche et en s'apprêtant à descendre vers l'obscurité des cellules*.

---

* Les curieuses hésitations entre "droite" et "gauche" dans ces paragraphes, la cellule de Socrate, l'œil du gardien esclave, tentent peut-être de refléter eidétiquement le voyage labyrinthique d'Hercule au royaume des morts. (*N.d.T.*)

Nous descendons du ciel dans l'accompagnement guerrier de la foudre et, dans les plumes d'un coup de vent, nous nous écartons de la géométrie des temples en direction de l'élégant quartier de l'Escambonide. Nous apercevons sous nos pieds une ligne grise brisée qui traverse le faubourg d'un côté à l'autre : c'est la rue principale. Oui, la tache qui se déplace maintenant dessus à une allure prudente vers l'un des jardins particuliers est un homme que l'on voit tout petit à cette distance. Un esclave, à en juger par le manteau. Jeune, à en juger par son agilité. Un autre homme l'attend sous les arbres. Malgré la protection des branches, son manteau montre le brillant des vêtements trempés. La pluie s'intensifie. Notre regard également. Nous nous abattons sur le visage de l'homme qui attend : grand, gras, avec une barbichette argentée soignée et des yeux gris dont les pupilles se détachent comme des fibules d'ébène. Son impatience est évidente : il regarde d'un côté, de l'autre ; enfin, il remarque l'esclave et son expression reflète davantage l'anxiété. Quelles sont ses pensées en cet instant ?... Ah, mais nous ne pouvons pas descendre dans sa tête !... Nous percutons la broussaille de ses cheveux gris, et tout s'arrête là pour nous, pauvres gouttes d'eau*.

— Maître ! Maître ! cria le jeune esclave. Je suis allé chez Diagoras, comme tu me l'as ordonné, mais je n'ai trouvé personne !

— Tu en es sûr ?

— Sûr, maître ! J'ai frappé plusieurs fois à sa porte !

---

* Le mouvement de "descente" qui a commencé au début du chapitre évoque, avec celui de "droite et de gauche", le voyage d'Hercule au royaume des morts. Dans ce dernier paragraphe on renforce l'image en introduisant le lecteur dans une goutte de pluie qui parcourt un long chemin avant de tomber sur la tête d'Héraclès Pontor. *(N.d.T.)*

— Bien, voilà ce que tu dois faire maintenant : va chez moi et attends-moi jusqu'à midi. Si je ne suis pas rentré d'ici là, préviens les serviteurs des Onze. Dis-leur que mon esclave a essayé de m'assassiner cette nuit et que j'ai dû me défendre : s'ils savent qu'il y a un cadavre, ils agiront plus rapidement. Remets-leur également ce papyrus, en les priant de le faire lire à leurs supérieurs, et jure sur l'honneur de ton maître qu'un danger d'une importance considérable menace la paix de la ville ; ce n'est pas tout à fait sûr, d'après moi, mais si tu parviens à leur faire peur ils obéiront à tes instructions sans délai. Tu as compris ?

L'esclave acquiesça, alarmé.

— Oui, maître, j'agirai ainsi ! Mais où vas-tu ? Cela me donne des frissons de t'entendre !

— Fais ce que je t'ai dit, Héraclès haussa la voix car la pluie redoublait. Je rentrerai à midi, si tout se passe bien.

— Oh, maître, fais attention ! Cette tempête semble pleine de funestes présages !

— Si tu exécutes scrupuleusement mes ordres, tu n'auras rien à craindre.

Héraclès s'éloigna, descendant la rue en pente vers l'abîme languissant de la ville*.

Les doigts morts de la pluie avaient réveillé Diagoras très tôt : ils palpèrent les murs de la chambre, griffèrent les fenêtres, frappèrent inlassablement à sa porte. Il se leva du lit et s'habilla rapidement. Il se servit de son manteau en guise de capuche et sortit.

Le Kolytos, son quartier, était mort ; certains commerces, même, avaient fermé, comme s'il s'était agi d'un jour de fête. Par les voies les plus fréquentées déambulaient à peine un ou deux individus, mais

---

* Le mouvement narratif de "chute" se poursuit, du ciel aux inquiétudes d'Héraclès Pontor. *(N.d.T.)*

dans les ruelles sombres la pluie gouvernait seule. Diagoras pensa qu'il devait se hâter s'il voulait voir Ménechme ce matin. En fait, il avait l'impression que l'urgence serait indispensable s'il voulait voir *quelqu'un*, qui que ce fût, quelque part, car tout Athènes semblait s'être transformée à ses yeux en un pluvieux cimetière.

Il descendit la pente irrégulière d'une rue avant de parvenir à une petite place d'où partait une autre rue en pente. Il remarqua alors l'ombre d'un vieil homme dans l'encoignure d'une corniche, attendant sans doute que l'orage se calme, mais son visage émacié formant un violent contraste avec la pénombre qui ourlait ses lèvres le surprit. Puis il trouva trop pâles les joues d'un esclave qui portait deux amphores. Et une hétaïre lui sourit comme un chien famélique à un carrefour, mais le blanc de céruse qui avait fondu sur son visage lui rappela l'érosion des linceuls. "Par le dieu de la bonté, je n'arrête pas de voir des visages de cadavres depuis que je suis sorti ! pensa-t-il. La pluie est peut-être une forme de pressentiment, ou c'est peut-être dû au fait que la couleur de la vie sur nos joues se dilue avec l'eau*."

Plongé dans ces réflexions, il vit deux silhouettes encapuchonnées s'approcher depuis une rue latérale. "Par Zeus, voici deux autres esprits."

Les silhouettes s'arrêtèrent à sa hauteur et l'une d'elles dit d'une voix aimable :

— Oh, Diagoras de Medonte, accompagne-nous immédiatement, car il va se passer quelque chose de terrible.

Elles lui barraient le passage. A travers les ténèbres de leurs capuches, Diagoras pouvait apercevoir la blancheur de visages qui se ressemblaient mystérieusement.

---

* Ni une chose ni l'autre, bien sûr : il se trouve que Diagoras, comme toujours, "flaire" l'eidesis à distance. Athènes, en effet, est devenue dans ce chapitre le royaume des morts. (*N.d.T.*)

— D'où me connaissez-vous ? demanda-t-il. Qui êtes-vous ?

Les encapuchonnés échangèrent un regard.

— Nous sommes… cette chose si *terrible* qui va arriver si tu ne nous accompagnes pas, dit l'autre.

Diagoras comprit soudain que ses yeux l'avaient une nouvelle fois trompé : la blancheur de ces visages était fausse.

Ils portaient des masques.

"Leur pouvoir s'étend peut-être jusqu'à l'archonte roi, pensa Héraclès, inquiet. Après tout, *n'importe qui peut faire partie des leurs…*" Mais un instant plus tard, plus calmement, il pensait : "Par pure logique, s'ils en sont arrivés là, ils devraient se sentir plus tranquilles, alors qu'en fait ils ont la hantise d'être découverts." Et il concluait : " Ils sont peut-être puissants comme des dieux, mais ils craignent la justice des hommes." Il frappa à nouveau à la porte avec insistance. L'enfant esclave apparut dans l'obscurité du seuil.

— Encore toi, sourit-il. C'est une bonne chose que tu viennes aussi souvent nous voir. Tes visites sont des récompenses.

Héraclès avait déjà préparé les deux oboles.

— Cette maison est sombre, et sans un guide tel que moi tu pourrais te perdre, fit remarquer l'enfant, conduisant Héraclès à travers les couloirs obscurs. Tu sais ce que dit Iphimaque, le vieil esclave qui est mon ami ?

— Que dit-il ?

Le petit guide s'arrêta et baissa la voix.

— Que quelqu'un s'est perdu ici il y a longtemps et qu'il est mort sans trouver la sortie. Parfois, la nuit, on le croise dans les couloirs, plus blanc et froid que du marbre de Chalcidique, et il te demande très poliment où est la sortie.

— Tu l'as déjà vu ?

— Non, mais Iphimaque dit qu'il l'a vu.

Ils reprirent leur marche tandis qu'Héraclès répliquait :

— Eh bien n'y crois pas avant de le voir par toi-même. Tout ce que l'on ne voit pas est une question d'opinion.

— Je dois dire que je feins d'être terrifié quand il m'en parle, précisa joyeusement l'enfant, parce que cela fait plaisir à Iphimaque. Mais en fait je n'ai pas peur. Et si un jour je rencontrais le mort, je lui dirais : "La sortie : deuxième à droite !"

Héraclès rit de bonne grâce.

— Tu fais bien de ne pas avoir peur. Tu es déjà presque un éphèbe.

— Oui, j'en suis un, reconnut l'enfant avec orgueil.

Ils croisèrent l'homme hérissé de vers qui venait dans la direction contraire. L'homme ne les regarda pas passer, parce que ses orbites étaient creuses. Il poursuivit son chemin en silence, emportant avec lui l'odeur fétide de mille jours de cimetière*. Quand ils parvinrent au cénacle, l'enfant dit :

— Bon, je t'attends ici. Je vais prévenir ma maîtresse.

— Je t'en remercie.

Ils se séparèrent avec un geste de complicité amusée, et Héraclès pensa soudain qu'avec ce geste il prenait congé pour toujours, non seulement de l'enfant, mais de cette maison lugubre et de tous ses habitants, et même de ses propres souvenirs. C'était comme si le monde était mort et qu'il avait été le seul à le savoir. Mais, pour une raison étrange, rien ne l'attristait davantage que d'abandonner l'enfant : même ses souvenirs, inconsistants ou durables, ne lui semblaient pas plus importants que cette belle

---

* Je ne crois pas nécessaire de faire remarquer que ce cadavre relève d'une présence eidétique, non spectrale : l'enfant et Héraclès ne peuvent le voir, de la même façon qu'ils ne peuvent voir les signes de ponctuation du texte de l'œuvre, par exemple. (*N.d.T.*)

et intelligente créature, ce petit homme dont il ne connaissait toujours pas le nom ; savoir par quel mystérieux hasard ou amusante et perpétuelle coïncidence.

La présence d'Etis se signala, comme toujours, par sa voix.

— Trop de visites en peu de temps, Héraclès Pontor, pour qu'il s'agisse d'une simple politesse.

Héraclès, qui ne l'avait pas vue arriver, s'inclina devant elle en guise de salut, et répondit :

— Ce n'est pas de la politesse. Je t'avais promis de revenir pour te raconter ce que j'aurais appris sur ce qui était arrivé à ton fils.

Après une pause très brève, Etis fit un geste en direction des esclaves qui sortirent en silence de la pièce, et, avec la dignité qu'elle imprimait à toute chose, elle indiqua un divan à Héraclès et s'appuya sur l'autre. Elle était… élégante ? Belle ? Héraclès ne sut quel adjectif lui appliquer. Il lui sembla qu'une grande partie de cette beauté mûre consistait en la légère couche de céruse sur les joues, le maquillage des yeux, l'éclat des broches et des bracelets et l'harmonie du péplum sombre. Mais, même sans aide, son visage austère et ses formes sinueuses auraient conservé tout leur pouvoir… ou en auraient acquis un nouveau.

— Mes esclaves ne t'ont même pas offert un manteau sec ? dit-elle. Je les ferai fouetter.

— Cela n'a pas d'importance. Je voulais te voir le plus tôt possible.

— Tu es bien impatient de me raconter ce que tu sais.

— C'est vrai.

Il détourna les yeux du regard sombre d'Etis. Il l'entendit lui dire :

— Eh bien, je t'écoute.

En contemplant ses propres mains grassouillettes croisées sur le divan, Héraclès parla :

— La dernière fois que je suis venu, je t'ai dit que Tramaque avait un problème. Je ne me trompais pas, c'était le cas. Naturellement, à son âge, tout peut devenir un problème. Les âmes jeunes sont de l'argile, et nous les modelons à notre guise. Mais elles ne sont pas à l'abri des contradictions, des doutes... Elles ont besoin d'une éducation vigoureuse...

— Tramaque l'a reçue.

— Je n'en doute absolument pas, mais il était trop jeune.

— C'était un homme.

— Non, Etis, il aurait pu en *devenir* un, mais les Parques ne lui en ont pas laissé le temps. C'était encore un enfant quand il est mort.

Il y eut un silence. Héraclès lissa lentement sa barbe argentée avant de dire :

— C'était peut-être là son problème : personne ne l'a laissé devenir un homme.

— Je comprends – Etis émit un bref soupir. Tu parles de ce sculpteur... Ménechme. Je sais tout ce qui s'est passé entre eux, bien que par chance on ne m'ait pas obligée à assister au procès. Bien. Tramaque a pu choisir, et il l'a choisi lui. C'est une question de responsabilité, non ?

— C'est possible, admit Héraclès.

— Et puis je suis sûre qu'il n'a jamais eu peur.

— Tu crois ? Héraclès haussa les sourcils. Je ne sais pas. Il dissimulait peut-être son appréhension devant toi, pour t'éviter de souffrir par sa faute...

— Que veux-tu dire ?

Il ne répondit pas. Il continua à parler sans regarder Etis, comme s'il avait discouru seul.

— Quoique... qui sait ? Sa terreur ne t'était peut-être pas si inconnue. A la mort de Méragre, tu as dû affronter une grande solitude, n'est-ce pas ? La lourde charge de deux enfants à éduquer, en vivant dans une ville qui vous avait fermé ses portes, dans cette maison sombre... Parce que ta maison est très sombre, Etis. Les esclaves disent qu'elle est habitée par les spectres... Je me demande combien de spectres vous avez vus, tes enfants et toi, pendant toutes ces années... Quelle dose de solitude est-elle nécessaire ?

Quelle dose d'obscurité faut-il pour que les êtres se transforment ?... Par le passé, tout était différent...

Avec une douceur inattendue, Etis l'interrompit :

— Tu ne te rappelles pas le passé, Héraclès.

— Pas de façon volontaire, je l'admets, mais tu te trompes si tu crois que le passé ne représente rien pour moi...

Il baissa le ton et poursuivit, avec la même froideur, comme s'il avait raisonné avec lui-même :

— Le passé avait tes formes. Maintenant je le sais, et je peux te le dire. Le passé me souriait avec ton visage d'adolescente. Pendant longtemps, mon passé a été ton sourire... Pas de façon volontaire non plus, certes, mais c'est ainsi, et le moment est peut-être venu de l'admettre, de le reconnaître... je veux dire, de le reconnaître envers moi-même, même si ni toi ni moi ne pouvons rien faire à ce sujet...

Il parlait en rapides murmures, le regard baissé, sans accorder de trêve au silence.

— Mais aujourd'hui... aujourd'hui je t'observe et je ne parviens pas à savoir ce qu'il reste de ce passé sur ton visage... Et ne crois pas que cela me gêne. Je te l'ai dit : les choses sont telles que les dieux les souhaitent, rien ne sert de se lamenter. Et puis, je suis un homme peu porté à l'émotion, tu le sais... Mais j'ai découvert soudain que je ne suis pas à l'abri des émotions, même brèves et rares... Voilà tout.

Il fit une pause et avala sa salive. Une très légère ombre de rougeur teintait ses joues charnues. "Elle doit se demander la raison de cette déclaration", pensa-t-il. Alors, élevant un peu le ton, il poursuivit sur un ton anodin :

— Mais j'aimerais savoir quelque chose avant de partir... C'est très important pour moi, Etis. Cela n'a aucun rapport avec mon travail de Déchiffreur, je te l'assure ; c'est une question strictement personnelle...

— Que veux-tu savoir ?

Héraclès porta une main à ses lèvres comme s'il avait soudain ressenti une forte douleur à la bouche. Après une pause, sans regarder Etis encore, il dit :

— Auparavant, je dois t'expliquer quelque chose. Depuis que j'ai commencé à enquêter sur la mort de Tramaque, un rêve terrifiant perturbe mes nuits : je voyais une main étreindre un cœur qui venait d'être arraché et au loin un soldat disait quelque chose que je ne pouvais entendre. Je n'ai jamais accordé tellement d'importance aux rêves, car ils m'ont toujours semblé absurdes, irrationnels, contraires aux lois de la logique, mais celui-ci m'a fait penser que... Enfin, je dois reconnaître que la Vérité choisit parfois des moyens étranges pour se manifester. Parce que ce rêve m'avertissait d'un *détail* que j'avais oublié, une petite chose que mon esprit s'était sans doute refusé à me rappeler pendant tout ce temps...

Il passa la langue sur ses lèvres desséchées et poursuivit :

— La nuit où l'on transporta le cadavre de Tramaque, le capitaine de la garde-frontière assura qu'il t'avait simplement dit que ton fils était mort, sans te donner de détails... C'étaient les paroles que prononçait régulièrement le soldat de mon rêve : "Nous lui avons *simplement* dit que son fils était mort." Ensuite, quand je suis venu te voir pour te présenter mes condoléances, tu as dit quelque chose comme : "Les dieux ont souri quand *ils ont arraché et dévoré le cœur de mon fils.*" On avait certes effectivement arraché le cœur de Tramaque, Aschilos venait de le constater sur son cadavre... Mais toi, Etis, comment le savais-tu ?

Pour la première fois, Héraclès releva la tête vers le visage sans expression de la femme. Il poursuivit, sans aucune émotion, comme s'il avait été sur le point de mourir :

— Une simple phrase, sans plus... Juste des mots. Il n'y a objectivement aucune raison de penser qu'ils signifient autre chose qu'une lamentation, une métaphore, un abus de langage… Mais ce n'est pas ma raison : c'est le rêve. C'est le rêve qui me dit que cette phrase fut une erreur, n'est-ce pas ?… Tu voulais m'égarer par tes faux cris de douleur, par tes imprécations contre les dieux, et tu as commis une erreur. Ta simple phrase est restée en moi comme une graine, puis elle a germé en un rêve horrible… Le rêve me disait la vérité, mais je n'arrivais pas à voir à qui appartenait la main qui étreignait le cœur, cette main qui me faisait trembler et gémir toutes les nuits, cette main si fine, Etis…

Sa voix se brisa un instant. Il fit une pause. Il baissa à nouveau la tête et dit calmement :

— Le reste fut simple : tu affirmais être dévote des Mystères sacrés, comme ton fils, et Antise, Eunio et Ménechme… comme l'esclave qui a essayé de m'assassiner cette nuit… Mais ces Mystères sacrés ne sont pas ceux d'Eleusis, n'est-ce pas ? Il leva rapidement la main, comme s'il avait craint une réponse. Oh, cela m'est égal, je te le jure ! Je ne veux pas m'immiscer dans tes croyances religieuses… Je t'ai dit que je n'étais venu que pour apprendre une chose, ensuite je m'en irai.

Il observa fixement le visage de la femme. Doucement, presque avec tendresse, il ajouta :

— Dis-moi, Etis, car mon âme est angoissée par ce doute… S'il est vrai, comme je le crois, que tu *leur* appartiens, dis-moi… T'es-tu contentée de *regarder*, ou bien… il leva à nouveau la main rapidement, comme pour lui indiquer de ne pas répondre encore, bien qu'elle n'ait pas fait un seul geste, elle n'avait pas bougé les lèvres, ni battu des paupières, ni laissé entendre en aucune autre façon qu'elle allait parler. Il ajouta sur le ton de la supplique : Par les dieux, Etis, réponds-moi que tu n'as pas fait de mal à ton propre fils… Si nécessaire, mens-moi, s'il te plaît. Dis-moi : "Non, Héraclès, je n'y ai pas participé." Seulement ça. Il est très facile de mentir en paroles. J'ai besoin que tu prononces une autre phrase pour alléger l'angoisse que tu as provoquée avec la première. Je te jure par Zeus que cela ne m'importera pas de savoir laquelle des deux est la Vérité. Réponds-moi que tu n'y as pas participé, et tu as ma parole que je sortirai par cette porte et que je ne te dérangerai plus...

Il y eut un court silence.

— Je n'y ai pas participé, Héraclès, je t'assure... affirma Etis, émue. J'aurais été incapable de faire du mal à mon propre fils.

Héraclès allait dire quelque chose, mais il lui parut étrange que les mots, très clairs dans son esprit, n'affleurent pas à ses lèvres. Il battit des paupières, confus et surpris de cette aphonie inattendue*...

— J'ai besoin que tu prononces une autre phrase pour alléger l'angoisse que tu as provoquée avec la première. Je te jure par Zeus que cela ne m'importera pas de savoir laquelle des deux est la Vérité. Réponds-moi que tu n'y as pas participé, et tu as ma parole que je sortirai par cette porte et que je ne te dérangerai plus...

Il y eut un court silence.

— J'ai été la première à lui planter les ongles dans la poitrine, dit Etis d'une voix atone.

Héraclès allait dire quelque chose, mais il lui parut étrange que les mots, très clairs dans son esprit, n'affleurent pas à ses lèvres. Il battit des paupières, confus et surpris de cette aphonie inattendue. La

---

* Je suis désolé, Héraclès, mon ami. Que puis-je faire pour te soulager ? Tu avais besoin d'une phrase, et moi, traducteur tout-puissant, je pouvais te l'offrir... Mais je ne dois pas le faire ! Le texte est sacré, Héraclès. Mon travail est sacré. Tu me supplies, tu m'encourages à prolonger le mensonge... "Il est très facile de mentir en paroles", dis-tu. Tu as raison, mais je ne peux pas t'aider... Je ne suis pas écrivain mais traducteur... C'est mon devoir d'avertir le patient lecteur que la réponse d'Etis *relève de mon invention*, et je te prie de m'en excuser. Je vais reculer de quelques lignes et écrire, maintenant, la réponse originale du personnage. Je suis désolé, Héraclès. Je suis désolé, lecteur. (N.d.T.)

voix d'Etis lui parvint, faible et terrible comme un souvenir douloureux.

— Peu m'importe que tu ne sois pas capable de le comprendre. Que peux-tu y comprendre, Héraclès Pontor ? Tu as obéi aux lois depuis ta naissance. Que sais-tu de la liberté, des instincts, de la… rage ? Comment as-tu dit ? "Tu as dû affronter une grande solitude" ? Que sais-tu de ma solitude ?… Pour toi, "solitude" est un mot de plus. Pour moi, cela signifiait un poids sur la poitrine, la perte du sommeil et du repos… Qu'en sais-tu ?

"Elle n'a pas le droit, en plus, de me rudoyer", pensa Héraclès.

— Toi et moi nous nous aimions, poursuivit Etis, mais tu t'es incliné quand ton père t'a ordonné, ou conseillé, si tu préfères, d'épouser Hagesikora. Elle était plus… comment dire ? Appropriée ? Elle était issue d'une noble famille d'aristocrates. Et si telle était la volonté de ton père, allais-tu lui désobéir ? Cela n'aurait été ni vertueux ni légal… Les Lois, la Vertu… Voilà les noms des têtes du chien qui garde ce royaume des morts qu'est Athènes : Loi, Vertu, Raison, Justice… ! Cela te surprend, d'apprendre que certains d'entre nous n'acceptent pas de continuer à agoniser dans cette belle tombe ?… Son regard sombre sembla se perdre en un point de la pièce tandis qu'elle poursuivait : Mon époux, ton ami de jeunesse, voulait transformer par la politique notre mode de vie absurde. Il pensait que les Spartiates, au moins, n'étaient pas hypocrites : ils faisaient la guerre et cela ne les dérangeait pas de le reconnaître, ils en étaient même fiers. Il a collaboré avec la tyrannie des Trente, en effet, mais ce ne fut pas là sa grande erreur. Son erreur a consisté à se fier davantage aux autres qu'à lui-même… jusqu'à ce que la majorité des "autres" le condamne à mort à l'Assemblée… elle serra les lèvres en une grimace rigide. Bien qu'il ait peut-être commis une erreur plus grave : croire que tout cela, ce règne de défunts intelligents, de cadavres qui pensent et s'expriment, pouvait se transformer avec un simple changement politique, son rire sonna creux, vide. Platon, ce naïf, croit la même chose !... Mais nombre d'entre nous ont appris qu'on ne peut rien changer si l'on ne change pas d'abord soi-même !... Oui, Héraclès Pontor : je me sens fière de la foi que je professe ! Pour des esprits tels que le tien, une religion qui rend hommage aux dieux les plus anciens par le biais du dépeçage rituel de ses adeptes est absurde, je sais, et je ne vais pas tenter de te convaincre du contraire... Mais existe-t-il une religion qui ne soit pas absurde ?... Socrate, le grand rationaliste, les offensait toutes, et c'est pour cette raison que vous l'avez condamné !... Mais il viendra un temps où dévorer qui l'on aime sera considéré comme un acte de piété !... Alors !... Ni toi ni moi ne le verrons, mais nos prêtres affirment que, dans l'avenir, on fondera des religions qui adoreront des dieux torturés et massacrés !... Qui sait ?... Peut-être même que l'acte d'adoration le plus sacré consistera à *dévorer* les dieux* !

Héraclès pensa que la nouvelle attitude d'Etis l'aidait : son inexpressivité antérieure, son apparente indifférence étaient comme du plomb fondu pour son esprit ; mais ce réveil de sa furie lui permettait d'affronter le problème avec une certaine distance. Il dit calmement :

— Tu veux dire dévorer les dieux *de la même façon* que tu as dévoré le cœur de ton fils, Etis, n'est-ce pas ? C'est ce que tu as voulu dire, Etis ?...

Elle ne répondit pas.

Soudain, de façon totalement inattendue, le Déchiffreur sentit monter un brusque vomissement à sa bouche. Et tout aussi brusquement, il sut un instant plus tard que ce n'étaient que des mots. Mais il les

---

* L'erreur de la prophétie d'Etis est évidente : les croyances religieuses ont heureusement pris une autre voie. *(N.d.T.)*

expulsa comme un vomissement, perdant un instant son maintien rigide :

— Tout ce que tu viens de me dire t'a poussée à fouiller dans son cœur pendant qu'il te regardait, agonisant ??... Que ressentais-tu en *mutilant* ton fils, Etis ??...

— Du plaisir, dit-elle.

Pour une raison quelconque, cette simple réponse n'incommoda pas Héraclès Pontor. "Elle l'a reconnu, pensa-t-il, plus tranquille. Ah, bien... Elle a été capable de le reconnaître !" Il se permit même de retrouver son calme, bien que son inquiétude croissante l'obligeât à se lever du divan. Etis l'imita, mais avec délicatesse, comme si elle avait voulu lui signifier que la visite était terminée. Dans la pièce se trouvaient maintenant Elea et plusieurs esclaves, Héraclès n'aurait su dire quand ils étaient entrés. Tout cela avait l'air d'une réunion de famille. Elea s'approcha de sa mère et l'embrassa affectueusement, comme si elle avait voulu lui démontrer par ce geste qu'elle l'appuyait jusqu'au bout. S'adressant toujours à Héraclès, Etis dit :

— Ce que nous avons fait est difficile à comprendre, je sais. Mais je peux peut-être te l'expliquer ainsi : Elea et moi aimions Tramaque davantage que notre propre vie, car c'était le seul homme qu'il nous restait. Et ce fut précisément pour *cette* raison, l'amour que nous lui professions, que nous nous sommes tant réjouies quand il a été désigné pour le sacrifice rituel, car c'était le plus grand *désir* de Tramaque... Et quelle autre joie une pauvre veuve comme moi pouvait-elle attendre, sinon d'exaucer le plus grand désir de son fils unique ? Elle fit une pause et ses yeux brillèrent de jubilation. Elle poursuivit à voix très basse, tendre, presque musicale, comme si elle avait voulu bercer un nouveau-né. Le moment venu, nous l'avons aimé plus que jamais... Je te jure, Héraclès, que je ne me suis jamais sentie plus mère qu'alors, quand... quand j'ai plongé mes doigts en lui... Ce fut pour moi un mystère aussi beau que de donner la vie, et elle ajouta, comme si elle venait de raconter un secret très intime et avait décidé de reprendre le cours normal de la conversation : Je sais que tu n'es pas capable de le comprendre, parce qu'il ne s'agit pas de quelque chose que la raison peut entendre... Tu dois le sentir, Héraclès. Le sentir comme nous... Tu dois faire un effort pour le sentir... soudain, son ton se fit implorant. Cesse un instant de penser et remets-t'en à la *sensation* !

— Laquelle ? répliqua Héraclès. Celle que vous procure ce breuvage que vous buvez ?

Etis sourit.

— Oui, le *kyôn*. Je vois que tu sais tout. En fait, je n'ai jamais douté de tes facultés : j'étais sûre que tu finirais par nous découvrir. Nous buvons du *kyôn*, effectivement, mais le *kyôn* n'est pas de la magie : il nous transforme simplement en ce que nous sommes. Nous cessons de raisonner et nous transformons en corps qui jouissent et ressentent. Des corps à qui il importe peu de mourir ou d'être mutilés, qui se livrent au sacrifice avec la joie d'un enfant qui reçoit un jouet...

Il tombait. Il était à moitié conscient de tomber. La descente ne pouvait être plus accidentée, puisque son corps conservait une capricieuse obsession pour la ligne verticale, mais les pierres éparpillées sur le flanc de l'enfer – le précipice proche de l'Acropole dans lequel on jetait les condamnés à mort – constituaient un terrain en pente dont l'aspect ressemblait à l'intérieur d'un cratère. D'ici peu, son corps et ces pierres allaient se rencontrer : cela avait *déjà* commencé, pendant qu'il y pensait. Il se cognerait et roulerait sans doute, pour se cogner à nouveau. Ses mains n'allaient pas pouvoir l'aider : elles étaient attachées dans son dos. Il se cognerait peut-être à de nombreuses reprises avant d'arriver au fond, rempli de pierres pâles comme des cadavres.

Mais quelle importance tout cela avait-il puisqu'il ressentait la *sensation du sacrifice* ? Un bon ami, Triptèmes, serviteur des Onze et membre de la secte comme lui, lui avait apporté un peu de *kyôn* à la prison, comme ils en avaient décidé quelque temps auparavant, et la boisson sacrée le réconfortait en cet instant. Il était *le sacrifice* et allait mourir pour ses frères. Il était devenu la victime de l'holocauste, le bœuf de l'hécatombe. Il pouvait le voir : sa vie se répandait à terre et, dans une symétrie appropriée, sa confrérie, la confrérie d'hommes et de femmes libres à laquelle il appartenait, s'étendait sur la Grèce et accueillait de nouveaux adeptes... Ce bonheur le faisait sourire !

Le premier coup lui brisa le bras droit comme la tige d'un lys et lui emporta la moitié du visage. Il continua à tomber. En arrivant au fond, ses petits seins s'écrasèrent contre les pierres, le beau sourire commença à s'engourdir dans son visage de jeune fille, la belle coiffure blonde disparut comme un trésor et sa jolie silhouette adopta des airs de poupée brisée*.

— Pourquoi ne nous rejoins-tu pas, Héraclès ? dans la voix d'Etis flottait une impatience à peine retenue. Tu ne connais pas l'immense bonheur que procure la libération de tes instincts ! Tu cesses d'avoir faim, de t'inquiéter, de souffrir... Tu deviens un dieu.

Elle fit une pause et radoucit le ton pour ajouter :

— Nous pourrions... qui sait ?... recommencer... toi et moi...

Héraclès ne dit rien. Il les observa. Pas seulement Etis : tous, un par un. Il y avait six personnes : deux

---

* C'est grotesque : le corps du répugnant Ménechme se transforme en la jeune fille au lys au moment de sa mort. Ce jeu cruel avec les images eidétiques m'étourdit. *(N.d.T.)*

vieux esclaves – l'un d'eux était peut-être Iphimaque –, deux jeunes esclaves, Etis et Elea. Il fut rassuré de constater que l'enfant ne se trouvait pas parmi eux. Il s'arrêta sur le visage pâle de la fille d'Etis et lui dit :

— Tu as souffert, n'est-ce pas, Elea ? Ces cris que tu poussais n'étaient pas feints comme la douleur de ta mère...

La jeune fille ne répondit pas. Elle regardait Héraclès d'un air inexpressif, comme Etis. A ce moment, il s'aperçut de la très grande ressemblance physique qu'il existait entre elles. Il poursuivit, imperturbable :

— Non, tu n'as pas simulé. Ta douleur était *réelle*. Quand la drogue a cessé de te faire de l'effet, tu t'es souvenue, n'est-ce pas ?... Et tu n'as pas pu le supporter.

La jeune fille sembla sur le point de répondre quelque chose, mais Etis intervint rapidement.

— Elea est très jeune et elle a du mal à comprendre certaines choses. Maintenant elle est heureuse.

Il les observa toutes deux, mère et fille : leurs visages avaient l'air de murs blancs, semblaient privés d'émotion et d'intelligence. Il regarda autour de lui : il arrivait la même chose aux esclaves. Il se dit qu'il serait inutile de tenter d'ouvrir une brèche dans cette brique de regards qui ne cillaient pas. "Voilà la foi religieuse, elle efface du visage l'inquiétude provoquée par le doute, comme cela arrive aux sots", se dit-il. Il s'éclaircit la gorge et demanda :

— Pourquoi a-t-il fallu que ce soit Tramaque ?

— Son tour était venu, dit Etis. Il en sera de même avec moi, et avec Elea...

— Et avec les paysans de l'Attique, répliqua Héraclès.

L'expression d'Etis, l'espace d'un instant, ressembla à celle d'une mère qui aurait rassemblé de la patience pour expliquer une chose très facile à son jeune fils.

— Nos victimes sont toujours volontaires, Héraclès. Nous donnons aux paysans la possibilité de boire du *kyôn*, et ils peuvent accepter ou non. Mais la plupart acceptent, et elle ajouta, avec un faible sourire : Personne ne vit heureux, gouverné par ses seules pensées…

Héraclès répliqua :

— N'oublie pas, Etis, que j'aurais été une victime involontaire…

— Tu nous avais découverts, et nous ne pouvions le permettre. La confrérie doit rester secrète. N'avez-vous pas fait la même chose avec mon époux quand vous avez pensé que la stabilité de votre merveilleuse démocratie était menacée par des individus tels que lui ?… Mais nous voulons te donner cette dernière chance. Rejoins notre groupe, Héraclès… et elle ajouta soudain, comme pour le supplier : Sois heureux pour une fois dans ta vie !

Le Déchiffreur respira profondément. Il supposa que tout était dit, et qu'ils attendaient maintenant une réponse de sa part. Il commença donc, d'une voix ferme et apaisée :

— Je ne veux pas être dépecé. Cela ne correspond pas à ma façon d'être heureux. Mais je vais te dire, Etis, ce que je compte faire, et vous pouvez le transmettre à votre chef, quel qu'il soit. Je vais vous conduire à l'archonte. Tous. Je vais faire œuvre de justice. Vous êtes une secte illégale. Vous avez assassiné plusieurs citoyens athéniens et de nombreux paysans athéniens qui n'ont rien à voir avec vos croyances absurdes… Vous allez être condamnés et torturés à mort. Voilà ma façon d'être heureux.

Il parcourut, un à un, les regards pétrifiés qui le contemplaient. Il s'arrêta aux yeux sombres d'Etis et ajouta :

— Après tout, comme tu l'as dit, c'est une question de responsabilité, non ?

Après un silence, elle dit :

— Tu crois que la mort ou la torture nous font peur ? Tu n'as rien compris, Héraclès. Nous avons découvert un bonheur qui va au-delà de la raison… Que nous importent tes menaces ? S'il le faut, nous mourrons le sourire aux lèvres… et tu ne comprendras jamais pourquoi.

Héraclès se trouvait le dos tourné à la sortie de la pièce. Soudain, une nouvelle voix, dense et puissante avec une pointe de moquerie, comme si elle ne s'était pas prise au sérieux elle-même, se fit entendre dans toute la pièce par cette sortie :

— Nous avons été découverts ! Un papyrus sur lequel on parle de nous et où l'on mentionne ton nom est parvenu aux mains de l'archonte. Notre bon ami a pris ses précautions avant de venir te voir…

Héraclès se retourna pour contempler le visage d'un chien difforme. Le chien était dans les bras d'un homme immense.

— Tu demandais il y a un instant qui était notre chef, n'est-ce pas, Héraclès ? dit Etis.

Et à cet instant, Héraclès sentit qu'on lui portait un violent coup à la tête*.

---

* J'écris cette note devant lui. Je dois dire que cela n'a pas d'importance, car je me suis presque habitué à sa présence. Il est entré, de façon synchronisée comme toujours, alors que j'achevais de traduire cet avant-dernier chapitre, et que je m'apprêtais à me reposer un peu. En entendant un bruit à la porte, je me suis demandé quel masque il porterait cette fois. Mais il n'en portait aucun. Je le reconnus donc immédiatement, car son image est célèbre dans la profession : les cheveux blancs lui retombant sur les épaules, le front dégagé, les lignes de la vieillesse bien marquées sur le visage, une barbe clairsemée…
— Comme tu vois, j'essaie d'être sincère, me dit Montalo. Tu avais raison jusqu'à un certain point, je ne vais donc pas me cacher plus longtemps. Effectivement, j'ai feint de mourir et me suis retiré dans cette petite cachette, mais j'ai suivi la trace de mon édition, car je voulais savoir qui la traduirait. Quand je t'ai retrouvé, je t'ai surveillé jusqu'au moment où j'ai réussi à t'amener ici. Il est également vrai que j'ai joué à te menacer pour éviter de te voir te désintéresser de l'œuvre… comme lorsque j'ai imité les paroles et les gestes de Yasintra… Tout cela est exact. Mais tu te trompes si tu penses que je suis l'auteur de *La Caverne des idées*.

— C'est ça, que tu appelles être *sincère* ? répliquai-je. Il prit une profonde inspiration.

— Je te jure que je ne mens pas, dit-il. Pourquoi t'aurais-je enlevé pour te faire travailler à ma propre œuvre ?

— Parce que tu avais besoin d'un lecteur, répondis-je tranquillement. Que fait un auteur sans un lecteur ?

Montalo eut l'air amusé par ma théorie.

— Suis-je mauvais au point de devoir enlever quelqu'un pour lui faire lire ce que j'écris, demanda-t-il.

— Non, mais qu'est-ce que lire ? répliquai-je. Une tâche invisible. Mon père était écrivain, et il le savait : quand on écrit, on crée des images qui par la suite, éclairées par d'autres yeux, se révèlent sous d'autres formes, impensables pour le créateur. Mais toi, tu as besoin de connaître l'avis du lecteur *jour après jour*, parce que tu prétends prouver par ton œuvre l'existence des Idées !

Montalo sourit avec une affabilité empreinte de nervosité.

— Il est vrai que pendant de longues années j'ai voulu prouver que Platon avait raison quand il affirmait que les Idées existent, reconnut-il, et que le monde est donc bon, raisonnable et juste. Et je pensais que les livres eidétiques pouvaient me fournir cette preuve. Je n'ai jamais eu de succès, mais je n'ai pas connu de graves déceptions non plus... avant de découvrir le manuscrit de *La Caverne*, caché et oublié sur les rayonnages d'une vieille bibliothèque... Il fit une pause, et son regard se perdit dans l'obscurité de la cellule. Au début, l'œuvre m'a enthousiasmé... J'ai compris, comme toi, les subtiles images eidétiques qu'elle abritait : l'habile fil conducteur des travaux d'Hercule, la jeune fille au lys... J'étais de plus en plus certain d'avoir enfin trouvé le livre que je cherchais depuis toujours !...

Il porta le regard sur moi, et je constatai son profond désespoir.

— Mais à ce moment... j'ai commencé à éprouver une chose étrange... L'image du "traducteur" m'égarait... Je voulus croire que, comme un novice, j'avais mordu à un "appât" et que je me laissais entraîner par le texte... Mais, au fur et à mesure de ma lecture, mon esprit fourmillait de soupçons mystérieux... Non, ce n'était pas un simple "appât", il y avait autre chose... Et quand je suis arrivé au dernier chapitre... j'ai *su*.

Il fit une pause. Il était d'une pâleur terrifiante, comme s'il était mort la veille. Il poursuivit :

— J'ai découvert la clé brusquement... Et j'ai compris que non seulement *La Caverne des idées* ne constituait pas une preuve de l'existence de ce monde platonique bon, raisonnable et juste, mais que c'était en fait une preuve *du contraire*, et il éclata soudain : Oui, même si tu ne me crois pas, cette œuvre prouve que notre univers, cet espace ordonné et lumineux plein de causes et d'effets et gouverné par les lois justes et pieuses, n'existe pas !...

Et tandis que je le voyais haleter, le visage transformé en un nouveau masque aux lèvres tremblantes et au regard égaré, je pensai — et cela ne me dérange pas de l'écrire, même si Montalo le lit : "Il est complètement fou." Il sembla alors retrouver ses esprits et ajouta gravement :

— J'éprouvai devant cette découverte un tel sentiment d'horreur que je voulus *mourir*. Je m'enfermai chez moi... Je cessai de travailler et refusai de recevoir des visites... On commença à dire que j'étais devenu fou... Et c'était peut-être vrai, parce que la vérité est parfois affolante !... J'envisagai même la possibilité de détruire l'œuvre, mais qu'y aurais-je gagné, puisque je la *connaissais* déjà ?... J'optai pour une solution intermédiaire : comme tu le soupçonnais, l'idée du corps déchiqueté par les loups me servit à feindre d'être mort en me servant du cadavre d'un pauvre vieux, que j'habillai avec mes vêtements et que je défigurai... Puis j'élaborai une version de *La Caverne* en respectant le texte original et en renforçant l'eidesis, mais sans la mentionner explicitement...

— Pourquoi ? l'interrompis-je.

L'espace d'un instant, il me regarda comme s'il allait me frapper.

— Parce que je voulais vérifier si son futur lecteur faisait la même découverte que moi, mais sans *mon aide* ! Parce qu'il reste encore la possibilité, même infime, que je me sois *trompé* ! Ses yeux se mouillèrent en ajoutant : Et s'il en est ainsi, je le jure, le monde... notre monde... sera *sauvé*.

Je tentai de sourire, car je me souvins qu'il fallait se montrer très aimable avec les fous :

— S'il te plaît, Montalo, ça suffit. Cette œuvre est un peu étrange, je le reconnais, mais cela n'a rien à voir avec l'existence du monde... ni avec l'univers... ni même avec nous. C'est un livre, rien d'autre. Si eidétique soit-il, si obsédés par lui que nous soyons, nous ne pouvons pas pousser trop loin les choses… J'ai presque tout lu et…

— Tu n'as pas encore lu le dernier chapitre, dit-il.

— Non, mais j'ai presque tout lu et je ne…

— Tu n'as pas encore lu le dernier chapitre, répéta-t-il.

J'avalai ma salive et observai l'ouvrage ouvert sur le bureau. Je regardai Montalo à nouveau.

— Bien, proposai-je, voilà ce que nous allons faire : je vais terminer ma traduction et je te prouverai que… qu'il s'agit d'une simple fantaisie, plus ou moins bien écrite, mais…

— Traduis, demanda-t-il.

Je n'ai pas voulu le fâcher. J'ai obéi à cause de ça. Il est resté, et il observe ce que j'écris. J'aborde la traduction du dernier chapitre. (*N.d.T.*)

XII

La caverne fut tout d'abord un reflet doré suspendu quelque part dans l'obscurité. Puis elle se transforma en douleur pure. Et elle se changea à nouveau en un reflet doré et suspendu. Le va-et-vient ne cessait pas. Il y eut alors des formes : un fourneau sur les braises, mais, chose curieuse, malléable comme l'eau, dans lequel les fers semblaient des corps de serpents effrayés. Et une tache jaune, un homme dont la silhouette s'étirait en un point et cédait sur l'autre, comme suspendue à des cordes invisibles. Des bruits, oui, aussi : un léger écho de métaux et, de temps en temps, le tourment pointu d'un aboiement. Des odeurs choisies dans la gamme variée de l'humidité. Puis tout se refermait comme un rouleau de papyrus et la douleur revenait. Fin de l'histoire.

Il ne sut combien d'histoires similaires se déroulèrent avant que son esprit ne commençât à comprendre. De la même façon qu'un objet suspendu à une extrémité, recevant soudain un coup, se balance d'un côté à l'autre, d'abord avec une grande violence et un déséquilibre, puis en rythme, enfin avec une lenteur moribonde, s'accommodant de mieux en mieux du calme naturel de son état précédent, de même le tourbillon furieux de l'évanouissement cessa son va-et-vient, et la conscience, planant sur un point d'appui, chercha – et finit par trouver – comment rester linéaire et immobile, en harmonie avec la réalité de ce qui l'entourait. Ce fut alors qu'il put différencier ce qui lui appartenait – la douleur – de ce qui lui était étranger – les images, les bruits, les odeurs – et, chassant ce dernier, il s'occupa du premier, et se demanda où il avait mal, à la tête, aux bras, et pourquoi. Et comme il était impossible de connaître le pourquoi sans l'aide du souvenir, il se servit de sa mémoire. "Ah, j'étais chez Etis quand elle a dit : «Plaisir…» Mais non, après…"

En même temps, sa bouche décida de gémir et ses mains se tordirent.

— Oh, je craignais que nous ne t'ayons frappé trop fort.

— Où suis-je ? demanda Héraclès, en voulant demander : "Qui es-tu ?" Mais l'homme, en répondant à la question qu'il avait formulée, répondit aux deux.

— Ceci est notre lieu de réunion.

Et il accompagna sa phrase d'un geste ample de son bras droit musclé, en montrant un poignet couvert de cicatrices.

La compréhension glacée de ce qui était arrivé tomba sur Héraclès de la même façon que, par jeu, les enfants agitent le tronc fin des arbres trempés par la pluie qui vient de tomber, et que leur charge dense de gouttes suspendues aux branches se répand soudain sur leurs têtes.

Le lieu était effectivement une caverne aux dimensions considérables. Le reflet doré provenait d'une torche suspendue à un crochet qui émergeait de la roche. A la lueur de ses flammes on voyait un couloir central sinueux flanqué de deux parois : l'une, sur laquelle se trouvait la torche elle-même ; l'autre, celle qui soutenait les clous dorés auxquels Héraclès était attaché par de grosses cordes serpentines, de sorte que ses bras restaient dressés au-dessus de sa tête. Le couloir formait sur la gauche un tournant qui semblait briller de sa propre lumière, bien que beaucoup plus modeste que l'or de la torche, ce qui permit au Déchiffreur d'en déduire que la sortie de la grotte devait se trouver de ce côté, et qu'une grande partie de la journée s'était probablement déjà écoulée. Mais à sa droite le couloir se perdait entre des roches escarpées et des ténèbres extrêmement denses. Au centre se dressait un fourneau placé sur un trépied, un tisonnier suspendu au sang éclatant de ses braises. Sur le fourneau, une écuelle résonnait du bouillonnement d'un liquide doré. Cerbère tournait à proximité, répartissant à égalité ses aboiements entre ce mécanisme et le corps immobile d'Héraclès. Son maître, enveloppé dans un manteau gris dépenaillé, se servait d'une branche pour remuer le liquide dans l'écuelle. Son expression affichait la satisfaction sympathique avec laquelle une cuisinière observe la croissance d'une tarte aux pommes*. D'autres objets qui auraient pu être dignes d'intérêt gisaient au-delà du fourneau, et Héraclès ne les distinguait pas très bien. En fredonnant une chansonnette, Crantor cessa un instant de remuer le liquide, prit une cuillère accrochée au trépied, la plongea dans le liquide et la porta à son nez. La sinueuse colonne qui lui envahit le visage semblait sortir de sa propre bouche.

— Mmm. Un peu chaud, mais… Tiens. Cela te fera du bien.

Il approcha la cuillère des lèvres d'Héraclès, déchaînant la colère de Cerbère, qui semblait considérer qu'il était ignominieux de la part de son maître d'offrir quelque chose à ce gros individu plutôt qu'à

---

* — "Des pommes", protestai-je. Quelle vulgarité, de les mentionner !

— Certes, reconnut Montalo. Il est de mauvais goût de citer l'objet de l'eidesis dans la métaphore. Ici les deux mots les plus souvent répétés du début du chapitre, "suspendu" et "doré" devraient suffire…

— En référence aux pommes des Hespérides, qui étaient en or et étaient suspendues aux arbres, acquiesçai-je, je sais. C'est pour cette raison que je dis qu'il s'agit d'une métaphore vulgaire. Et puis, je ne suis pas très sûr que les tartes aux pommes croissent…

— Tais-toi et continue à traduire. (*N.d.T.*)

lui. Héraclès, qui pensait n'avoir guère le choix et qui avait soif de surcroît, en goûta un peu. Cela avait un goût douceâtre de céréale et une grande partie du contenu se renversa sur sa barbe et sa tunique.

— Bois, allez.

Héraclès but*.

— C'est du *kyôn*, n'est-ce pas ? dit-il ensuite, haletant.

Crantor acquiesça, retournant auprès du fourneau.

— Cela fera bientôt effet. Tu le constateras par toi-même…

— J'ai les bras froids comme des serpents, protesta Héraclès. Pourquoi ne me détaches-tu pas ?

— Quand le *kyôn* fera son effet, tu pourras te libérer tout seul. La force occulte que nous possédons et que le raisonnement ne nous laisse pas utiliser…

— Que m'est-il arrivé ?

— Je crains que nous ne t'ayons frappé et amené ici dans une charrette. Au fait, certains d'entre nous ont eu beaucoup de mal à sortir de la ville, car les soldats avaient déjà été alertés par l'archonte… Il leva son regard sombre de l'écuelle et le dirigea vers Héraclès. Tu nous as fait un mal considérable.

— Vous aimez le mal, répliqua le Déchiffreur avec mépris. Dois-je comprendre que vous vous êtes enfuis ? demanda-t-il.

— Oui, tous. Je suis resté à l'arrière-garde pour te convier à un *symposium* de *kyôn* et bavarder un peu… Les autres sont allés prendre l'air.

— Tu as toujours été le grand chef ?

---

* — Je peux boire ? ai-je demandé à Montalo.

— Attends. Je vais aller chercher de l'eau. Moi aussi j'ai soif. Je mettrai le temps qu'il te faudra pour écrire une note rapportant cette interruption, alors ne songe même pas à t'échapper.

Je dois dire que je n'y avais pas pensé. Il a tenu parole : il revient avec une cruche et deux verres. *(N.d.T.)*

320

— Je ne suis le grand chef de rien – Crantor frappa doucement l'écuelle de la pointe de la branche, comme si c'était elle qui avait posé la question. Je suis un membre très important, c'est tout. Je me suis présenté quand nous avons appris qu'il y avait une enquête sur la mort de Tramaque, ce qui nous a surpris, parce que nous ne nous attendions pas que cette mort entraîne des soupçons de quelque sorte que ce fût. Le fait que tu sois le principal enquêteur ne m'a pas rendu le travail plus facile, mais plus agréable. J'ai donc accepté de m'occuper de l'affaire précisément parce que je *te connaissais*. Mon travail a consisté à tenter de t'égarer... ce qui, cela dit tout à ton honneur, fut assez difficile...

Il s'approcha d'Héraclès, la branche suspendue à ses doigts comme un maître balance la baguette du châtiment devant ses élèves pour inspirer le respect. Il poursuivit :

— Mon problème était le suivant : comment duper quelqu'un aux yeux de qui rien ne passe *inaperçu* ? Comment égarer le regard d'un Déchiffreur d'Enigmes tel que toi, pour qui la complexité des choses n'a aucun secret ? Mais je suis parvenu à la conclusion que ton plus grand avantage est en même temps ton principal *défaut*... Tu raisonnes sur *tout*, mon ami, et il m'est venu à l'idée d'utiliser cette particularité de ton caractère pour distraire ton attention. Je me suis dit : "Puisque l'esprit d'Héraclès résout les problèmes les plus complexes, pourquoi ne pas l'*appâter* avec des problèmes complexes ?" Excuse la vulgarité de l'expression.

Crantor sembla amusé de ses propres paroles. Il retourna auprès de l'écuelle et continua à remuer le liquide. Il se penchait parfois et claquait la langue en direction de Cerbère, particulièrement quand celui-ci dérangeait plus que de coutume avec ses aboiements stridents. La lumière provenant du tournant était de plus en plus faible.

— Je me suis donc proposé de t'empêcher d'*arrêter de raisonner*. Il est très simple d'égarer la raison en l'alimentant par des raisons : vous le faites tous les jours dans les tribunaux, à l'Assemblée, à l'Académie... Ce qui est certain, Héraclès, c'est que tu m'as permis de prendre du plaisir...

— Et tu as pris du plaisir en mutilant Eunio et Antise.

Les échos du rire bruyant de Crantor semblèrent suspendus aux parois de la grotte et briller d'un éclat doré dans les recoins.

— Mais tu n'as pas encore compris ? J'ai fabriqué de *faux* problèmes pour toi ! Ni Eunio ni Antise n'ont été assassinés : ils ont juste accepté d'être sacrifiés avant l'heure. De toute façon, leur tour serait venu, tôt ou tard. Ton enquête a juste servi à accélérer leur décision...

— Quand avez-vous recruté ces pauvres adolescents ?

Crantor fit un signe de dénégation de la tête, en souriant.

— Nous ne "recrutons" jamais personne, Héraclès ! Les gens entendent parler en secret de notre religion et ils veulent la connaître... Dans ce cas précis, Etis, la mère de Tramaque, a entendu parler de notre existence à Eleusis peu après l'exécution de son mari... Elle a assisté aux réunions publiques dans la caverne et dans les bois et a participé aux premiers rituels que mes compagnons ont célébrés en Attique. Puis, quand ses enfants ont grandi, elle en a fait des adeptes de notre foi. Mais, en femme intelligente qu'elle a toujours été, elle ne voulait pas que Tramaque lui reproche de ne pas lui avoir laissé la possibilité de choisir par lui-même, aussi a-t-elle soigné son éducation : elle lui a conseillé d'entrer à l'école de philosophie de Platon et d'apprendre tout ce que la raison peut nous apprendre, pour pouvoir choisir son chemin à sa majorité... Et Tramaque nous a choisis... Non seulement ça, mais il a obtenu qu'Antise et Eunio, ses amis de l'Académie, participent également aux rites. Ils venaient tous deux de vieilles familles athéniennes, et ils n'ont pas eu besoin de beaucoup de mots pour se laisser convaincre… Et puis Antise connaissait Ménechme, qui, par un heureux hasard, appartenait également à notre confrérie. L'"école" de Ménechme fut pour eux beaucoup plus productive que celle de Platon : ils ont appris la jouissance des corps, le mystère de l'art, le plaisir de l'extase, l'enthousiasme des dieux…

Crantor avait parlé sans regarder Héraclès, le regard fixé sur un point indistinct de l'obscurité croissante. A ce moment, il se tourna brusquement vers le Déchiffreur et ajouta, toujours souriant :

— Il n'y avait pas de jalousie entre eux ! Ce fut *ton* idée qu'il nous a plu d'utiliser pour détourner ton attention sur Ménechme, qui souhaitait être sacrifié rapidement, comme Antise et Eunio, afin de pouvoir t'égarer. Il ne fut pas difficile d'organiser un plan avec eux trois… Au cours d'un beau rituel, Eunio se poignarda dans l'atelier de Ménechme. Ensuite nous l'avons habillé en femme avec un péplum *faussement* déchiré pour que tu penses exactement ce que tu as pensé : que quelqu'un l'avait assassiné. Antise agit de même lorsque ce fut son tour. J'essayais par tous les moyens de faire en sorte que tu continues à penser que *c'étaient des assassinats*, tu comprends ? Et pour cela, rien de mieux que de simuler de *faux* suicides. Tu te chargerais plus tard d'*inventer* le crime et de découvrir le criminel et, en ouvrant les bras, Crantor éleva la voix pour ajouter : Voilà la faille de ta Raison toute-puissante, Héraclès Pontor : elle imagine si facilement les problèmes qu'elle croit elle-même résoudre !…

— Et Eumarque ? Il a bu du *kyôn* lui aussi ?

— Naturellement. Ce pauvre esclave pédagogue éprouvait un grand désir de libérer ses anciens élans… Il s'est détruit de ses propres mains. A propos, tu soupçonnais déjà que nous utilisions une drogue… Pourquoi ?

— Je l'ai sentie dans l'haleine d'Antise et d'Eunio, puis dans celle de Ponsica… Au fait, Crantor, ôte-moi d'un doute : mon esclave était-elle déjà des vôtres avant que tout cela ne commence ?

Malgré la pénombre de la grotte l'expression du visage d'Héraclès dut être très nette, parce que Crantor haussa soudain les sourcils et répliqua, en le regardant dans les yeux :

— Ne me dis pas que cela te surprend !... Oh, par Zeus et Aphrodite, Héraclès ! Tu crois qu'il a fallu insister longtemps ?

Le ton qu'il employait reflétait une certaine compassion. Il s'approcha de son prisonnier affaibli et ajouta :

— Oh, mon ami, essaie une seule fois de voir les choses telles qu'elles sont et non comme ta raison te les montre !... Cette pauvre jeune fille, mutilée dans son enfance et obligée, sur ton ordre, de porter éternellement un masque... avait-elle besoin que quelqu'un la convainque de libérer sa *rage* ? Héraclès, Héraclès !... Depuis quand t'entoures-tu de *masques* afin de ne pas contempler la nudité des êtres humains ?...

Il fit une pause et haussa ses gigantesques épaules.

— Ce qui est sûr, c'est que Ponsica nous a rencontrés peu après que tu l'as eue achetée, et, fronçant le sourcil avec une expression de dégoût, il conclut : Elle aurait dû te tuer quand je le lui ai ordonné, et nous nous serions ainsi évité bien des soucis...

— Je suppose que l'idée d'utiliser Yasintra te revient également.

— C'est exact. Elle m'est venue quand nous avons appris que tu lui avais parlé. Yasintra n'appartient pas à notre religion, mais nous la surveillions et la menacions depuis que nous savions que Tramaque, qui souhaitait la convertir à notre foi, lui avait révélé une partie de nos secrets... L'introduire chez toi m'a été doublement utile : d'un côté elle a aidé à te distraire et à t'égarer ; de l'autre... Disons qu'elle a accompli une mission pédagogique : te montrer par un exemple pratique que le plaisir du corps, auquel tu te crois si indifférent, est très supérieur au désir de vivre…

— Grande leçon que la tienne, par Athéna, ironisa Héraclès, du moins pour me faire rire : c'est à cela que tu as employé le temps que tu as passé hors d'Athènes ? A inventer des subterfuges pour protéger cette secte de fous ?

— Pendant plusieurs années, j'ai voyagé, comme je te l'ai dit, répliqua tranquillement Crantor. Mais je suis rentré en Grèce bien plus tôt que tu ne le crois et j'ai voyagé en Thrace et en Macédoine. C'est alors que je suis entré en contact avec la secte… Elle porte plusieurs noms, mais le plus répandu est le Lykaïon. J'ai été si surpris de découvrir en terre grecque des idées d'une telle sauvagerie que je suis immédiatement devenu un bon adepte… Cerbère… Cerbère, ça suffit, arrête d'aboyer… Et je t'assure que nous ne sommes pas une secte de fous, Héraclès. Nous ne faisons de mal à personne, sauf quand notre propre sécurité est en danger : nous célébrons des rituels dans les bois et nous buvons du *kyôn*. Nous nous en remettons entièrement à une force immémoriale qui s'appelle aujourd'hui Dionysos, mais qui n'est pas un dieu et ne peut être représentée en images ni exprimée en paroles… Qu'est-ce ?… Nous l'ignorons nous-mêmes !… Nous savons simplement qu'elle gît au plus profond de l'homme et provoque la rage, le désir, la douleur et la jouissance. Tel est le pouvoir que nous honorons, Héraclès, et nous nous sacrifions à lui. Cela te surprend ?… Les guerres exigent elles aussi de nombreux sacrifices, et cela ne surprend personne. La différence réside dans le fait que nous choisissons quand, comment et pourquoi nous nous sacrifions !

Il remua furieusement le liquide dans l'écuelle et poursuivit :

— L'origine de notre confrérie est thrace, bien qu'elle s'étende aujourd'hui essentiellement en Macédoine… Savais-tu qu'Euripide, le célèbre poète, y avait appartenu à la fin de sa vie ?

Il haussa les sourcils en direction d'Héraclès, espérant sans doute que cette révélation le surprendrait quelque peu, mais le Déchiffreur le regardait d'un air impassible.

— Oui, Euripide lui-même ! Il a connu notre religion et l'a embrassée. Il a bu du *kyôn* et a été détruit par ses frères de la secte... Tu sais que la légende affirme qu'il est mort dépecé par des chiens... mais c'est la manière symbolique de décrire le sacrifice au sein du Lykaïon... Et Héraclite, le philosophe d'Ephèse qui pensait que la violence et la discorde sont non seulement nécessaires mais souhaitables pour les hommes, et dont on raconte également qu'il a été dévoré par une meute de loups, a lui aussi appartenu à notre groupe !

— Ménechme a parlé des deux, acquiesça Héraclès.

— Ce furent effectivement deux grands frères du Lykaïon.

Et, comme s'il lui était soudain venu une idée ou un autre sujet de conversation, Crantor ajouta :

— Le cas d'Euripide est curieux... Il s'était toute sa vie tenu à l'écart, sur le plan artistique et intellectuel, de la nature instinctive de l'homme avec son théâtre rationaliste et insipide, et dans sa vieillesse, pendant son exil volontaire à la cour du roi Archélaos de Macédoine, déçu par l'hypocrisie de sa patrie athénienne, il est entré en contact avec le Lykaïon... A l'époque, notre confrérie n'était pas encore parvenue en Attique, mais elle était florissante dans les régions du Nord. A la cour d'Archélaos, Euripide observa les principaux rites du Lykaïon et en fut transformé. Il écrivit alors une œuvre différente de toutes les précédentes, la tragédie par laquelle il voulut solder sa dette envers l'art théâtral primitif, qui appartient à Dionysos : *Les Bacchantes*, une exaltation de la furie, de la danse et du plaisir orgiaque... Les poètes se demandent encore comment il est possible que le vieux maître ait cru à cela à la fin de sa vie… Et ils ignorent qu'il s'agit de son œuvre la plus sincère* !

— La drogue vous rend fous, dit Héraclès d'une voix fatiguée. Une personne saine d'esprit ne souhaiterait pas être mutilée par d'autres…

— Oh, tu crois vraiment que c'est l'œuvre du seul *kyôn* ? Crantor contempla le liquide doré fumant qui s'agitait dans l'écuelle, au bord de laquelle étaient suspendues de minuscules gouttes. Je crois que c'est une chose qui se trouve en nous, et je veux parler de tous les hommes. Le *kyôn* nous permet de le sentir, oui, mais… il se frappa doucement la poitrine. C'est là, Héraclès. Et en toi également. Cela ne se traduit pas par des mots. On ne peut pas philosopher là-dessus. C'est *une chose* absurde, si tu veux, irrationnelle, affolante… mais réelle. C'est le secret que nous allons apprendre aux hommes !

Il s'approcha d'Héraclès et l'immense ombre étalée sur son visage se sépara en un large sourire.

— De toute façon, tu sais que je n'aime pas discuter… Si c'est le *kyôn* ou non, nous le saurons bientôt… n'est-ce pas ?

Héraclès tira sur les cordes suspendues aux clous en or. Il se sentait affaibli et le corps endolori, mais il ne croyait pas que la drogue lui fît de l'effet. Il leva le regard sur le visage de Crantor et dit :

— Tu te trompes, Crantor. Ce n'est pas le secret que voudra connaître l'humanité. Je ne crois pas aux prophéties ni aux oracles, mais si je devais prophétiser quelque chose, je te dirais qu'Athènes sera le berceau d'un nouvel homme… Un homme qui luttera avec ses yeux et son intelligence, pas avec

***

* Montalo vient de me dire :

— *Les Bacchantes* sont peut-être une œuvre eidétique, qu'en penses-tu ? Elle parle de sang, de mort, de fureur, de folie… Euripide a peut-être décrit un rituel du Lykaïon en eidesis…

— Je ne crois pas que le maître Euripide soit devenu fou à ce point ! ai-je répliqué. *(N.d.T.)*

ses mains, et, en traduisant les textes de ses ancêtres, il apprendra d'eux...

Crantor l'écoutait les yeux grands ouverts, comme s'il avait été sur le point de partir d'un grand éclat de rire.

— La seule violence que je prophétise est imaginaire, poursuivit Héraclès. Hommes et femmes pourront lire et écrire, et il y aura des corporations de savants traducteurs qui éditeront et déchiffreront les œuvres de ceux qui sont aujourd'hui nos contemporains. Et, en traduisant ce que d'autres ont laissé par écrit, ils sauront comment était le monde quand ce n'était pas la raison qui gouvernait... Nous ne le verrons ni toi ni moi, Crantor, mais l'homme avance vers la Raison, non vers l'Instinct*...

— Non, dit Crantor en souriant. C'est toi, qui te trompes...

Son regard, très étrange, ne semblait pas s'adresser à Héraclès mais à quelqu'un qui se serait trouvé derrière lui, incrusté dans la roche de la caverne, ou peut-être sous ses pieds, à une profondeur invisible, bien qu'Héraclès ne pût en être sûr à cause de l'ombre croissante.

En réalité, Crantor te regardait toi**.

— Ces traducteurs que tu as prophétisés, dit-il, ne découvriront rien, parce qu'ils n'existeront pas, Héraclès. Les philosophies ne parviendront jamais à triompher des instincts. Elevant la voix, il poursuivit : Héraclès feint de vaincre les monstres, mais entre les lignes, dans les textes, dans les beaux discours,

---

* — Les prévisions d'Héraclès se sont vérifiées ! La clé de l'œuvre se trouve peut-être ici !

Montalo me regarde en silence.

— Continue à traduire, dit-il. (N.d.T.)

** — C'est curieux, remarqué-je. A nouveau le passage à la deuxième...

— Continue ! Traduis ! m'interrompt mon ravisseur avec impatience, comme si nous nous trouvions à un moment très important du texte. (N.d.T.)

dans les raisonnements logiques, dans les pensées des hommes, *l'Hydre dresse sa tête multiple, l'horrible lion rugit, et les juments anthropophages font résonner leurs casques en bronze.* Notre nature n'est pas*

— Notre nature n'est pas un texte dans lequel un traducteur puisse trouver la clé de l'énigme, Héraclès,

---

* — Que t'arrive-t-il ? demande Montalo.

— Ces paroles de Crantor… je tremblai.

— Eh bien ?

— Je me rappelle que… mon père…

— Oui ! Montalo m'encourage. Oui !… Ton père, quoi ?

— Il a écrit un poème il y a longtemps…

Montalo m'encourage à nouveau. J'essaie de me souvenir. Voici la première strophe du poème de mon père, tel que je m'en souviens :

> *L'Hydre dresse sa tête multiple,*
> *L'horrible lion rugit, et les juments anthropophages*
> *Font résonner leurs casques en bronze.*

J'affirme, au comble de l'étonnement :

— C'est le début d'un poème de mon père !

Montalo semble très triste l'espace d'un instant. Il acquiesce de la tête et murmure :

— Je connais la suite.

> *Parfois, les idées et les théories des hommes*
> *Me semblent être des exploits d'Hercule,*
> *En un combat éternel contre les créatures*
> *Qui s'opposent à la noblesse de leur raison.*

> *Mais, comme un traducteur enfermé par un fou*
> *Et obligé de déchiffrer un texte absurde,*
> *J'imagine parfois ma pauvre âme*
> *Incapable de trouver le sens des choses.*

> *Et toi, Vérité finale, Idée platonique*
> *– Tellement semblable en beauté et en fragilité*
> *A un lys dans les mains d'une jeune fille –,*
> *Comme tu cries en demandant de l'aide en comprenant*
> *Que le danger de ton inexistence t'ensevelit !*

ni même un ensemble d'idées invisibles. Il ne sert donc à rien de vaincre les monstres, parce qu'ils sont aux aguets *en toi*. Le *kyôn* les éveillera bientôt. Ne les sens-tu pas déjà s'agiter dans tes entrailles ?

Héraclès allait répondre avec ironie quand il entendit soudain un gémissement dans l'obscurité, au-delà du tripode placé sur le feu, provenant des masses qui se trouvaient à côté de la paroi support-tant la torche. Bien qu'il ne parvînt pas à le distin-guer, il reconnut la voix de l'homme qui gémissait.

— Diagoras !… dit-il. Que lui avez-vous fait ?

— Rien qu'il ne se soit fait à lui-même, répliqua Crantor. Il a bu du *kyôn*… et je t'assure que nous avons tous été surpris de la rapidité avec laquelle cela lui a fait de l'effet !

Oh, Hercule, toutes tes prouesses sont vaines,
Car je connais des hommes qui aiment les monstres,
Et se livrent avec délices au sacrifice,
Faisant des morsures leur religion !

Le taureau brame dans le sang,
Le chien aboie et vomit du feu,
Les pommes dorées du jardin
Sont encore surveillées par le serpent acharné.

J'ai recopié le poème entier. Je le relis. Je m'en souviens.

— C'est un poème de mon père !

Montalo baisse la tête. Que va-t-il dire ? Il parle :

— C'est un poème de Philotexte de Chersonèse. Tu te rappelles Philotexte ?

— L'écrivain qui apparaît au septième chapitre au dîner avec les mentors de l'Académie ?

— C'est exact. Philotexte s'est servi de son propre poème pour s'inspirer des images eidétiques que contient *La Caverne* : les travaux d'Hercule, la jeune fille au lys, le traducteur…

— Mais alors…

Montalo acquiesce. Son expression est impénétrable.

— Oui : *La Caverne des idées* a été écrite par Philotexte de Chersonèse, dit-il. Ne me demande pas comment je le sais. Mais continue à traduire, s'il te plaît. La fin est proche. *(N.d.T.)*

Et, élevant la voix, il ajouta sur un ton moqueur :

— Oh, le noble philosophe platonicien ! Oh, le grand idéaliste ! Quelle fureur il abritait contre lui-même, par Zeus !...

Cerbère, une tache pâle qui zigzaguait à terre, fit écho avec colère aux exclamations de son maître. Les aboiements formaient des tresses d'échos. Crantor s'accroupit et le caressa avec des gestes affectueux.

— Non, non... Calme-toi, Cerbère... Ce n'est rien...

Profitant de l'occasion, Héraclès tira fortement sur la corde suspendue au clou doré droit. Celui-ci céda un peu. Encouragé, il tira à nouveau, et le clou sortit complètement, sans bruit. Crantor était toujours distrait par le chien. Il fallait agir rapidement. Mais quand il voulut se servir de sa main libre pour détacher l'autre, il constata que ses doigts ne lui obéissaient pas : ils étaient glacés, parcourus d'une extrémité à l'autre par une armée de petits serpents qui avaient proliféré sous sa peau. Il tira alors de toutes ses forces sur le clou gauche.

A l'instant où ce dernier cédait, Crantor se retourna vers lui.

Héraclès Pontor était un gros homme de petite stature.

A ce moment, de surcroît, ses bras endoloris pendaient, inertes, des deux côtés de son corps, comme des outils brisés. Il sut immédiatement que sa seule possibilité consistait à pouvoir utiliser un objet en guise d'arme. Ses yeux avaient déjà choisi le manche du tisonnier qui émergeait des braises, mais il était trop loin et Crantor, qui s'approchait, impétueux, lui barrerait le passage. De sorte que, pendant ce battement de cœur ou de paupières au cours duquel le temps ne s'écoule pas et où la pensée ne gouverne pas, le Déchiffreur devina, sans même parvenir à le voir, que les clous en or étaient toujours accrochés au bout des cordes qui lui entravaient les poignets. Quand l'ombre de Crantor devint si large que son corps tout entier disparut dessous, Héraclès leva le bras droit rapidement et décrivit en l'air un demi-cercle rapide et violent.

Crantor s'attendait peut-être que le coup vienne de son poing, car lorsqu'il vit ce dernier passer devant lui sans le toucher il ne fit pas mine de reculer, et reçut l'impact du clou en plein visage. Héraclès ne savait pas à quel endroit exact il avait frappé, mais il entendit le cri de douleur. Il s'élança en avant, le manche du tisonnier pour seul point de mire de son regard, mais un grand coup de pied dans la poitrine lui coupa le souffle et le fit s'effondrer sur le côté et tourner comme un fruit mûr qui serait tombé de l'arbre.

Pendant la furieuse tempête qui s'ensuivit, il voulut se souvenir qu'il avait pratiqué la lutte pancratique dans sa jeunesse. Il se rappela même les noms de certains de ses adversaires. Des scènes, des images de triomphes et de défaites accoururent à sa mémoire… mais ses pensées s'interrompaient… les phrases perdaient de leur cohérence… C'étaient des mots isolés…

Il supporta le châtiment replié sur lui-même, se protégeant la tête. Quand les rocs qu'étaient les pieds de Crantor se lassèrent de le frapper, il reprit son souffle et sentit l'odeur du sang. Les coups de pied l'avaient balayé vers l'une des parois comme un fétu de paille. Crantor disait quelque chose, mais il ne parvenait pas à l'entendre. Comme si cela ne suffisait pas, un enfant sauvage et terrifiant lui hurlait des paroles étrangères à l'oreille et lui répandait sur le visage une salive amère et maladive. Il reconnut les aboiements et la proximité de Cerbère. Il tourna la tête et ouvrit à demi les yeux. Le chien, à un pouce de son visage, était un masque ridé et vociférant aux orbites creuses. On aurait dit le spectre de lui-même. Plus loin, dans la distance infinie de la douleur, Crantor lui tournait le dos. Que faisait-il ? Il parlait, peut-être. Héraclès ne pouvait en être sûr, car la montagne bruyante de Cerbère se dressait entre les autres sons et lui. Pourquoi Crantor ne le frappait-il plus ? Pourquoi n'achevait-il pas sa besogne ?...

Il lui vint une idée, ce n'était probablement pas la bonne, mais à ce stade plus rien ne l'était. Il prit dans ses mains le corps infime du chien. Ce dernier, peu habitué aux caresses des étrangers, se débattit comme un bébé dont l'anatomie aurait aux trois quarts consisté en une double rangée de dents aiguës, mais Héraclès le maintint loin de lui tout en soulevant dans ses bras sa proie frénétique. Crantor avait sans doute perçu le changement à la tonalité des aboiements, parce qu'il s'était retourné vers Héraclès et lui criait quelque chose.

Héraclès se permit de se rappeler un instant que pendant les compétitions il n'était pas mauvais au discobole.

Comme une pierre molle lancée par jeu par un enfant, Cerbère alla frapper de plein fouet le trépied et fit tomber l'écuelle et le brasero. Quand les braises, renversées comme le jeu lent d'un volcan, entrèrent en contact avec son pelage, les aboiements recommencèrent à changer de ton. L'énergie avec laquelle il avait lancé le chien n'avait pas été si grande, mais l'animal y contribuait par ses propres muscles : c'était un véritable tourbillon de braises. Ses hurlements, enveloppés par l'écho de la caverne, se plantèrent comme des aiguilles dorées dans les oreilles d'Héraclès, mais, comme il l'avait supposé, Crantor n'hésita qu'un instant entre le chien et lui, et décida immédiatement de porter secours au premier.

Ecuelle. Trépied. Brasero. Tisonnier. Quatre objets bien délimités, chacun en un point différent du sol, là où le hasard les avait répartis. Héraclès laissa tomber sa douloureuse obésité en direction du dernier. Les déesses imprévisibles de la chance ne l'avaient pas trop éloigné.

— Cerbère !... criait Crantor, penché sur le chien. Il donnait de légères tapes sur son petit corps, enlevant les cendres. Cerbère, calme-toi, mon petit, laisse-moi te… !

Héraclès pensa qu'un seul coup suffirait, en tenant le manche à deux mains, mais il avait sans doute sous-estimé la résistance de Crantor. Ce dernier porta une main à sa tête et essaya de tourner sur lui-même. Héraclès le frappa à nouveau. Cette fois, Crantor tomba à la renverse. Mais Héraclès s'effondra également, sur lui, exténué.

— … gros, Héraclès, entendit-il Crantor haleter. Tu devrais faire… de l'exercice.

Avec une douloureuse lenteur, Héraclès se releva. Il sentait ses bras comme de lourds boucliers de bronze.

— Gros et faible, sourit Crantor à terre.

Le Déchiffreur parvint à s'asseoir à califourchon sur Crantor. Ils haletaient tous deux comme s'ils venaient de disputer une course olympique. Un serpent noir humide avait commencé à grandir dans la tête de Crantor, et tandis qu'il se transformait successivement en orvet, vipère et python, il ne cessait de ramper à terre. Crantor sourit à nouveau :

— Tu sens… le *kyôn* ? demanda-t-il.

— Non, dit Héraclès.

"C'est pour cela qu'il n'a pas voulu me tuer, pensa-t-il. Il attendait que la drogue fasse son effet."

— Frappe-moi, murmura Crantor.

— Non, répéta Héraclès, et il s'efforça de se lever.

Le serpent était maintenant plus grand que la tête qui l'avait engendré. Mais il avait perdu sa forme primitive : on aurait dit la silhouette d'un arbre*.

— Je vais te raconter… un secret, dit Crantor. Personne… ne le sait… Seulement quelques…

---

* "Serpent" et "arbre". Le sang qui sort de la tête de Crantor forme une double et belle image eidétique sur le monstre qui garde les pommes d'or et les arbres auxquelles elles sont suspendues… La possibilité que mon père plagie un poème de Philotexte continue à me préoccuper !… Montalo m'ordonne : "Traduis." *(N.d.T.)*

frères… Le *kyôn* est… uniquement… eau, miel et…
il fit une pause. Il se passa la langue sur les lèvres.…
Un peu de vin aromatisé.

Son sourire s'élargit. La blessure provoquée par
le clou sur sa joue gauche saigna un peu. Il ajouta :

— Qu'en penses-tu, Héraclès ?… Le *kyôn* n'est…
rien…

Héraclès s'appuya contre la paroi proche. Il ne
dit rien, bien qu'il continuât à entendre les murmures haletants de Crantor.

— Tous croient qu'il s'agit d'une drogue… et, en
l'absorbant, se transforment… deviennent furieux…
fous… et font… ce que nous attendons qu'ils fas-
sent… comme s'ils avaient vraiment… bu de la
drogue… Tous, sauf toi… Pourquoi ?

"Parce que je ne crois que ce que je vois", pensa
Héraclès. Mais comme il ne se sentait pas la force
de parler, il ne répondit pas.

— Tue-moi, demanda Crantor.

— Non.

— Alors, Cerbère… S'il te plaît… Je ne veux pas
qu'il souffre.

— Non, répéta Héraclès.

Il se traîna vers la paroi opposée, contre laquelle
gisait Diagoras. Le visage du philosophe était couvert d'ecchymoses, et il avait une vilaine plaie au
front, mais il était vivant. Et il avait les yeux ouverts
et l'expression alerte.

— Allons-nous-en, dit-il.

Diagoras n'eut pas l'air de le reconnaître, mais il
se laissa conduire. Quand ils sortirent en trébuchant
de la grotte vers la nuit qui venait de tomber, les
aboiements de douleur du chien de Crantor furent
enfin ensevelis.

La lune était ronde et dorée, suspendue dans le
ciel noir, quand la patrouille les retrouva. Un peu
avant, Diagoras, qui marchait en s'appuyant sur Héraclès, avait commencé à parler.

— Ils m'ont obligé à boire leur potion… Je ne me rappelle pas grand-chose à partir de là, mais je crois qu'il m'est arrivé ce qu'ils avaient prédit. Ce fut… Comment le décrire ?… J'ai perdu le contrôle de moi-même, Héraclès… J'ai senti s'agiter en moi un monstre, un serpent énorme et rageur… Essoufflé, les yeux rougis en se souvenant de son égarement, il poursuivit : J'ai commencé à crier et à rire… J'ai insulté les dieux… Je crois même que j'ai insulté le maître Platon !…

— Que lui as-tu dit ?

Après une pause, Diagoras, avec un effort manifeste, répondit :

— "Laisse-moi en paix, satyre" – il se retourna vers Héraclès avec une expression de profonde tristesse. Pourquoi l'ai-je appelé "satyre" ?… Quelle horreur !…

Sur un ton consolateur, le Déchiffreur lui dit qu'il fallait imputer cela à la drogue. Diagoras fut d'accord et ajouta :

— Ensuite, j'ai commencé à me cogner la tête contre le mur et j'ai perdu conscience.

Héraclès pensait à ce que lui avait raconté Crantor sur le *kyôn*. Avait-il menti ? Peut-être pas. Mais alors, pourquoi la soi-disant potion ne lui avait-elle fait aucun effet à lui ? D'autre part, s'il était vrai que le *kyôn* n'était que de l'eau, du miel et un peu de vin, pourquoi provoquait-il ces surprenantes crises de folie ? Pourquoi Eumarque s'était-il détruit lui-même ? Pourquoi avait-il affecté Diagoras ? Et une autre question le tourmentait : ce dernier devait-il apprendre ce que Crantor lui avait révélé ?

Il décida de se taire.

La patrouille de soldats les croisa sur la Voie sacrée. Héraclès distingua les torches et éleva la voix pour leur expliquer qui ils étaient. Le capitaine, qui était au courant de la situation en raison du papyrus qu'Héraclès avait adressé à l'archonte, s'intéressa au local de la secte, car le seul lieu connu – la maison de la veuve Etis – avait été abandonné par ses habitants avec une précipitation suspecte. Héraclès économisa ses paroles qui, en cet instant où la fatigue était suspendue à son corps comme une armure hoplite, lui semblaient d'or, et demanda à quelques soldats de conduire Diagoras à la ville pour consulter un médecin, proposant ensuite de guider le capitaine et le reste de ses hommes à la caverne. Diagoras protesta faiblement, mais finit par accepter, car il avait l'esprit confus et se sentait exténué. Le Déchiffreur ne tarda pas à retrouver le chemin en sens inverse, aidé par les torches.

Aux abords de la grotte, qui se trouvait dans une zone boisée du Lycabette, l'un des soldats découvrit des chevaux attachés aux arbres et une grande charrette contenant des manteaux et des vivres. On soupçonna donc que les membres de la secte ne devaient pas être loin, et le capitaine ordonna de dégainer les épées et fit avancer ses hommes avec une grande prudence jusqu'à l'entrée. Héraclès leur avait expliqué ce qui s'était produit et ce qu'ils pouvaient s'attendre à trouver, aussi personne ne s'étonna-t-il que le corps de Crantor, muet et immobile dans une flaque de sang, fût toujours étendu dans la position que se rappelait le Déchiffreur. Cerbère était une créature ridée et pacifique qui pleurnichait aux pieds de son maître.

Héraclès ne voulut pas savoir si Crantor était toujours en vie, il ne s'approcha donc pas avec les autres. Le chien les menaça avec des grognements rauques, mais les soldats se mirent à rire, et apprécièrent même cet accueil inattendu, car les rumeurs qu'ils avaient entendues sur la secte, mêlées à leurs propres fantaisies, avaient fini par les terrifier, et la présence ridicule de cette créature difforme contribua largement à alléger la tension. Ils jouèrent un peu avec le chien, en faisant mine de vouloir le frapper, jusqu'à ce qu'un ordre sec du capitaine leur intimât l'ordre de s'arrêter. Ils l'égorgèrent alors sans hésiter, comme ils venaient de le faire pour Crantor avec qui il était arrivé une autre anecdote amusante qui se répandrait ensuite dans le régiment : pendant que ses compagnons s'occupaient du chien, l'un des soldats s'était approché de Crantor et avait appuyé la lame de son épée sur son cou robuste ; un autre lui avait demandé :

— Il est vivant ?

Et, tandis qu'il l'égorgeait, le soldat répondit :

— Non.

Les autres, suivant leur capitaine, s'engagèrent dans les profondeurs de la caverne. Héraclès les accompagnait. Plus loin, le couloir s'élargissait jusqu'à former une pièce assez vaste. Le Déchiffreur dut reconnaître que le lieu était idéal pour y célébrer des cultes interdits, en tenant compte de la relative étroitesse de l'entrée de la grotte. Et il était évident que la pièce avait été utilisée récemment : des masques d'argile et des manteaux noirs étaient éparpillés partout ; il y avait également des armes et une provision de torches considérable. Chose curieuse, ils ne trouvèrent pas de statues de dieux, de tumulus en pierre ou de représentation religieuse quelconque. Mais cela ne retint pas leur attention à cet instant, car un autre détail beaucoup plus évident et surprenant attira tous les regards. Le premier à le découvrir, l'un des soldats de l'avant-garde, prévint le capitaine d'un cri, et les autres s'arrêtèrent.

On aurait dit des chairs accrochées dans une boutique de l'agora et destinées au banquet d'un Crésus insatiable. Elles étaient baignées d'or pur en raison de la lumière des torches. Il y en avait au moins une douzaine, hommes et femmes nus et attachés la tête en bas par les chevilles à des crochets incrustés dans les parois en pierre. Ils avaient invariablement le ventre ouvert et leurs entrailles pendaient comme des langues moqueuses ou des nœuds de serpents morts. Sous chaque corps, on distinguait un tas poisseux de vêtements, de sang et une courte épée tranchante*.

— Ils ont été éviscérés ! s'exclama un jeune soldat, et la voix grave de l'écho répéta ses paroles avec une horreur grandissante.

— Ils s'en sont chargés eux-mêmes, dit quelqu'un dans son dos sur un ton mesuré. Les blessures vont d'un côté à l'autre et non de haut en bas, ce qui indique qu'ils se sont ouvert le ventre une fois suspendus…

Le soldat, qui ne savait pas très bien qui avait parlé, se retourna pour contempler, à la lumière instable de sa torche, la silhouette obèse et lasse de l'homme qui les avait guidés jusque-là (dont il ne connaissait pas bien l'identité exacte : peut-être un philosophe ?) et qui maintenant, après avoir prononcé ces mots, comme sans donner d'importance à son propre raisonnement, s'éloignait en direction des corps mutilés.

— Mais comment ont-ils pu… ? murmurait un autre.

— Des fous, l'interrompit le capitaine.

Ils entendirent à nouveau la voix de l'homme obèse – un philosophe ? Bien qu'il parlât d'une voix faible, ils comprirent tous ce qu'il disait :

— Pourquoi ?

Il était debout devant un cadavre : une femme mûre mais encore belle, aux longs cheveux noirs, dont les intestins se répandaient sur sa poitrine comme les bords repliés d'un péplum. L'homme, qui se trouvait à la hauteur de sa tête – il aurait pu l'embrasser sur les lèvres, si tant est qu'une idée aussi aberrante ait pu lui traverser l'esprit –, avait l'air très affecté, et personne ne voulut le déranger.

----

* La macabre découverte des membres de la secte reproduit, en eidesis, l'arbre aux "pommes des Hespérides", suspendues et "baignées d'or", comme l'image finale. (N.d.T.)

De sorte que, pendant qu'ils se livraient à la désagréable tâche de dépendre les cadavres, plusieurs
soldats l'entendirent encore murmurer pendant un
certain temps, toujours auprès de ce cadavre et sur
un ton de plus en plus péremptoire :

— Pourquoi ?… Pourquoi ?… Pourquoi ?…

Alors le Traducteur dit* :

---

* — Le texte est incomplet !

— Qu'est-ce qui te fait dire cela ? demande Montalo.

— Il s'achève sur cette phrase : "Alors le Traducteur dit…"

— Non, réplique Montalo. Il me regarde d'un air étrange.
Le texte n'est pas incomplet.

— Veux-tu dire qu'il y a des pages cachées ailleurs ?

— Oui.

— Où ?

— Ici, répond-il en haussant les épaules.

Mon embarras semble l'amuser. Il demande alors brusquement :

— Tu as trouvé la clé de l'œuvre ?

Je réfléchis un instant avant de murmurer en hésitant :

— Peut-être le poème ?…

— Et que signifie le poème ?

Après une pause, je réponds :

— Que la Vérité ne peut être raisonnée… Ou qu'il est
difficile de découvrir la Vérité…

Montalo a l'air déçu.

— Nous savons qu'il est difficile de trouver la Vérité, com-
mente-t-il. Cette conclusion *ne peut* être la Vérité… parce que,
en ce cas, la Vérité ne serait *rien*. Et il doit y avoir *quelque
chose*, non ? Dis-moi : quelle est l'idée finale, la clé du texte ?

Je crie :

— Je ne sais pas !

Je le vois sourire, mais son sourire est amer.

— La clé est peut-être ta propre colère, non ? dit-il. Cette
colère que tu éprouves maintenant contre moi… ou le plaisir que tu as éprouvé quand tu imaginais que tu te roulais
avec l'hétaïre… ou la faim quand je tardais à t'apporter la
nourriture… ou la lenteur de tes intestins… Ce sont peut-
être les seules clés. Pourquoi les chercher dans le texte ?
Elles sont dans nos propres corps !

Je réplique :

— Cesse de jouer avec moi ! Je veux savoir quelle relation existe entre cette œuvre et le poème de mon père !

Montalo adopte une expression sereine et récite, comme s'il lisait, sur un ton las :

— Je t'ai déjà dit que le poème est de Philotexte de Chersonèse, écrivain thrace qui a vécu à Athènes les années de sa maturité et a fréquenté l'Académie de Platon. En se basant sur son propre poème, Philotexte a composé les images eidétiques de *La Caverne des idées*. Les deux œuvres se sont inspirées de faits réels survenus à Athènes à cette époque, en particulier le suicide collectif des membres d'une secte très similaire à celle qui est décrite ici. Ce dernier événement a beaucoup influencé Philotexte, qui voyait dans de tels exemples une preuve que Platon se trompait : les hommes ne choisissent pas ce qu'il y a de plus mauvais par ignorance, mais par impulsion, pour une raison inconnue qui repose en chacun de nous et qui ne peut être raisonnée ni expliquée par des mots…

— Mais l'histoire a donné raison à Platon ! m'exclamé-je avec énergie. Les hommes de notre époque sont idéalistes et se consacrent à réfléchir, à lire et à déchiffrer des textes… Beaucoup d'entre nous sont philosophes ou traducteurs… Nous croyons fermement en l'existence d'Idées que nous ne percevons pas avec les sens… les meilleurs d'entre nous gouvernent les villes… Hommes et femmes travaillent à égalité dans les mêmes domaines et ont les mêmes droits. Le monde est en paix. La violence a été complètement éradiquée et…

L'expression de Montalo me rend nerveux. J'interromps ma déclaration émue et lui demande :

— Que se passe-t-il ?

En poussant un profond soupir, les yeux rougis et humides, il réplique :

— C'est l'une des choses que Philotexte s'est proposé de démontrer dans son œuvre, petit : le monde que tu décris… le monde dans lequel nous vivons… notre monde… *n'existe pas*… Et n'existera probablement jamais – et, d'un air sombre, il ajoute : Le seul monde qui existe est celui de l'œuvre que tu as traduite : l'Athènes de l'après-guerre, cette ville pleine de folie, d'extase et de monstres irrationnels. C'est là le monde *réel*, pas le nôtre. Pour cette raison, je t'ai prévenu que *La Caverne des idées* affectait l'existence de l'univers…

Je l'observe. Il semble parler sérieusement, mais il sourit.

— Maintenant, je crois vraiment que tu es complètement fou ! lui dis-je.

— Non, petit. Souviens-t'en.

Et soudain son sourire se teinte de bonté, comme si nous partagions tous deux le même malheur.

— Tu te souviens, au chapitre VII, du pari entre Philotexte et Platon ? demande-t-il.

— Oui. Platon affirmait qu'on ne pourrait jamais écrire un livre qui contiendrait les cinq éléments de la sagesse. Mais Philotexte n'était pas très convaincu...

— C'est exact. Eh bien, *La Caverne des idées* est le résultat du pari entre Philotexte et Platon. L'entreprise semblait très ardue à Philotexte : comment créer une œuvre qui inclurait les cinq éléments platoniciens de la sagesse ?... Les deux premiers étaient simples, si tu t'en souviens : le nom est le nom des choses, simplement, et la définition, les phrases que nous disons sur elles. Les deux éléments figurent dans un texte normal. Mais le troisième, les images, constituait déjà un problème : comment créer des images qui ne soient pas de simples définitions, des formes d'êtres et de choses au-delà des paroles écrites ? Alors, Philotexte a inventé l'eidesis...

Je l'interromps, incrédule :

— Quoi ? "Inventé" ?

Montalo acquiesce gravement.

— L'eidesis est une invention de Philotexte : grâce à elle, les images acquéraient de l'aisance, de l'indépendance, ne s'appuyaient pas sur ce qui était écrit mais sur la fantaisie du lecteur... Un chapitre, par exemple, pouvait contenir la figure d'un lion, ou d'une jeune fille avec un lys !...

Je souris devant le ridicule de ces propos.

Je réplique :

— Tu sais aussi bien que moi que l'eidesis est une technique littéraire employée par certains écrivains grecs...

— Non ! m'interrompt Montalo, impatient. C'est une simple invention particulière à cette œuvre ! Laisse-moi continuer et tu vas tout comprendre !... Le troisième élément, donc, était résolu... Mais il manquait encore les plus difficiles... Comment réussir le quatrième, qui était la discussion intellectuelle ? Évidemment, il fallait une voix *extérieure* au texte, une voix qui discutât ce que le lecteur était en train de lire... un personnage qui contemplât à distance les événements de la trame... Ce personnage ne pouvait être seul, puisque l'élément exigeait un certain degré de dialogue… De sorte que l'existence d'au moins deux personnages *extérieurs* à l'œuvre était indispensable… Mais qui seraient-ils, et sous quel prétexte se présenteraient-ils au lecteur ?…

Montalo fait une pause et hausse les sourcils d'un air amusé. Il poursuit :

— La solution, c'est son propre poème qui l'a fournie à Philotexte, la strophe du traducteur "enfermé par un fou" : ajouter plusieurs traducteurs fictifs serait le moyen le plus approprié pour obtenir le quatrième élément… L'un d'eux "traduirait" l'œuvre, en la commentant avec des notes dans la marge, et les autres seraient reliés à lui d'une façon ou d'une autre… Avec cette astuce, notre écrivain est parvenu à introduire le quatrième élément. Mais il restait le cinquième, le plus difficile, l'Idée en soi !…

Montalo fait une courte pause et émet un petit rire.

— L'Idée en soi, ajoute-t-il, est la clé que nous cherchons en vain depuis le début. Philotexte *ne croit pas* à son existence, et c'est pour cette raison que nous ne l'avons pas trouvée… Mais en fin de compte, elle est également incluse : dans notre recherche, dans notre désir de la trouver… et avec un sourire insistant, il conclut : Philotexte a donc gagné le pari.

Quand Montalo cesse de parler, je murmure, incrédule :

— Tu es complètement fou…

Le visage inexpressif de Montalo pâlit de plus en plus.

— En effet : je le suis, admet-il. Mais maintenant je sais pourquoi j'ai joué avec toi puis t'ai enlevé et enfermé ici. En réalité, je l'ai su quand tu m'as dit que le poème sur lequel se base cette œuvre était de ton père… parce que moi aussi je suis sûr que ce poème *a été écrit par mon père*… qui était écrivain, comme le tien.

Je ne sais que dire. Montalo poursuit, de plus en plus angoissé :

— Nous faisons partie des images de l'œuvre, tu ne vois pas ? Je suis le *fou* qui t'a enfermé, comme le dit le poème, et toi le *traducteur*. Et le père des deux, l'homme qui nous a engendrés, toi et moi, et tous les personnages de *La Caverne*, s'appelle Philotexte de Chersonèse.

Un frisson me parcourt le corps. Je contemple l'obscurité de la cellule, la table avec les papyrus, la lampe, le visage pâle de Montalo. Je murmure :

— C'est un mensonge… Je… j'ai *ma propre* vie… J'ai des amis !… Je connais une jeune femme appelée Helena… Je ne suis pas un personnage… Je suis vivant !…

Son visage se contracte soudain dans une absurde grimace de rage.

— Sot ! Tu n'as pas encore compris ?... Helena... Elio... toi... moi... ! *Nous avons tous été le* QUATRIÈME ÉLÉMENT *!*

Abasourdi, furieux, je me jette sur Montalo. J'essaie de le frapper pour pouvoir m'enfuir, mais tout ce que je parviens à faire est de lui arracher le visage. Son visage est un nouveau masque. Derrière, cependant, il n'y a rien : l'obscurité. Ses vêtements, mous, glissent à terre. La table sur laquelle j'ai travaillé disparaît, de même que le lit et la chaise. Puis les murs de la cellule s'estompent. Je me retrouve plongé dans les ténèbres.

Je demande : Pourquoi ?... Pourquoi ?... Pourquoi ?...

L'espace réservé à mes paroles se réduit. Je deviens aussi marginal que mes notes.

L'auteur décide de m'achever ici.

ÉPILOGUE

Je lève en tremblant la plume du papyrus, après avoir écrit les derniers mots de mon œuvre. Je ne peux imaginer ce qu'en pensera Platon qui, avec une angoisse similaire à la mienne, a tant attendu que je l'achève. Son visage lumineux se détendra peut-être en un fin sourire à certains passages. A d'autres, je le sais bien, il froncera le sourcil. Il est possible qu'il me dise – il me semble entendre sa voix mesurée : "Etrange création, Philotexte, surtout le double thème que tu développes : d'une part, l'enquête d'Héraclès et Diagoras ; d'autre part, ce curieux personnage, le Traducteur – tu ne lui donnes pas de nom –, qui, situé dans un futur inexistant, note ses découvertes dans la marge, dialogue avec d'autres personnages avant d'être enlevé par Montalo le fou… Triste sort que le sien, car il ignorait qu'il était une créature aussi fictive que celles de l'œuvre qu'il traduisait !" "Mais tu as imaginé beaucoup de mots dans la bouche de ton maître Socrate", lui dirai-je. Et j'ajouterai : "Quel est le pire destin ? Celui de mon Traducteur, qui n'a jamais existé que dans mon œuvre, ou celui de ton Socrate, qui, malgré son existence, est devenu une créature aussi littéraire que la mienne ? Je crois qu'il est préférable de condamner un être imaginaire à la réalité plutôt qu'un être réel à la fiction."

Le connaissant comme je le connais, je soupçonne qu'il y aura davantage de froncements de sourcils que de sourires.

Mais je ne me fais pas de souci pour lui : il n'est pas homme à se laisser impressionner. Il continue à regarder, extasié, vers ce monde intangible, plein de beauté et de paix, d'harmonie et de paroles écrites, qui constitue la terre des Idées, et l'offre à ses disciples. A l'Académie, on ne vit plus dans la réalité mais dans la tête de Platon. Maîtres et élèves sont des "traducteurs" enfermés dans leurs "cavernes" respectives et qui se consacrent à trouver l'Idée en soi. J'ai souhaité plaisanter un peu avec eux – pardonnez-moi, mon intention n'était pas mauvaise –, les émouvoir, mais également faire entendre ma voix – de poète, non de philosophe –, pour m'exclamer : "Cessez de chercher des idées cachées, des clés de l'énigme ou des sens ultimes ! Cessez de lire et *vivez* ! Sortez du texte ! Que voyez-vous ? Juste des ténèbres ? Ne cherchez plus !" Je ne crois pas qu'ils m'écouteront : ils continueront, acharnés et petits comme les lettres de l'alphabet, obsédés par l'idée de trouver la Vérité à travers la parole et le dialogue. Zeus sait combien de textes, combien de théories imaginaires rédigés à la plume et à l'encre gouverneront la vie des hommes et changeront bêtement le cours du temps !... Mais je m'en tiendrai aux paroles de Xénophon dans sa récente étude historique : "En ce qui me concerne, mon travail s'arrête là. Qu'un autre s'occupe maintenant de ce qui peut survenir, de quelque nature que ce soit."

Fin de *La Caverne des idées*,
œuvre composée par Philotexte de Chersonèse
en l'an où l'archonte était Arginidès,
la sibylle Demetriata et l'éphore Argelao.

BABEL

Extrait du catalogue

Ouvrage réalisé
par l'Atelier graphique Actes Sud.
Achevé d'imprimer
en mai 2014
par Normandie Roto Impression s.a.s.
61250 Lonrai
sur papier fabriqué à partir de bois provenant
de forêts gérées durablement (www.fsc.org)
pour le compte
d'ACTES SUD
Le Méjan
Place Nina-Berberova
13200 Arles.

Dépôt légal
1re édition : septembre 2003
N° d'impression : 14-02048
(Imprimé en France)